D1240745

I Narratori / Feltrinelli

MAURIZIO MAGGIANI

MECCANICA CELESTE

Feltrinelli

Prima edizione ne "I Narratori" marzo 2010

Stampa Nuovo Istituto Italiano d'Arti Grafiche - BG

ISBN 978-88-07-01799-5

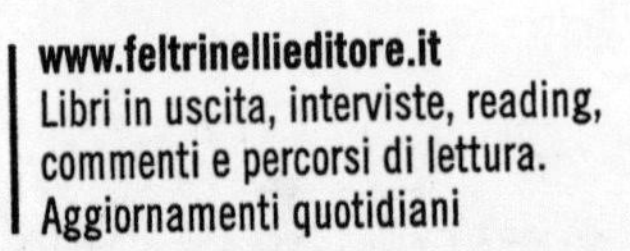

Agli amorosi guerrieri murati
al campanile di Careggine
e vivi.

Se in Sardegna, come in Lunigiana, come in Calabria, come ovunque, l'osservazione (se possibile) ci rivela un *hiatus* con le grandi correnti della storia, l'arcaismo sociale (e tra gli altri quello della vendetta) perdura, lo si deve anzitutto alla semplice ragione che la montagna è la montagna. Cioè, un ostacolo. Ma, in pari tempo, anche un rifugio, un paese per uomini liberi.

FERNAND BRAUDEL, *Civiltà e imperi del Mediterraneo nell'età di Filippo II*

PERSONAGGI

IL NARRATORE
LA 'NITA la sua donna
LA DUSE sua madre
CHICO, DOMENICO suo padre
LA SANTARELLINA l'amica della Duse
LA FAMIGLIA DEI GIANNONI:
  L'OMO NUDO, BRESCI GIANNONI allevatore di maiali, reduce di Sachsenhausen
  L'AMANTEO nonno dell'Omo Nudo
  L'OTELLO padre dell'Omo Nudo
  LA MELINA madre dell'Omo Nudo
L'ISIDE amante dell'Otello
LA MARTA, staffetta partigiana
DON GIGLIANTE prete guerriero
PADRE OLINTO prete missionario
EDDA la zia della 'Nita
EVA amante del campione William Grover-Williams
BENOÎT campione di automobilismo
ION NESBØ veterinario distrettuale
IL VERANO coltivatore di necci, decorato della guerra di Liberazione
LA CASATA DEI NOBILI PROPRIETARI TERRIERI BORGIONI:
  L'ARISTO proprietario del più bel pennato del distretto
  LA FRANCESE moglie dell'Aristo

L'ARIODANTE trisavolo dell'Aristo
IL MENOTTI nonno dell'Aristo
IL SERSE padre dell'Aristo
L'ULISSE enologo, figlio dell'Aristo
LA MALVINA, LA MALVA figlia dell'Ulisse, astronoma
L'ONTANO compagno dell'anarchico Bresci
BENIAMINO un castagno
IL MIRTO il "figlio" di Beniamino
IL VALANGA capo partigiano
LA BANDA DEL VALANGA
I GHETTI la famiglia della Duse, osti
L'AMELIA madre delle Duse
PIPPO bombardiere notturno
IL BARONE ufficiale della Wehrmacht
IL RIZIERI una canaglia
LA CICOGNA aereo da ricognizione notturna
IL VITTORIO spaccapietre
LA MARINELLA figlia maggiore del Vittorio, professoressa in belle lettere e dottoressa in archivistica
LA MIRANDA figlia minore del Vittorio, cardiologa
FILIPPO NESI dinamitardo
ANGELA la scrofa
IL FALCO partigiano
ANTENOR CHIRLANDA soldato della Força Expedicionária Brasileira
IL SERENI contadino del distretto
IL NAZZARENO pittore di acquerelli
FERNANDO BIASOTTI corridore motociclista
IL BAZZONE prete esorcista di Fabbriche
IL PROFESSOR ALLISON professore di fisica a Cambridge
IL PROFESSOR GALLUP professore di chimica a Newcastle
THOMAS amico inglese
L'ELIANTO allevatore di maiali
L'ERMIDIO produttore di biroldi
VLAD muratore

MECCANICA CELESTE

1.

UN FATTO FATTO

La notte che ho messo incinta la mia donna Barack Obama è stato eletto quarantaquattresimo presidente degli Stati Uniti d'America. Il fatto è avvenuto poco dopo la mezzanotte, assai prima che la notizia fosse sicura, e se la relazione tra i due avvenimenti è naturale, è anche con assoluta certezza priva di alcun significato. È vero però che quella notte sembrava che il mondo intero palpitasse in un'atmosfera di trepidante attesa; persino noi avevamo eccezionalmente sintonizzato il televisore su una stazione che aveva in programma una vigilia elettorale con ospiti. Solo che la cosa si stava facendo lunga e noiosa.

L'idea era di salire, metterci a letto e leggiucchiare un po' mentre gli ospiti davano il peggio, e poi tornare quando si fossero placati, in tempo per il responso. Come il resto del mondo tifavamo per Obama, il nero colmo di profezia, ma anche in quei giorni continuavamo a leggere molto: leggere ci piace e ci fa bene. Ed è il fatto puro e semplice di leggere che ci fa bene. Come la lettura della Bibbia nelle antiche famiglie teneva assieme ogni cosa ben al di là di quello che ognuno sapeva cogliere di sacro dentro a quei venerabili testi, così è per noi l'azione in sé, che ci insegna ogni giorno qualcosa di buono.

A portata di mano l'uno dell'altra, con il culo poggiato sullo stesso sofà o, addirittura, sullo stesso materasso, assegnati nello stesso scompartimento, che guardano ognuno al proprio lato del finestrino due paesaggi diversi, assai probabilmente antipodi. E ci guardiamo di sottecchi, e sentiamo di esserci; e forse vorremmo avere il coraggio di presentarci e forse no, forse va bene così: covare l'intimità aspettando che il capotreno spenga le luci per la misteriosa notte boreale. E comunque vada, viaggiare con lo sguardo fisso al finestrino di quello scompartimento, non smettere mai di viaggiare e non smettere mai di guardare, che è più di quanto si possa sperare. Questo nostro leggere ci insegna a vivere assieme, e partire per ogni dove, e poi tornare. Ed è molto eccitante, naturalmente. Di una eccitazione un po' troppo sottile perché si semplifichi e riduca nell'ovvietà di un coito.

Forse è per questa ragione che, tra i molti luoghi della casa adatti alla lettura silenziosa e comune, finiamo per preferire il letto matrimoniale di sopra, per usufruire della castità del luogo e aggiungere un tocco in più di sacralità al nostro trepido viaggiare.

Ma intanto il fatto è accaduto. Non previsto e non in sintonia con l'occasione, l'indefinito si è fatto carne, la carne voglia, e la voglia azione. Un "fatto fatto" direbbe la 'Nita. Perché così si usa esprimere nella sua lingua, con la duplicazione, l'inconsueto e l'eccezionale.

Un fatto fatto.

Ho tolto gli occhiali, ho messo l'orecchia alla pagina e riposto il pesante volume di avventure che in quei giorni mi dava piacere, e ho allungato le mani. Mollemente. Qualcosa nel mio cuore prima ancora che altrove mi ha chiesto di farlo. Da sotto saliva intermittente il frinio degli esperti, ma era chiaro che prima dell'alba nessuno avrebbe avuto niente da dire: cacciate fuori i numeri, santo Dio.

Mollemente è una domanda, mollemente è una supplichevole preghiera.

La 'Nita non è sorda alle preghiere di un cuore puro, il suo stesso cuore è una costante supplica sotto forma di domanda, nelle forme di una preghiera. Mollemente, giocherellando con la tenera superficie delle nostre reciproche suppliche, ci siamo congiunti. Questo è quello che si dice l'onesto piacere coniugale. Ciò che i padri della chiesa non hanno mai osato negare all'uomo dal fondo sterile dei deserti dove nei millenni trascorsi hanno meditato sulla natura della carne e del divino insito in essa. E hanno emesso sentenze.

Il suo libro, un ostile romanzo francese, si agitava scomposto nell'esclusiva consonanza del nostro trambusto; da quel frangente non sarebbe uscito salvo. Noi sì: è per questo che stavamo rotolando come gatti sul tappeto di erba gatta, come bambini continentali nella sabbia del Tirreno, cachi maturi giù dalla collina della Cascianella. Facevamo l'amore, un amore casto e virginale. Casto, come si dice delle colombe sin dal tempo in cui Cristo le pose a esempio davanti agli occhi degli uomini perché ci dessero un taglio con il loro maligno fornicare. Virginale, della verginità di fanciulli votati: sono arrivato a te vergine, ancora una volta, e per l'ultima volta, a Dio piacendo.

E spruzzi di risacca lambivano qua e là le coltri sfrangiate ai piedi del letto, intermittenti schizzi di insulse opinioni risalivano dalle voragini del talk show; un idiota giurò quella notte che Paperoga avesse votato McCain. Ma questo non ci intimidiva. Né avrebbe potuto distrarmi. Infatti è stato sapendo quello che dicevo che ho sussurrato alla 'Nita: posso venirti dentro?

Era la prima volta. In tutta la mia vita. Non scherzo.

Ci sono uomini, ci sono stati per lo meno, che sanno con precisione ciò che gli appartiene e ciò che no; per naturale indole o per energica educazione, a seconda dei casi. Io sono tra questi, e so che il grembo della 'Nita non mi appartiene. Lo so talmente bene che non ho desiderato altro con tanta intensità fin dalla mia prima erezione, sepolta chissà dove, ormai perduta. Avere le sue interiora feconde, possederle dentro le mie, irrorare con il loro succo la mia vacua maschilità. A sedici anni frugavo nei cumuli di "Reader's Digest" abbandonati nella cantina di un inglese, in cerca della formula per far partorire i maschi. Come se davvero potessi tenere nella mia pancia il futuro del mondo. Ma non per questo ho mai toccato il ventre di una donna con l'intenzione di prendermi una rivincita. Non ho figli perché nessuna delle donne che mi hanno amato mi ha mai chiesto di averne con lei; non è una maledizione, e non ha neppure l'aspetto della sventura: probabilmente si è trattato solo di afasia. O di ragionevole calcolo: non c'è femmina di qualsivoglia specie animale del Creato che non abbia le sue idee sul maschio a cui concedere la paternità della sua prole. Io non sarei mai stato un buon padre; forse una buona madre, ma non un buon padre. Comunque c'è stato sempre del gran mutismo, quando a volte invece basterebbe provare ad aprire la bocca.

Posso venirti dentro?

C'è qualcosa di più inadatto da dire a quest'ora della notte? A questo punto della vita? E ancora non si sa con certezza se Paperoga ha votato repubblicano, e fuori fa freddo e c'è vento, e quest'anno non ci saranno più funghi anche se dovesse venire finalmente a piovere.

Un detto detto direbbe la 'Nita.

Ma l'ho detto così bene che nel sentirlo mi sono riempito di orgoglio. Inaspettatamente, insperato, fossile orgoglio animale. La scimmia antropomorfa ha parlato alla sua donna e le ha chiesto qualcosa di intimo; gentilmente, perché gli animali hanno la facoltà della dolcezza.

E ciò che è stato chiesto è di un'intimità talmente struggente che la scimmia antropomorfa ne gode come se si fosse rizzata in piedi, all'improvviso, in un gesto senza esperienza: una cosa che non sapeva di poter fare. Stupendo esemplare adulto.

E constata che ci sa restare in quella nuova e così promettente posizione; e a quanto pare, per qualche straordinario motivo che al momento gli sfugge, può restarci quanto gli pare. Forse vorrebbe battersi il petto e ruggire, forse gli viene da guaire, o bramire leccando la sua femmina sul petto. Eppure, con tutto che è solo un animale, sa che mai come in questo momento ciò che deve fare è religiosamente ascoltare, immobile; adesso sì, in perfetto silenzio.

Non farti dire cosa devi fare, come se avessi bisogno di insegnarti qualcosa. Vieni.

Dove, mia bella?

Dentro in questo mio oscuro recesso, nella mia liquida cova. Alla faccia degli opinionisti, vieni. Fermati qui, sei arrivato; come dovresti sapere, più in là di qui non c'è niente.

No, infatti. E da lì non siamo più andati avanti di un passo. Dove mai saremmo potuti andare? Visto che la 'Nita è gravida. Gravida di segni, gravida di presagi, gravida di prole e di futura umanità: dov'altro andare? Questa notte nemmeno nella stanza di sotto per vedere i risultati delle elezioni presidenziali, semmai solo per spegnere il televisore. Un po' di silenzio, per cortesia.

E dormire anche un po'.

Del resto, già di prima mattina aveva i seni gonfi. E si pavoneggiava, fiorita come un giardino di clarisse.

Vieni a sentirmi.

È vero, queste non sono più tette, sono già mammelle.

Bevevamo caffè e mangiavamo biscotti a forma di cuore. Nessuna allusione: in casa, di stampini c'erano solo quelli. Per inciso, lei sa fare i biscotti come nessun'altra rinomata fabbrica artigiana. La radio spiegava per filo e per segno come tutta Paperopoli avesse votato per il nero Obama e come in quel preciso momento tutto il mondo fosse in festa. Lo eravamo anche noi, più sobriamente che a Chicago, ma con sincero trasporto.

Le sue mammelle erano davvero più tonde e piene; e pensare che erano il suo punto debole, la sua parte meno in vista. Con una mano portavo alla bocca cuoricini di pasta frolla e con l'altra carezzavo un capezzolo. E mi sentivo in forma, e avevo ancora il sentimento preciso della mia posizione eretta. Vecchio gorilla delle montagne.

Sono talmente vecchio che non sarò un pericolo per questa donna e per la sua futura prole.

Lei rideva con tutto quello che aveva per ridere, le briciole di cuoricini ai lati della bocca saltellavano qua e là, piccoli insetti impertinenti.

Sono talmente vecchio che non c'è modo che disturbi nessuno qui intorno, e al tempo in cui potrò essere veramente pericoloso non sarò più in circolazione. Anche a voler fare il padre, non c'è miglior padre di un padre assente. E questo la 'Nita lo sapeva, e per questo stringeva la mia mano al suo seno e delicatamente si curvava per baciarmela. La mia mano dalle dita affusolate e dal palmo quasi intatto, mano per lavori sottili. E le sue labbra tenere, compassionevoli, labbra che indugiano sul tema dell'amore; per anni le ho proibito di usare quella parola, e lei ha imparato ad arrangiarsi con il linguaggio dei gesti.

Per mio figlio, e nel caso, più ancora per mia figlia, sono disposto ad augurare un padre che è all'estero a fare la guerra, piuttosto che un uomo in giro per casa a contraddirsi.

La mattina di quel primo giorno di gravidanza s'è fatto vivo l'Omo Nudo; ha bussato alla finestrella sopra il lavandino e ha cominciato a salutare a piene mani. A dire il vero questa volta non era nudo. Vedo che ha una camicia bianca, vedo che suda e sento che biascica: avrà qualche impegno importante. La 'Nita gli ha fatto cenno di entrare e l'Omo Nudo mangia cuoricini di pastafrolla e si lamenta delle autorità preposte: è in piedi, accanto alla porta, aperta. C'è una bella mattina fuori, l'autunno è fresco e asciutto; su, nelle gole alte del

Soraggio i metati sono ancora accesi e l'odore della brostolatura delle castagne arriva fino in casa, fin sopra gli avanzi di cuoricini e di caffè e il tanfo di selvatico dell'Omo Nudo.

Perché, penso io, la natura della paternità è nella fermezza, nella stolida, affidabilissima autorità. Per questa ragione, se è pur necessario lo spirito, il corpo del padre può essere solo fonte di brutte sorprese, e di delusioni. Infatti, se poi non dovesse tornare dalla guerra, meglio ancora: potrebbe nascerne un mito, forse una leggenda. Non disprezzerei una leggenda sul mio conto. Mio padre la sua leggenda ce l'ha; ma mio padre ha avuto dalla sua la guerra e il mistero.

La 'Nita chiacchierava con l'Omo Nudo, ma non dimenticava le sue nuove mammelle e faceva in modo ch'io le potessi osservare in tutta la loro magnificenza ogni volta che distoglievo lo sguardo dal mio ultimo cuoricino.

L'Omo Nudo è un criminale fuorilegge ed è inseguito dalla polizia sanitaria del distretto. È un macellatore clandestino di maiali e non intende rispettare alcuna legge al riguardo. È recidivo e indisponente, ma quella mattina stava andando a chinare il capo di fronte all'autorità. Perché temeva la galera che gli hanno promesso, paventava che una volta rinchiuso in gattabuia gli rubassero le bestie. E aveva paura del caldo che ci fa nelle gattabuie.

Ma l'Omo Nudo non ama chinare la testa. Neppure a me piace chinare la testa, e anch'io macello in clandestinità; ma un maiale alla volta e senza fare l'indisponente. L'Omo Nudo sarà presto una leggenda, forse ancor prima di morire, anche se ormai è molto vecchio; intanto è già un eroe. A meno che non succeda qualcosa con l'autorità e debba essere svergognato per una vigliaccata. Ma non succederà mai.

Lui non ha figli e la leggenda gliela coltiveremo noi; io avrò una figlia, la 'Nita su questo è categorica, e la cosa sarà un poco più complicata. A un padre, quando si rivela per davvero un buon padre, gli si comincia a voler bene intorno ai quarant'anni, essendo già andati e tornati da qualche parte molto distante, e dunque sarà opportuno che per allora io sia un padre da amare. Per questa ragione è necessario che io sia distante nel tempo e confuso nel ricordo; ci saranno delle fotografie, ci saranno delle favole, ci sarà lei a sovrintendere, e pochi altri potranno essere chiamati a dare una mano.

In ogni caso, pur brava che sarà la 'Nita e di buon carattere mia figlia, io, a piedi, la strada da Sachsenhausen fin qui non l'ho mai fatta. E non sono nemmeno mai stato a Sachsenhausen, e non ho mai sofferto tutto il freddo che ha sofferto l'Omo Nudo per diventare l'Omo Nudo. Così come non ho mai regalato preziose briciole di pane al grande campione William Grover-Williams.

"Io anderei più contento all'autorità se la bella qui mi darette un bel bacio di timidezza," disse l'Omo Nudo quella mattina alla 'Nita.

E la mammelluta gli diede un bacio, e nel farlo si accorse che mancavano un paio di bottoni alla camicia bianco cenere dell'Omo Nudo. Così che ne trovò qualcuno adatto nel cassettino dei bottoni andati orfani e glielo cucì lì in piedi, con quel gran bel gesto che hanno le donne incinte di umettare di saliva il refe per infilare la gugliata, tenere l'ago tra le labbra strette mentre clinicamente prendono le misure, e cucire i bottoni addosso agli uomini premendo il ventre contro il loro ventre. Come Maria ha fatto con Giuseppe chissà quante volte, al pari della mammelluta, nel suo gesto castamente inondata di divino.

Si è risaputo poi che l'Omo Nudo ha reso giustizia al bacio e ai bottoni, e ha trovato modo adatto, sottile e feroce, di vendicarsi delle inique persecuzioni dell'autorità. Ma questo è accaduto che era ormai pieno inverno, in quei giorni stupendi di calma che sono venuti poco prima della Candelora, quando la tramontana scura calava ogni sera giù dagli Appennini un palmo di neve; giorni adattissimi alla macellazione del maiale, momenti di gloria per l'arte norcinaria dell'Omo Nudo.

Cadevano allora fiocchi così grossi e compatti che sembravano frittelle, e veniva voglia di mangiarli; i figli degli inglesi li mangiavano per davvero, e la 'Nita li stava a guardare rapita, scuoteva la testa e confermava che la neve era meglio di quello che trovavano in casa.

La mattina gli spazzaneve si incaponivano su per i tornanti e nel silenzio ci disturbavano e ci allarmavano; puzzavano senza riguardo di nafta e sembravano truppe corazzate di un lurido esercito invasore che saliva a stanarci.

Erano dei 90 così vecchi che per portarli le società non trovavano nessuno, nemmeno tra i macedoni che di solito si offrivano di fare qualunque cosa, e così tenevano a libro paga certi vecchi camionisti dei paesi di là dal crinale, che avevano imparato a portare i mezzi sulle strade bianche stese dagli americani, dopo la guerra; alcolizzati e sul punto di crepare tutti di un colpo. Li conosciamo, parlano ancora come nell'antichità, che si fa fatica anche a capirli; a mezzogiorno fermano i mezzi davanti a qualche trattoria sui passi e mangiano e bevono tra di loro, zitti finché non sono al fernet. Poi bestemmiano per un quarto d'ora e ripartono.

In quei giorni non c'era molto da fare, se non buttare quintali di legna nei camini e trovare il posto più caldo dove mettersi a leggere, che alla fine era sempre il letto di sopra. La 'Nita la notte metteva a bagno il farro e la mattina preparava la zuppa, poi prendeva due o tre libri e mi si metteva vicina. Senza disturbare, ma pronta a sfiorarmi al primo movimento.

Odore di funghi appena trovati sotto le foglie di un trisecolare castagno, rumore del delicato scricchiolio delle foglie non ancora del tutto seccate.

A me quando cominciava a far freddo prendeva la passione per le storie dell'antichità remota, lei non sentiva le stagioni e anche sotto un metro di neve continuava a esibire la sua tradizionale raffinata francofonia. Ma se capitava di toccarci, allora si discorreva di questa nostra figlia; e se le mie erano piuttosto riottose, le sue idee al riguardo erano chiare e ferme. Avrebbe avuto i riccioli di Berenice e un giorno li avrebbe votati per il suo uomo, perché qualcosa di lei doveva splendere nel cielo in eterno, visto che dall'eterno era venuta. Ma il suo cuore sarebbe stato grande e fermo come quello del sommo campione William Grover-Williams, e se quel suo gran cuore l'avesse portata al sacrificio estremo, così sarebbe dovuto essere, senza rimpianti. Sarebbe stata manesca come Bradamante e anche un po' lasciva e promiscua come lei, ma la sua testa era quella di Astolfo; anche perché doveva ereditare l'automobile di sua madre, che, in fatto di mezzi di trasporto, era quanto di più vicino al Carro di Elia potesse ancora circolare per le strade del mondo fin su alla luna. E ancora più in là, fino al Paradiso. Ma poi ci rifletteva ancora su, e si decideva per Angelica, per la fermezza del suo amore, per la dolcezza delle sue intenzioni, per il suo eccezionale contributo all'emancipazione di Medoro e di tutto il proletariato rurale.

Tutto sommato, alla fine, quando lasciavo perdere e mi alzavo per andarmene ai miei lavori, portavo con me la sensazione che da questa figlia sarebbe uscito fuori un tipo piuttosto equivoco. Ma è così che è fatta sua madre: enciclopedica e controversa.

Intanto le sue mammelle promettevano di bene in meglio e il suo ventre fioriva; la sua pelle era sempre più dolce e lucente, la sua bocca più larga, i suoi denti più aguzzi: pareva che fosse in procinto di partorire da un momento all'altro.

Naturalmente, con mezzo metro di neve davanti a casa, in quei giorni ci era più facile fare l'amore. Cercavamo di non farlo in mezzo ai libri, visto che amiamo le regole e questa in particolare con inflessibile determinazione, più che mai dopo la notte della fatale eccezione. Ma capitava che ci trovassimo nei posti più freddi della casa e ce ne veniva voglia lì. Ritengo che fosse perché era troppo freddo per toglierci i vestiti; infatti i vestiti li tenevamo perlopiù addosso, e questo veniva incontro a una nostra interiore necessità di un certo riserbo nel coito: le Februe sono pur sempre il tempo della purificazione.

Per la Candelora, come dicevo, l'Omo Nudo venne da noi a purificarsi nella neve. Lo faceva tutti gli inverni. Non che la nostra neve fosse qualcosa di speciale, ma c'era in più la zuppa, e la zuppa della 'Nita ha quel non-so-che che all'Omo Nudo gli dice. E gli dice anche come si ferma la neve nel campetto sotto casa, che è un bel campetto garbatamente digradante; lo curiamo e ce lo teniamo così, per figura, a trifoglio e santoreggia. Nel mezzo, messo a dimora prudentemente nel punto più ripido, abbiamo il noce di casa, più vecchio della stessa casa e anche un po' più diritto e robusto di lei.

Il noce è così vecchio che qui è generale opinione che le sue streghe ballassero già al tempo che queste valli erano abitate unicamente dalle bande superstiti della guerra contro l'Impero, i reduci proscritti che gli invasori avevano lasciato liberi di morire di stenti a futura memoria della magnanima larghezza del vincitore.

Allora, ai primordi, prima che arrivassero i preti e si profilasse l'eventualità di un altro inferno, e peggiore, le streghe del posto erano un sollievo; avendo niente da rubare e pochi fuochi da spegnere, tutto quello che potevano inventare di malvagio era di portarsi via gli uomini sui noci e mettersi a ballare con loro prima di spingerli giù. Ma erano uomini abituati al peggio, e le leggende più nere dicono che qualcuno di loro se le sia anche sposate. Quello che è certo è che quei derelitti selvatici furono costretti a inventarsi uno strumento musicale adatto al brio delle danze arboree, e quello strumento null'altro è che il violino; sì, proprio il violino che poi, nei secoli a venire, ha dato così tanto sollievo all'animo affaticato degli uomini. Parola della Santarellina, che di queste cose è quella che ne capisce più di tutti.

Da quando siamo qui le streghe del nostro noce non ci hanno mai dato fastidio; sono vecchie e se si provassero a scendere giù dai loro rami finirebbero per ruzzolare nel campo. E poi sono stufe di perdere tempo a cercare chi suoni il violino per loro: gli uomini si sono addolciti e rinsecchiti, non sono più all'altezza della loro voracità di ammaliatrici danzanti, neanche qui da noi. Comunque, perché la prudenza non è mai troppa, nell'occorrenza della festa di San Giovanni, i giorni in cui le streghe hanno reso i malli tossici nel modo adatto per poterci fare il liquore, prima di venire a coricarsi la 'Nita pone sotto il noce un fagotto dei suoi biscotti. In questo modo domestico dà un po' di sollievo alla fame di dolcezza delle nostre vecchie streghe, professa ai loro spiriti la sua cura sororale e se le tiene buone per il tempo a venire. Le streghe la riconoscono e le vogliono bene, così, anche se la notte lampeggia dei falò accesi qua e là nella valle, lei sale alla casa facendosi luce con le vivide fiammelle che le si levano dalle dita della mano tesa in alto: la lampada votiva della sua notte di Valpurga. Guardo lei, vedo la sua luce, e capisco come dei montanari poco più che animali siano riusciti a inventarsi un violino. Il mattino dopo i biscotti sono spariti, ma i ladri sono i ghiri, si sa.

È in quel campo e a ridosso di quel noce che l'Omo Nudo viene a purificarsi, palesandosi tamburellando alla finestra sopra il lavabo, chiedendo alla sua maniera selvatica di poter procedere. Per l'occasione non biascica né gesticola, è solo imbronciato perché ha fretta e fame e sa che la cosa andrà per le lunghe. Infatti per quel giorno non ha neppure il diritto di sedersi in cucina, che è l'unico posto dove gli piace stare, ma lo si accomoda nella stanza grande dove è pronto per lui sul tavolone di castagno. Su quel tavolo, che ha la sacra vetustà e l'imponenza di un altare allestito per pagani olocausti, celebriamo i riti per i nostri Mani domestici: a primavera facciamo lievitare le pasimate pasquali, ad agosto prepariamo le cartucce per la caccia al cervo, ai primi di dicembre insacchiamo il maiale, all'Epifania impastiamo e riempiamo i tortelli, e sotto la Candelora apparecchiamo per l'Omo Nudo. Il fiasco, la tazza, quella grande che sarebbe mia da quando ero bambino, il bicchiere, il cucchiaio. E il tovagliolo, perché qui si officia una cerimonia, e almeno per questa occasione l'Omo Nudo può anche fare lo sforzo di nettarsi la bocca.

E alla maniera degli antichi dominatori latini, la 'Nita trasla dalla cucina con l'urna delle Februe fumanti tra le mani e solennemente compie il circuito perimetrale della stanza. Libera nos a malo, mondate o Februe questa casa dalle turpitudini dell'abbondanza. La minestra esala un vapore denso e dolce, stordente, un incenso alimentare. Ma ancor più dell'incenso profuma di redenzione, questa santa zuppa. Sono state cercate, raccolte e accomodate con le patate addolcite dal gelo e la cipolla rinforzata dall'esilio in cantina sette erbe dello spirito, e sono: cornabrugua e santoreggia, zizerbedo e salvia, rosmarino, rucola e alloro. In un alito non più rovente di braci del camino hanno sciolto in duraturo sobbollore i fermenti del farro, e, di nascosto dalla quaresima, lo hanno ingrassato con un bel pezzo di lardo. Perché questo venerando frumento dei montanari da solo nutre troppo poco per tenerli in piedi durante l'inverno. Eppure, così come la fa la 'Nita, tre o quattro piatti di zuppa l'Omo Nudo lo riempiono abbastanza.

Corpaccione di vecchio fuggitivo, nudo e calvo come se ne venne dai ghiacciai perenni del campo di concentramento di Sachsenhausen. Bollente di zuppa, cotto nel vino perfido nostro, salta nel campo e si immerge nella neve. E nuota e corre e saltabecca, finché non si riduce a un pupazzo semovente di croste di ghiaccio. Allora si arrampica al noce, si issa alla prima forcella e si scuote di dosso i ghiaccioli. E canta. Eretto e bellicoso, con la voce tragica di chi sta invocando accorruomo, canta l'inno che gli insegnò, nottetempo sottovoce per non farsi fucilare all'istante, il grande campione William Grover-Williams.

Aux armes, citoyens! Formez vos bataillons! Marchons! Marchons! Qu'un sang impur abreuve nos sillons!

Non sarà sangue nostro, noi ci siamo appena purificati nella Candelora; noi siamo invece quelli che irrorano i solchi, i puri che marceranno.

Nudo, dunque, senza un pelo dalla testa ai piedi, e ha più di ottant'anni. Ed è arrivato fin qui forte come un toro senza aver mai letto un libro in vita sua. Ed è la 'Nita l'unico essere umano in tutto il distretto che riesce a tenerlo buono.

Lei sa come prenderlo: come prende tutto il resto, e come prende anche me. Come lui prende i suoi maiali, quando li guarda fisso nel muso, e loro stringono quei loro occhietti tra le setole arruffate e a testa bassa si mettono in fila per benino, come questuanti beneducati in coda per la razione di carità.

Intanto la 'Nita lo chiama per nome; perché l'Omo Nudo ha un nome, che fa Bresci, e sembra che nessuno se lo ricordi. Lei che viene da fuori, pare che sia l'unica a saperlo. Si chiama Bresci di nome proprio, e non viene facile a dirlo, ma quando lei lo chiama, guardandolo fisso negli occhi come se fossero gli occhi a dover riconoscere il suo nome e risponderle, si vede che lui si intimidisce.

E poi lei gli dà del voi, un voi elegantemente romanzo, e questo lo intimidisce ancor di più, perché gli fa tornare alla mente il suo amico William Grover-Williams.

"Voi avete avuto questa gran fortuna, Bresci, di incontrare uno degli uomini più affascinanti del secolo."

La 'Nita conosce quell'uomo che apprezza così tanto. Sa chi è stato fin nei minimi particolari, e me ne ha fatto vedere una fotografia. Quello che si vedeva era un bell'uomo dallo sguardo torvo e dagli zigomi abbronzati, portava in testa un casco di pelle e fumava una sigaretta color bruno appoggiato a una Bugatti da corsa. Nella fotografia era il 1928, e aveva appena vinto il primo Gran Premio di Monaco. E aveva ancora davanti a sé una storia intensa e drammatica.

Mi ha raccontato la 'Nita che William Grover-Williams era uno di quei corridori nati che nella vita non sanno fare altro che correre troppo, e per questa ragione non possono durare a vincere. Ma quando smettono di vincere tutti hanno nostalgia di loro, del loro puro coraggio e delle bravate micidiali, gli altri piloti per primi, e questo fa di loro dei malinconici miti viventi. Carichi di vergogna per le loro sconfitte, ancora affamati delle loro vittorie, devono levarsi dalle piste per cercarsi qualcosa che valga la pena di vivere. William Grover-Williams l'aveva trovato nel giusto modo, tanto giusto che ha potuto morirne come un eroe.

Era nato in Francia da un allenatore di cavalli inglese che per qualche losca vicenda non poteva più mettere piede ad Ascot, e da una cameriera parigina che si era fatta fregare dall'incanto delle sue basette. Da ragazzino armeggiava con le autoblindo che tornavano ridotte a rottami dal fronte della Somme, e gli piacevano indifferentemente i motori nazionali e le prede di guerra; rubacchiava qualche pezzetto di ingranaggio qua e là nella folle idea di riuscire a costruirsi un motore tutto suo.

Una settimana prima dell'armistizio c'era riuscito davvero. Gli mancava solo un telaio, un volante e un posto dove sedercisi a portata di mano, e per il Natale del '18 aveva già tutto quanto. Ci correva per le strade di Montecarlo, dove i suoi erano andati a salvarsi dal fronte, e batteva ogni record possibile e immaginabile. A diciassette anni lasciò suo padre ai cavalli e si mise ad allenare automobili per i ricconi della Costa Azzurra. Ciò che volevano i magnati che avevano fatto i soldi con le commesse belliche, erano automobili che non gli facessero prendere gli spaventi che si erano risparmiati durante la guerra, e di questo William Grover-Williams non era assolutamente capace: riusciva a concepire solo automobili spaventosamente insicure. Così si era ridotto a fare lo chauffeur.

Trovò un gentiluomo che supponeva di poterlo apprezzare; comprò una Bugatti dove lui saliva sempre meno e il suo chauffeur correva sempre più. Quell'uomo gli voleva tanto bene ed era così equivoco da lasciargli a disposizione una grande casa sul mare di Guascogna. Quella casa era a un paio di chilometri da uno dei più famosi autodromi di allora, e in quella casa riceveva con la massima discrezione una donna misteriosa, che si presentava alla porta sempre velata e sola. Quella donna era bellissima e di focosi sentimenti, la villa era il posto in cui loro potevano sognare le cose più ardite e romantiche. Non a caso quella donna si chiamava Eva. Si seppe poi che era la moglie del suo benefattore, e a un certo punto divenne anche sua legittima sposa. Quelli della casa sulla spiaggia di Guascogna furono gli anni delle sue vittorie, una manciata di anni meravigliosi in cui fu l'uomo più affascinante, più ridente, più pazzo dei circuiti d'Europa.

William Grover-Williams naturalmente non era soltanto un pazzo scatenato, era anche uno spirito libero e un animo ribelle. Così quando tornò la guerra, ed era la seconda che vedeva, non gli piacque affatto l'idea di mettersi al sicuro in Inghilterra a preparare automobili Bugatti per i ricconi dell'altra parte della Manica, mentre i nazisti occupavano il paese dov'era cresciuto e dove aveva vinto le corse più belle. Un bel giorno si presentò agli uffici della leva; quelli della leva capirono per cosa poteva andar bene e informarono i colleghi dello spionaggio. Quelli dello spionaggio lo arruolarono nelle forze speciali. Si era presentato alla leva con il suo amico Benoît, uno che correva anche lui e si trovava in Inghilterra per vincere le corse che William Grover-Williams ormai non vinceva più. Non si sa come, venne in mente agli spioni che sarebbe stata una buona idea quella di formare una squadra di piloti sabotatori da paracadutare nei territori occupati della Francia. Infatti, nell'inverno del '41 furono paracadutati nel mezzo di Parigi, a fare la Resistenza come tassisti sabotatori. Era troppo bello e troppo matto, pensa la 'Nita, per fare bene quel lavoro. In capo a un anno la Gestapo gli ha messo le mani addosso e l'ha spedito a Sachsenhausen, il lager dei politici. Probabilmente è stato un trattamento di favore, in ricordo delle sue corse sul circuito del Nurnburgring. Ad aspettarlo lì c'era l'Omo Nudo.

"Li scaricarono giù dai camion una mattina a calci in culo e noi si era lì che ancora non si capiva se era notte o giorno." Li guardavano tutti con due occhi così, che erano tutti belli e puliti che parevano attori del cinema.

Nonostante tutti qui conoscano la storia dell'Omo Nudo e del suo migliore amico, nessuno sa farsi una ragione di come siano potuti diventare così grandi amici. L'Omo Nudo nutre un totale disinteresse per le cause degli accadimenti che riguardano la sua persona, e in proposito non può darci nessun aiuto. Non sappiamo nemmeno come fosse realmente quel posto dove si sono incontrati: lui parla sempre di "lassù" e il nome di Sachsenhausen lo conosciamo solo perché è scritto nelle sue carte.

"Lassù era solo tribolo e tribolo."

È difficile immaginare che quell'uomo fatto, cresciuto a Parigi nella bella società, che i suoi già lo adoravano come un grande campione e un eroe di guerra, potesse far comunella con un ragazzone che non sapeva nemmeno perché fosse finito "lassù". Non riusciamo neppure a immaginarci come accettasse di essere sfamato, come l'Omo Nudo racconta, con gli avanzi del suo pane.

Si metteva certe crosticine infilate strette nelle brache e a buio lo veniva a cercare e si faceva lo scambio. Si mangiava le sue crosticine da vero signore, si nettava col moccichino che teneva al collo, e allora cominciava a parlare.

Per come ce la racconta, il campione William Grover-Williams lo erudiva sulle grandi questioni della vita, senza tralasciare di insegnargli parola per parola l'inno nazionale del suo paese. In quale lingua si parlavano? William Grover-

Williams sapeva tre parole di siciliano solo perché aveva corso una volta la Targa Florio.

Parlava fitto fitto, ma in certi posticini come lassù va che ti intendi come a essere giù in piazza, e poi faceva certi discorsi che sembrava un santo, "e allora dimmi tu come fai a nun capillo?".

L'Omo Nudo non ha mai detto com'è finita, ma è una cosa che è nota: come la sua vita, la fine di William Grover-Williams fa parte della storia. Racconta la 'Nita che è stato ammazzato negli ultimi tempi, quando i russi ormai erano vicini a Berlino. In quei giorni i tedeschi hanno sgomberato il campo in grande sprescia e gran parte dei prigionieri ancora in vita sono morti durante la marcia. William Grover-Williams è morto di fatica, fucilato perché non riusciva a stare più in piedi.

L'Omo Nudo diceva che quando si metteva sull'attenti a rispondere all'appello gli pareva un bimbetto. "E non è che nun avesse della forza; fatto sta che ce l'aveva solo nelle mani." Perché con le mani poteva stroncare un sasso in due, ma tante volte lo dovevano sorreggere i suoi compagni, uno di qua e uno di là.

Per completezza di informazione lei aggiunge che da qualche parte sul net c'è chi dice che in realtà sia sopravvissuto, scambiato per morto e abbandonato nel disgelo dell'Holstein. Che fu raccolto dai sovietici e abbia chiesto di essere portato in Guascogna, dove è vissuto senza più aprir bocca né fare alcunché fino alla sua morte. Ma questa è la vecchia storia di tutti i grandi campioni e degli eroi. Fosse andata così l'Omo Nudo non sarebbe nemmeno qui, ma ancora a imparare le grandi questioni della vita nella splendida villa del suo grande amico, senza più una sola buona ragione per tornare.

Ma le cose sono andate come sono andate. Lui è di quelli che restano in piedi anche dopo che a regola non dovrebbero più farcela, e tutto quello che aveva in testa era di tornarsene nell'unico posto al mondo che conosceva.

La 'Nita dice che comunque c'è una tomba ufficiale di William Grover-Williams, a Brookwood, nel Surrey. Quel posto è una specie di foresta dei morti, tutta una valle coperta dalle tombe dei soldati caduti per l'Inghilterra. Secondo lei non è un posto adatto per quell'uomo, e se è lì, lo si deve solo al fatto che non ha potuto pronunciarsi in merito. Lei conosce invece un altro posto, un luogo bellissimo, della bellezza struggente che è adatta al suo idolo. È in Francia, vicino alla città di Valençay, nel parco di un magnifico castello. Lì c'è un monumento dedicato ai caduti della Resistenza, compreso il suo eroe e l'amico corsaiolo Benoît. Avendo potuto scegliere, lui dovrebbe essere sepolto lì, da qualche parte nel parco. Il monumento non è bello e forse è brutto, ma non ha importanza; ciò che conta è che sia nel magnifico parco di quel nobile castello di una antichissima schiatta di duchi. In modo, lei dice, che tutti i caduti si possano sentire dei veri signori, come in effetti sono stati.

La prossima estate andranno, lei e l'Omo Nudo, a Valençay. Sarà la prima gita che fa il Bresci da quando è tornato da Sachsenhausen, e la stanno preparando con estrema meticolosità, soprattutto riguardo al cibo che dovranno portare con loro, visto che l'Omo Nudo non è in grado di nutrirsi diversamente da quello che lui stesso si prepara; eccezion fatta per la zuppa della 'Nita, naturalmente. Ogni volta che ne parlano, l'Omo Nudo è assalito dalla timidezza, ma andrà a vedere il castello del suo grande amico William Grover-Williams, fosse l'ultima cosa che farà nella vita. Sarà un viaggio spettacolare, non ho dubbi: da qui fino alla Loira su una Karmann caffellatte del 1965, l'automobile della 'Nita. Un coupé di carattere rognoso che il grande pilota non avrebbe disdegnato di allenare e portare a gareggiare. Ovviamente è un viaggio per due, e mi piacerà vederli partire.

Per allora avrà già partorito? Si sgraverà in viaggio? Non abbiamo ancora parlato dei suoi programmi in proposito.

2.
COM'È TORNATO L'OMO NUDO

Con tutto lo scorbutico e il selvatico che ha, il Bresci si è preso la briga di chiamare per nome tutti i suoi maiali; e in questo è unico in tutto il distretto, ch'io sappia. Qui nessuno ha voglia di entrare in confidenza con un animale che da lì a un anno avrà il cuore trafitto da un cuneo di corniolo, per mano sua o del padre o del fratello. Si danno nomi a vacche, pecore e cani, perché, se si vuole che rendano per quello che sanno, con loro ci si deve parlare per tutta la vita. E ci si augura che sia la più lunga possibile, e qualche volta dura anche più della nostra, ed è un bene così. Neppure i gatti hanno un nome qui da noi, tanto non ti starebbero a sentire; e non c'è maggiore umiliazione, né peggiore solitudine, di chi non è riconosciuto dal proprio animale.

Il Bresci è indiscutibilmente il miglior macellatore del distretto, ma non presta opera per conto terzi: macella solo i suoi, quelli che conosce. E macella, a differenza di ogni altro, guardando negli occhi i suoi animali.

Dice l'Omo Nudo che a chiamarli per nome i suoi maiali gli fanno timidezza. Dentro la timidezza l'Omo Nudo ci tiene avvinti assieme tutti i suoi sentimenti, molti dei quali ci appaiono ancora inesplorabili. Un paio d'anni fa, a proposito, s'è presentato in camicia e calzone in piega solo per chiedere il permesso alla 'Nita di mettere il suo bel nome alla scrofa che gli era nata. "Perché con un nome così mi diventa bella da far timidezza." Noi siamo rimasti contenti perché è una scrofa di razza che durerà parecchi anni a fare porcellini, e morirà vecchia e stimata. L'anno scorso invece ha voluto dare a un porcello il nome particolare di Nesbø, anche se gli ci è voluto un po' a pronunciarlo in modo abbastanza accettabile anche per un suino; ma con questo sacrificio linguistico si è preso la sua vendetta con l'autorità. Perché si dà l'evenienza che per l'Omo Nudo Ion Nesbø è la somma autorità, il veterinario distrettuale dei controlli sanitari. Il giovane Ion Nesbø, anima delicata biondo cenere, è venuto dagli estremi confini del Nord fin qui per innamorarsi di questo distretto, e di una ragazza che imprudentemente gli ha concesso, non solo se stessa, ma anche l'opportunità di fermarsi a guadagnarsi il pane e prolificare. Ora consuma l'immeritato privilegio nell'invelenire la vita a tutti quanti con la sua stolida inflessibilità circa l'applicazione delle attuali normative imperiali. Con particolare riguardo ai sistemi arcaici e crudeli di macellazione, impone la sua norma e decreta cancellazioni e sequestri. Ma come si sacrifica un maiale non è una questione di legge: è un principio. L'autorità dice di essere più pietosa, più giusta e più pulita, l'Omo Nudo sa che nessuno è più giusto e pietoso e pulito di lui. Lui vive con le sue bestie e ci divide il pastone; lui guarda negli occhi i suoi animali e li chiama. L'autorità osserva lacerti di carne e ci fruga dentro, poi scrive delle carte. Io la penso come lui, anche se sono più scaltro e riesco a fare a modo mio senza che il ragazzo del Nord venga a sindacare.

C'è chi dice che verrà il momento che faremo come vuole l'autorità, tutti quanti e per ogni questione, e succederà il giorno dopo che il Bresci se ne sarà andato. Io credo altresì che l'Omo Nudo farà in tempo prima di andarsene a consumare ben bene Ion Nesbø e la sua supponenza. Intanto si è preso la soddisfazione di sgozzarlo con le proprie mani, il giorno che si è affacciato sul suo porcilaio e ha fischiato e chiamato per nome Nesbø, e il suo porcello gli è andato incontro e gli si è accostato porgendogli la gola. Conscio della giustizia e dell'inevitabilità di un atto che neppure sant'Antonio ha mai messo in discussione.

Il Bresci è stato preso per strada a sedici anni dalle Brigate Nere solo per il nome che portava; l'hanno venduto ai tedeschi e loro lo hanno deportato nel campo di concentramento di Sachsenhausen, internato da politico. E lui tutto quello che sapeva allora della politica era la storia di un tale che era venuto a stare nel Soraggio al tempo di suo nonno Amanteo, e si era fatto amico suo, e tutti e due andavano a sparare nel greto del fiume per allenarsi ad ammazzare il re. Cosa che alla fine andò in porto per mano dell'amico carissimo, compagno e fratello di ideale, ma senza il contributo del nonno, che nella circostanza si trovava già da un anno migrante nel quartiere londinese di Chelsea, ove svolgeva mansione di caffettiere in un bistrò di gran lusso.

Il locale era frequentato dalla crema dell'imperialismo mondiale. L'Amanteo serviva caffè italiano di prima qualità e spiava l'andamento dell'Impero in attesa del momento buono per far saltare in aria tutta la baracca. Scriveva brevi e infuocate cartoline postali al figlio Otello; il figlio poteva così constatare da una parte le immagini dei celebri sollazzi reali e dall'altra notizie crudissime sullo stato di servitù delle plebi cittadine. Nella sua attività di sovversione il caffettiere Amanteo era coadiuvato da una quinta colonna, un nuovo amico e fratello amante del caffè, al quale accennava brevemente in ogni sua cartolina. L'uomo lo teneva informato dei più segreti recessi della turpitudine imperiale, essendone egli stesso vittima, nonostante versasse nella privilegiata condizione di nobiluomo. Come lo stesso Amanteo rivelò infine al figlio, e fu nella tragica occasione dell'arresto del suo amico, si trattava nientemeno che del famoso scrittore socialista Oscar Wilde. Di quello scrittore l'Omo Nudo ricorda di aver visto da bambino una fotografia con dedica che gli era stata mostrata da suo padre, l'Otello, a dimostrazione dell'effettivo valore dell'avo. Quella fotografia sarà il prezzo che l'Omo Nudo pagherà alla 'Nita per la gita al sacrario di Valençay. Il Bresci ha giurato che la cercherà fino a trovarla, dovesse andarla a prendere sul fondo del lago, dove hanno sparso le macerie della guerra, con dentro metà di casa sua.

Racconta anche il Bresci che c'erano dei libri assieme alla fotografia, e secondo l'Otello in quei libri si celava la verità nascosta che andava indagando suo padre assieme all'amico scrittore. E forse la verità era stata trovata, ma tenuta segreta con patto d'onore; e questo spiegava perché l'Amanteo non volle mai che nessuno della sua famiglia lo raggiungesse nella sua bella Chelsea, a fare il caffettiere come lui e a spartire le sue conoscenze. Dopodiché l'Omo Nudo ricorda che un giorno, poco dopo le sue rivelazioni sovversive, suo padre sparì, dissolto nella notte. Aveva fatto appena il gesto di baciare la Melina sua moglie e di supplicare il figlio affinché facesse onore al nome che portava, sia al patronimico che a quello proprio. Con l'Otello erano spariti i libri della verità nascosta. La 'Nita vorrebbe che il Bresci cercasse anche quelli, guadagnandosi un'altra gita in coupé, ovunque volesse andare, ma l'Omo Nudo è dell'idea che siano sepolti con l'Otello. Forse in Paraguay, forse in Colombia, forse a Panamá, là dove l'Otello se li è andati a leggere per trovare quel che cercava.

L'Otello si fece vivo qualche mese dopo con una bella lettera, e poi un'altra e un'altra ancora, e l'Omo Nudo dice che potremo leggerle quando morirà, perché sono delicate. Oltre alle delicatezze che ci verranno svelate a decesso avvenuto, ciò che racconta l'Otello in quelle lettere, e che a sua volta la Melina ha diffuso nel corso dei lunghi anni della sua bianca vedovanza in tutto il distretto, rende suo figlio, che si è fatto a piedi il viaggio da Sachsenhausen a casa sua, un modesto viaggiatore.

Dunque l'Otello fuggì inseguito dalle Camicie Nere che lo volevano morto per le sue idee politiche di giustizia e libertà. Riuscì a sottrarsi alle loro sgrinfie al pelo, informato all'ultimo momento dalla moglie del capomanipolo, che era donna di buone maniere e di cuore caritatevole, sofferente per la crudeltà del marito. Quello che dice la Santarellina, adesso che la Melina è morta da abbastanza anni per non aver più il timore che sta lì a sentire quel che si dice tra i vivi, è che il fascistone lo voleva sì morto, ma perché l'aveva trovato con la moglie Iside, e che tutto il paese l'aveva aiutato a scappare perché, comunque sia, era giustizia anche quella. Visto che la donna aveva portato al marito bellezza e poderi e ne aveva ricevuto in cambio solo sofferenze e corni. Giustizia avrebbe altresì voluto che la Melina accoltellasse a morte il marito per il torto subìto a sua volta, ma si convenne che in quelle speciali circostanze fosse concesso all'Otello il favore dell'esilio e alla Melina, almeno in parziale risarcimento, l'onore fatto salvo dal silenzio. A quel tempo la Santarellina era una bimbetta e riusciva a sentire tutto quello che voleva. Viveva nella casa della famiglia di lei, dell'Iside; quando aveva compiuto otto anni erano andati a comprarla all'orfanotrofio per tenersela a fare le opere nelle terre.

Quello che scrisse l'Otello era che con quel poco denaro che teneva in casa si era presentato da certi suoi compagni livornesi che lo tradussero via mare verso Genova, dove si imbarcò per le Americhe con ancora il fiato delle Camicie Nere sul collo. Di lì in poi era stata tutta un'altra avventura. Era sbarcato in Argentina e si trovò subito bene, si capiva quel che diceva la gente e si mangiava quasi come a casa; essendo egli un cavatore capace ed esperto, scoprì subito che colà non ci sapevano fare con la pietra. In quattro e quattr'otto mise su un commercio di lapidi funerarie: aveva imparato il tocco di scalpello dei maestri versiliesi, s'era portato con sé il catalogo delle lettere lapidarie, dei decori e delle preci. Sapeva lavorare così bene che anche a usare del serpentino da quattro soldi i suoi articoli gli riuscivano meglio che nel marmo. Disgrazia volle che si fosse fatto tentare da un amico che aveva conosciuto nella provincia montagnosa di Mendoza, là dove andava a rifornirsi di materia. L'amico, di cui l'Otello signorilmente non fece mai il nome nelle sue lettere, lo convinse che, visto come sapeva lavorare la pietra volgare, tanto valeva che la vendessero per marmo. Che per quelli di lì, ignoranti del bello e del brutto, non valeva la pena di sforzarsi.

Fecero non pochi denari in tal modo, e l'Otello, che conservava un cuore integerrimo, non mancò di mandarne alla diletta moglie bastanti per comprare la selva di Trasillico, che è rimasta ancor oggi la selva del Bresci. Sennonché finirono per fare il passo più lungo della gamba; e avvenne quando vendettero per buono un colonnato dorico per la tomba di famiglia del più grande allevatore di vacche della provincia del Rio Negro. Il quale, come poi vennero a sapere troppo tardi, aveva già una casa di trenta stanze tutta rifinita di marmo di Carrara, vero. Gliela fece vedere la casa, e gli fece toccare il suo marmo, orgoglioso di aver speso diecimila dollari americani solo per il nolo del bastimento che glielo aveva portato, mentre i suoi gaucho li pestavano a sangue. In conseguenza dell'increscioso contrattempo si sparse la voce per le province che l'Otello e il suo ignoto amico fossero dissacratori di pietre tombali, e si costituì in un battibaleno un'associazione di permalosi clienti con l'unico intento di sparare a vista ai truffatori. Perché l'America non è come credete voi, tutta rose e fiori, e lì non c'è né giustizia né compassione.

L'Otello smise di scrivere per sei anni, e riprese a dare notizie facendo per prima cosa arrivare denaro, tanto perché la Melina potesse comprare cinquanta pecore da latte, e poi una stalla con due vacche. Dopodiché si mise a scrivere da Bogotá di Colombia, e parlava di meraviglie che si stentava a credere. In quei pochi anni, pur fuggiasco dall'Argentina e privo di ogni mezzo, s'era fatto una posizione e una fortuna come cioccolatiere. Il miglior cioccolatiere di tutto il paese, parrebbe. E pensare che l'Otello era partito che il cioccolato non l'aveva mai mangiato, ma solo sentito dire nelle cartoline di suo padre l'inglese.

S'era fatto ricco ma non dimenticava l'ideale. Assieme al denaro mandava raccomandazioni al figliolo perché facesse onore a quel che lui sapeva. E non aggiungeva altro, avvertiva, solo per causa della censura fascista vigente anche nelle lettere dei figli d'Italia emigranti, intenti solo a fare più grande la patria. E quando si fecero vedere i primi segni della guerra ordinò alla diletta moglie di comprare una cascina abbastanza alta nella valle dove avrebbe dovuto tenere armenti e beni, e trasferirsi lei stessa con l'adorato figliolo. E quella è la casa dove vive l'Omo Nudo, anche se quando ritornò dai ghiacci del Nord non trovò né beni né armenti, solo i muri segnati dalle mitragliere, e nemmeno tutti. Otello, dice il Bresci, non fece mai cenno a un ritorno, né sua madre lo illuse al riguardo, neppure negli anni dell'infanzia, quando il padre gli mancava.

La Santarellina sospetta che se anche fosse tornato padrone di mezza America, pure con i partigiani amici suoi per le strade, la Melina l'avrebbe sgozzato lo stesso. Perché qui i debiti vanno pagati, e non c'è prezzo per i corni.

Si suppone che l'Otello morì proprio subito dopo la guerra. Le sue ultime lettere venivano dalla città di Panamá, e lì era padrone di tutte le pasticcerie del paese. Scrisse che per la Pasqua faceva preparare dai suoi cuochi le pasimate, e che anche con il caldo che ci faceva venivano buone come a casa. Il Sabato Santo ne portava personalmente un paniere al governatore in persona; quel governatore era nipote di un italiano, e teneva al riparo dalla guerra e dalle persecuzioni diversi fratelli e compagni fuoriusciti.

Ma più che dei suoi affari con le pasticcerie, l'Otello parlava della guerra, e continuava a raccomandarsi di starne riparati il più possibile, perché da lì dov'era aveva notizie spaventose di quello che stava succedendo: c'era chi diceva che il mondo non si sarebbe mai più ripreso, e sarebbero tutti tornati a vivere come animali. Dice il Bresci che suo padre scrisse una lettera su questo argomento assai più lunga delle altre. Si raccomandava al figliolo, che ormai sapeva esser cresciuto, di tenersi da conto, lontano da tutto quello che aveva saputo: cose che gli italiani non si sognavano neppure.

Raccontava l'Otello al figlio di aver conosciuto un famoso attore americano di passaggio a Panamá; era un ragazzone grande e grosso goloso di dolci e di alchermes. Aveva degli occhi con uno sguardo da assassino; *cara de asesino*, scriveva l'Otello che ormai era mezzo spagnolo, ma era di buon cuore, e nel parlare si capiva che era di idee socialiste. Conosceva non meno di dieci lingue, e mentre si beveva il suo alchermes confidò che era stato inviato nelle Americhe dal presidente Roosevelt: era suo compito informare i popoli che non ne erano stati ancora toccati, dei pericoli mortali della guerra che assai presto avrebbe cancellato il mondo intero. Quell'uomo così istruito non pareva nemmeno un attore, e il governatore stesso lo trattava come un principe, e affermava che negli Stati Uniti non c'era nessuno famoso come lui, dopo il presidente. L'Otello scrisse che di nome faceva Orso, ma il Bresci pensa che abbia capito male, oppure era il nomignolo che gli aveva dato lui, vista la faccia che aveva. Io so invece che era Orson Welles in persona.

Considera il Bresci che è destino degli uomini della sua famiglia di allontanarsi da casa solo per incontrare grandi uomini; era successo a suo nonno Amanteo, a suo padre e a lui stesso. Erano tutti partiti con la disgrazia addosso, ma ognuno in fin dei conti non aveva che da ringraziarla. Insomma, l'Orso portò l'Otello a una conferenza che teneva nella città per spiegare meglio quello che intendeva circa la guerra. L'Otello ci andò e ascoltò parole e vide immagini che non aveva il coraggio di descrivere al figliolo da tanto che gli avevano messo il tremore ai polsi. Solo, continuava a pregarlo, se ne andasse a nascondere nelle selve. Quella lettera arrivò che la guerra era ormai finita, e si capì che ci aveva messo più di un anno da quando era stata scritta. Nel frattempo il Bresci aveva saputo da sé quel che c'era da sapere della guerra.

Nel '47, quando erano solo due anni che aveva smesso di scrivere, la Melina fu presa dalla certezza che l'Otello fosse morto e andò dal prete a fargli dire una messa, ma finché visse non volle mai andare dall'autorità a farsi certificare la scomparsa. È sempre rimasta sua moglie, anche se ogni volta che toccava qualcosa che era frutto del denaro dell'Otello, la sentivano per tutta la valle maledire il giorno che l'aveva sposato. La Santarellina dice che la Melina, straziata di crepacuore per il dolore del figlio dissolto nella deportazione, avesse anche chiesto al prete se poteva celebrare un sacramento per maledire assieme all'Otello anche le blasfeme parole rivolte al figlio nel darsi alla fuga. E lo pregò pure di controllare se fosse casomai in suo potere la solenne e pubblica abiura di quel nome di Bresci, frutto dell'orgoglio e causa della disgrazia, onde assicurare al figliolo almeno il purgatorio. Il prete non ne fece di nulla, anche perché l'Otello non gli dispiaceva, e le sue idee non gli erano così antipatiche da vedersele bruciare nelle fiamme eterne.

Quando il Bresci tornò a casa, sua madre aveva già cominciato a non parlare più, solo a piangere e maledire. Non si sa neppure se avesse riconosciuto il figlio; viveva nella cascina alta e sapeva ancora badare a quelle quattro pecore che era riuscita a far sopravvivere alla guerra. Comunque non cacciò via l'uomo che gli si presentò come il suo adorato figlio miracolosamente redivivo, e il figliolo si dedicò a rimettere in piedi casa e armenti, tenendosi quella donna a borbottargli intorno. L'unica volta che all'Omo Nudo gli ho sentito parlare di sua madre è stato per dire alla 'Nita che aveva le poppe belle come le sue. E muoveva gli occhi trasognato, come se lo avessero appena svezzato e stesse cercando le poppe di sua madre nell'aria intorno.

E questo è quello che sappiamo tutti quanti, perché la storia dell'Otello, di suo padre il caffettiere inglese, della Melina sua moglie e del figlio tuttora vivente è una di quelle che ci fa più piacere raccontare, essendo piena di passione e ricca di delicatezze ancora non svelate.

Intanto c'è questo ragazzo che a sedici anni se lo portano a Sachsenhausen e da lì torna tre anni dopo, nudo come l'ha fatto la Melina, e a chi gli chiede com'è che sente tutto quel caldo, risponde che dopo il freddo che ha sentito lassù non gli riesce che di trovare calore. E dice "lassù" senza specificare ulteriormente, come non risulta che abbia mai raccontato qualcosa di quel "lassù", se non le poche frasi che gli servono a condire tutto ciò che invece riguarda il suo amico William Grover-Williams. Che, tra le molte preziose cose della vita, gli insegnò anche la politica, a cagione della quale fu mandato al gelo del Nord senza che nella sua ignoranza se ne potesse avvedere. Quando ora viene a purificarsi nella neve della Candelora e sale sul noce a cantare, tutto quello che io e la 'Nita vediamo è un vecchio sano e libero, forse persino felice.

All'Omo Nudo fa piacere che la 'Nita si ricordi il suo vero nome, e quando lei lo fa gongola e s'ingrufola con le sue dolci e complimentose oscenità. Nonostante tutta la sofferenza che gli ha portato, ci tiene al suo nome, anche se non ha mai trovato disdicevole il soprannome con cui l'universo distrettuale lo esalta, e porge con orgoglio all'autorità le sue generalità complete: Giannoni Bresci fu Otello, Omo Nudo per il popolo. L'autorità non mostra di regola alcun interesse per la completezza delle informazioni che il Bresci mette a disposizione, sennonché anche il giovane Nesbø del Nord, così ligio e ottemperante, quando ha necessità di conferire con lui va in giro per la valle a chiedere del cosiddetto Omo Nudo. Come se preferisse aver a che fare con il nemico pubblico numero uno dell'igiene norcinaria piuttosto che evocare quel tal Bresci che veniva ad allenarsi con suo nonno per sparare al re d'Italia. Probabilmente è per la stessa ragione che si fa fatica tutti quanti a chiamarlo con il suo nome proprio: incatenata a quel nome c'è una responsabilità che l'Otello ha sconsideratamente preso alla leggera, ma che con il senno del poi abbiamo imparato a considerare. Non si evocano gli spiriti con leggerezza, non si destano impunemente.

Non è facile che io e l'Omo Nudo ci si chiami per nome: tra me e lui bastano dei cenni, spesso muti, qualche volta grugniti. Dovendo scegliere un nome, non saprei mai decidermi tra l'uno e l'altro, perché quando penso a lui ho necessità di tutti e due. Bresci è tornato nudo, questo mi disse mia madre la Duse, e mi raccontò. Tornò che ero appena nato e se ne andò su alla sua cascina a rigovernarla e a ripulirla dalla guerra. Ci mise anni, anni in cui nessuno veniva a sapere niente di lui se non di quella sua stranezza, e del mutismo con cui trattava chi lo incontrava. Mia madre lo trovava lungo le strade che la portavano al suo lavoro alla Capria, e forse loro due si parlavano. Perché accadde che un giorno, ed erano passati anni, venne alla nostra porta, chiese il permesso di entrare così com'era, ovvero mezzo nudo e puzzolente del suo selvatico, perché se non disturbava era venuto per lasciare una cosina per il figliolino, per me.

Avevo otto anni, e mi ricordo bene di lui e della cosina che portava. Era una scatoletta di latta, e me l'aprì davanti agli occhi; dentro la scatoletta c'era un libriccino.

"Sarebbe una gran fortuna per il bimbo se 'nparasse quella bella lingua," disse.

E accettò di bere un bicchiere d'acqua bella fresca, in piedi, appoggiato all'orlo freddo del lavabo di marmo, mentre io cercavo di cavarmela con quella novità.

Scatola e libretto e lingua, erano cose americane. La scatola aveva il coperchio a cerniera ed era quella specie di scrigno antiproiettile che i soldati portavano nello zaino per tenere le loro cose importanti. Era un poco ammaccata, ma la chiusura funzionava ancora bene, e si leggevano chiaramente le scritte verniciate a rosso vivo con il numero del battaglione e la matricola del soldato. Il libretto era una losanga grande come un qualunque altro libro tagliato a metà, più o meno come certi fumetti venduti a strisce a quei tempi. Era un'edizione militare, un libro intero e non un digest, come è scritto nella copertina. Sono poi venuto a sapere che l'esercito degli Stati Uniti equipaggiava i suoi soldati con una collana di libri di letteratura a loro dedicata e per loro appositamente stampata in quel curioso formato, particolarmente adatto perché un libro potesse essere riposto in una tasca della tenuta da combattimento.

Lo stato maggiore aveva scelto per i suoi soldati una ricca selezione delle migliori storie d'avventura e d'amore della produzione nazionale, storie vere e storie fantastiche. Nel pianificare la guerra, e nel gettare le basi per la vittoria, c'è chi ha pensato nelle alte sfere che fosse utile per i soldati leggere qualcosa ogni tanto; durante le pause dell'azione, nei tempi morti prima dell'assalto, durante i lunghi bombardamenti di copertura, quando l'artiglieria tenta di alleggerire la pressione del nemico e intanto ne genera una estenuante tra i suoi. Leggere, si saranno informati, distrae, ricrea, aliena; ed eleva lo spirito, nel caso che al soldato fosse necessario anche quello.

Non so se ci furono altri eserciti oltre a quello americano a provvedere le truppe di letteratura; immagino di sì, anche se non ne ho mai visti. Perché stampare libri costa poco, e se sono di un certo spessore possono persino salvare una vita, se si trovano nella traiettoria fatale di un proiettile indirizzato al cuore. Subito dopo la guerra, l'idea dei libretti da mettere in tasca fu copiata tale e quale per il mercato civile. La Duse ne teneva in casa diversi; avevano le stesse dimensioni, addirittura la stessa carta giallina e porosa, e costavano cento lire. Da ragazzino li ho letti tutti e ce ne dev'essere ancora qualcuno da qualche parte in casa. Erano perlopiù romanzi americani, ma c'era, ricordo, anche una vita di Gesù e racconti di storia: si chiamavano Libri della Ricostruzione. Nel retro della copertina era scritto che dovevano servire alla ricostruzione economica del paese. La ricostruzione economica poteva avvenire solo se ci fosse stata anche una ricostruzione morale e culturale. Ben detto. E come forse quei libretti sono serviti ai soldati per vincere la guerra, così magari hanno dato una mano per tirare avanti nella pace che incombeva alle porte con tutte le sue angosce.

Il libretto nella scatola di latta raccontava le avventure di un famoso esploratore del Polo. Un tipo con la barba e dagli occhi penetranti, come si vedeva nella copertina. Era scritto in inglese, naturalmente. Li ho ancora tutti e due. Il libretto è stato letto più volte, la scatola di latta ora serve per conservare le cose che non vanno perse.

Il giorno che mi furono fatti quei regali non mi pare che seppi apprezzarli nel modo giusto. Sentivo che era un bel dono, lo capivo anche solo tenendolo tra le mani, ma io avevo una gran timidezza per l'uomo che me lo aveva portato. Allora, tra noi bambini, quell'uomo che andava in giro nudo e non si vedeva che raramente e all'improvviso, era un segno non chiaro, portatore serale di un'equivoca inquietudine che, negli ultimi tiri di gioco prima di cena, ci faceva stare nelle corti un po' più stretti tra noi di quanto non volessimo far vedere. A buio, se per caso passava per strada, dicevano che l'Omo Nudo brillasse. Così tenevo quel dono tra le mani, interdetto tra l'abbandonarlo da qualche parte o accettarlo ufficialmente, decretando così l'esistenza di un vincolo che mi spaventava; la Duse mi guardava in silenzio, aspettando con pazienza che facessi quel che era mio compito e mi era stato correttamente insegnato.

Quando sono messi alle strette i bambini finiscono sempre per combinare qualcosa che sorprende prima di tutto loro stessi, se non nell'istante, magari un secolo dopo. Infatti, per quel che ricordo di esser stato, per quello che sono, per come sono andate le cose da allora fin qui, mi meraviglio ancora di quel che feci. Che se non ci fosse stato l'Omo Nudo lì davanti, non è che poi fosse un granché: andai da lui e gli diedi un bacio sulla pancia, sulla pancia che sporgeva dal buco nella sua canottiera. L'unica cosa sua a portata di mano: la pancia nuda dell'Omo Nudo. E sinceramente non so perché ho pensato di sdebitarmi a quel modo, facendo quello che nessuno si sarebbe mai sognato di chiedermi di fare.

La sera che la 'Nita ha trovato il regalo dell'Omo Nudo in una delle casse dove va a cercare i miei libri, le ho raccontato la storia del bacio, perché sul tema della promiscuità è forse la cosa più curiosa che mi sia mai successa, e perché l'Omo Nudo passa da questa casa con la sussiegosa confidenza di uno che la sa lunga e se la tiene stretta. Per qualche sua recondita ragione, lei, che non si perita di esternare con sfacciata franchezza su ogni genere di porcheria, si è astenuta dal commentare. Non se n'è più parlato. Ma tra loro due c'è una familiarità che mi giunge inaspettata e sospetta, e proprio in questi giorni che sono portato con maggior frequenza e dedizione a baciare la pancia nuda della 'Nita, andandomela anche a cercare attraverso gli spiragli e i pertugi delle sue maglie, camicie e canottiere, mi chiedo se il suo, che le si apre quando risollevo la testa ai suoi occhi, sia solo un sorriso di placido piacere.

Dopo il bacio che gli diedi sulla sua tonda e dura pancia non successe nulla nell'Omo Nudo; se ne restò com'era, non mi guardò in nessun modo particolare e non mi disse niente. La Duse mi guardava e io guardavo lei aspettando qualcosa di sgradevole che non ci fu. Lui, semplicemente, pensò che mi fosse piaciuto il suo dono e se ne andò. Quel giorno, così da vicino, ho visto quanto fosse grande e forte, come avesse la pelle così rossa e lucida che nella penombra della cucina, sì, poteva sembrare che brillasse.

Me ne andai giù nel giardino e mi misi la scatoletta tra le ginocchia e cominciai a leggere il libretto; non sapevo cosa ci fosse scritto, ma lessi lo stesso. Mi piaceva tenerlo in mano a causa della sua forma così diversa da quella di tutti gli altri libri. Mi piaceva che fosse scritto in una lingua che veniva da un altro mondo, il mondo dei ghiacci polari e degli esploratori. Ma mi piaceva sopra ogni altra cosa che avesse un contenitore speciale, infinitamente più bello della cartella di cuoio della scuola, diverso da qualsiasi altro che avessi visto in mano a qualche ragazzo: uno scrigno che veniva dalla guerra, già pieno di misteri quando era ancora vuoto di quelli che pensavo di poterci mettere dentro. Un luogo di intimità, avrei pensato, se avessi saputo cosa volesse dire.

Per anni, dopo, quando l'Omo Nudo mi incontrava, si fermava a chiedermi: allora, come si va con l'americano? Non voleva sapere altro, solo dei progressi con l'*Artic Adventures*. Andavo benone, era il mio trastullo preferito. Penso di averlo letto tre o quattro volte prima ancora di conoscere una sola dozzina delle molte migliaia di parole che conteneva. Ma la parte più affascinante del libro è sempre rimasta il suo contenitore. Per molto tempo, fino a quando è diventato inevitabile vergognarmene, c'è sempre stato un momento a un certo punto del giorno che mi sono messo da qualche parte seduto con la mia scatola di latta sulle ginocchia. E nel tenerla, nel constatare la consistenza sempre identica, nell'assaporare la glabra solidità e l'acidulo odore muschiato del metallo, già in quel momento ero esploratore e ghiacci, orso bianco e balena. E quando, dopo tanto patire e inventare, la lingua di *Artic Adventures* mi si è finalmente disvelata nella sua efficace e banale esaustività, dentro quel libro non ci stavano nemmeno la metà delle storie chiuse nella scatola di latta. No, molte di meno ancora.

Ho pensato da uomo al primo proprietario della scatola

e del libro. Gli americani qui hanno tenuto il fronte per diversi mesi, fino alla fine della guerra. Erano i neri della divisione Buffalo, gli zii e i prozii del presidente eletto Obama. Ma quelli che li hanno visti non li ricordano sorridenti e dispensatori di grandi speranze, bensì torvi, tristi, stanchi. Tra loro c'era chi si era già fatto tre anni di guerra, tutti avevano visto tanta di quella morte da non riuscire ad aver più pietà di niente. Il libro di avventure di un bianco biondo e barbuto se lo stava dunque leggendo un nero della Buffalo mentre era di corvée in qualche buca annegata nella neve verso Cerageto o su di là. Penso che anche lui leggesse più volentieri la scatola del suo libro. Che leggere ogni volta la sua matricola sul coperchio lo facesse lavorar di fantasia meglio di qualsiasi altro romanzo d'avventure. E che anche solo a toccarla quella scatola lo facesse star bene, più lontano da quel posto schifoso dov'era rintanato del Polo Nord. I contenitori contano, eccome; il nocciolo del dono dell'Omo Nudo è stato l'amore per la latta, non quello per la letteratura. Lui non voleva farmi vincere la guerra, e neppure la pace: gli sarebbe solo piaciuto che imparassi la lingua del grande William Grover-Williams. Chissà, forse sperava che se ci fossi riuscito avrebbe potuto avere ancora il privilegio di ascoltare notturne conferenze sulle grandi questioni della vita che il suo amico non aveva fatto in tempo a sviscerargli per intero.

Se poi da uomo ho preso a leggere, e in questa casa, come dicevo, si continua sempre a leggere parecchio, non è che mi sia dimenticato delle meravigliose virtù della mia scatola di latta: è che non se ne trovano più di scatolette così ben fatte. Ora tengo i libri, quelli che non butto ancora via, in certe casse che recupero qua e là; ma non significa nulla, è solo per praticità. La 'Nita al riguardo è furente, lei adora le scansie delle librerie, l'ordine nelle scansie, la perseveranza nel conservare ciò che le riempie. È che leggiamo cose diverse, le spiego: io leggo solo roba da poco. E questo la fa andare in bestia da non dire. La scatoletta di latta, adesso è conservata ben protetta sopra il trave del porcilaio dove è appesa la figura di sant'Antonio, protettore dei miei animali; ci tengo un quaderno pieno di formule chimiche, un passaporto scaduto da un pezzo e un rotolo di banconote da cento franchi. Quelle sono state per lungo tempo le mie cose importanti, perché mi sarebbero bastate per andare dove avrei voluto, in qualsiasi momento, per fare qualunque cosa. Ora non più; per mia volontà, e per come si sono messe le cose nel mondo. Ma fino all'altro ieri, si può dire, quella scatoletta è stata il miglior romanzo che mi aspettassi di leggere.

Non ho mai affrontato con l'Omo Nudo le grandi questioni della vita, neppure quando ho imparato alla perfezione la lingua del suo amico William Grover-Williams. Non abbiamo mai parlato un granché io e lui; oggi c'è la 'Nita se vuole scambiare qualche opinione che gli sta a cuore, e può farlo in diverse lingue anche se si tratta di grandi questioni. Ma dal giorno del bacio sulla pancia mi si è fatto parente. Forse era già questa la sua idea quando ha bussato alla porta, vallo a sapere. Quello che si vedeva, quello che vedeva la Duse, la faccenda di cui la Santarellina era certa, ciò che io sentivo, era che l'Omo Nudo lo trovavi sempre nei paraggi. Così fino a oggi. Senza darlo a vedere, selvatico e ostinato nella sua solitudine, finisce sempre per incontrarmi, per passare di qua, per venire a sapere. Quando da ragazzo mi davo dietro al fiume fino alle pozze della Bolognana, tanto si sapeva che alle dighe non avrebbero suonato la sirena, e così avrei nuotato e pescato finché ne avevo voglia, potevo star sicuro che prima di sera sarebbe passato di lì l'Omo Nudo, con un sacco a tracolla, con un pennato alla cintola. E si sarebbe seduto su un sasso tondo, a frugare nel sacco, a cercare una pietra e a mettersi ad affilare il pennato. Poi se ne sarebbe andato, senza nemmeno farmi un cenno. Ma è anche accaduto più di una volta che smettesse a un tratto di gingillarsi e mi si facesse vicino; e se stavo pescando mi sussurrasse: sonerà. E se stavo sguazzando il "sonerà" me lo gridasse, tirandoci appresso anche un sasso, che mi tonfava a un palmo. No che non sona, protestavo stupidamente, e intanto iniziavo le svogliate procedure per togliermi dall'acqua. E, scuro di delusione, mi sedevo accanto a lui sugli argini alti ad aspettare che suonasse la sirena. E ristavamo ad aspettare l'onda, che poi scivolava giù assassina dai balzi di Ceserana e veniva a leccarci i piedi, dolce e leggera come panna.

Dell'acqua e del foco fidati di quel che ti dico io, biascicava al vento l'Omo Nudo, e prendeva il suo sacco e se ne andava per le sue faccende silvestri. Sì, parenti. Perché c'è una parentela riservata, silenziosa e franca. E da noi succede ancora che sia il più delle volte putativa, dettata dalla naturale propensione a non salvarsi mai da soli, ma assieme a qualcuno che scegli con un gesto di pura grazia. Un dono che viene offerto senza che ci sia un soldo da spendere, ma solo un saldo da onorare in fede. Ed è la rupestre signorilità di questo popolo di animali solitari, che s'abbrancano solo per le grandi cacce d'autunno e per il calendario dei suoi santi, ma che si vincolano l'un l'altro offrendo solo il proprio odore in pegno.

M'avessero detto che l'Omo Nudo era mio padre, ne sarei stato contento. Così com'è, mi sarebbe bastato anche come padre. Ma la Duse è sempre stata molto precisa al riguardo. Avessi avuto bisogno di qualcuno oltre a lei e alla Santarellina, mettiamo che mi fosse venuta voglia di uno zio, allora l'Omo Nudo era lì per questo; lui come il Verano e l'Aristo e chi altro mi sarebbe piaciuto. Ma mio padre era un altro, e solo quello. Ci fosse o non ci fosse a salvarmi dall'onda o a insegnarmi ad affilare il pennato.

Quindi l'Omo Nudo è pressappoco mio zio, per sua volontà, per mia adesione alla sua volontà, come dev'essere. Come ogni zio affidabile, non serve vederlo per sapere che è lì nei dintorni; come ogni zio da avere in simpatia, trova qualcosa da darti di strano e poco utile proprio nel momento che avresti bisogno di svagarti un po'. Essendo uno zio utile, mi ha insegnato senza gelosie a macellare il maiale, a cacciare il cervo e a far saltare in aria il monte con meno di mezzo chilo di dinamite. Essendo uno zio, ha comunque fatto in fretta a invecchiare, ed è venuto il momento che la sua leggenda venga protetta da lui medesimo, e la vita del suo corpo salvata più volte e più volte dai suoi nipoti. In cambio erediteranno da lui tutto ciò che aveva in vita: il suo onore e il suo pennato. Che poi onore e pennato sono la stessa identica cosa.

Nella fattispecie il pennato è una spada, con il suo vecchio nome nell'antica lingua. Ricco di contenuti metaforici, esso stesso metafora, è intanto una spada nuda e cruda. I nostri avi l'avevano copiata dalla tradizionale foggia della daga etrusca pre-quirita, in ferro dolce battuto a freddo. Tre palmi di lama e una impugnatura di legno di noce legata con strisce di cuoio. Gli avi ne fecero ampio e proficuo uso nel corso di molti secoli senza mai doverla riformare; venne buona a duemila chilometri da casa, alla battaglia di Salamina, dove andammo a sostenere a paga doppia l'elegante potenza della civiltà persiana contro l'egemonismo borghese dei democratici elleni. Venne buona a Canne e persino a Zama, dove servimmo quasi a gratis Annibale e la federazione di libere tribù che voleva togliersi dal groppone il tanfo pesante di Roma imperiale. Smise di venirci bene quando gli ingegneri imperiali trovarono il modo di colare il ferro con il carbone e forgiarono un gladio d'acciaio che ce la spezzava in due come fosse stata di legno. Quando, allo scadere di due secoli di rivolte, finirono per sterminarci e disperderci, i pacificatori vollero che sottoscrivessimo ogni possibile umiliazione, compresa la proibizione a portare ogni genere di arma. E così fu, e la proibizione è conservata ancora oggi, ereditata dai molti imperi e prefetture che si sono succeduti da allora. Ma gli avi, quello che era rimasto di loro dopo lo sfacelo, si dimostrarono astuti e trovarono un modo per aggirarla. Si fecero furbi per disperazione, perché c'è molta metafora nella spada e troppa nella sua privazione. Chiesero di poter usare almeno un falcetto per i lavori nel bosco e nei campi, così da non morire di fame, e la clemenza dell'Impero glielo accordò. Presero dunque le loro spade e ne curvarono la punta. Formalmente era un falcetto, non c'è che dire, ma nelle loro mani era ancora la loro spada. E noi oggi portiamo il pennato al loro stesso modo: per gli innumerevoli casi del lavoro del bosco e del campo, e per la metafora che porta ancora con sé. E che noi coltiviamo.

Il più bel pennato del distretto è stato forgiato dal priore dei fabbri in una fucina di Metello, ai tempi di Napoleone a Sant'Elena; è stato donato a nome di tutti i consoci al trisavolo dell'Aristo, e adesso se lo gode lui; e tra un po' suo figlio e poi chissà, ha solo una nipote. Il mio non è stato di nessuno che si conoscesse; l'ho trovato quarant'anni fa sul bancone di un fabbro che s'era ammazzato di cirrosi e aveva lasciato la vedova a vendersi tutto quel che poteva per non farsi pignorare la stanza dove dormiva. È buono come tanti altri, e non passerà alla storia solo perché adesso porta il mio nome. Il pennato dell'Omo Nudo era di suo padre Otello, e prima ancora pare che sia stato forgiato per l'Ontano, l'uomo che aveva portato l'anarchico Bresci dalle Americhe fino al Soraggio per prepararsi a giustiziare il re. L'Ontano lasciò il pennato in custodia del padre dell'Otello per non dare alle guardie regie l'opportunità di spararandogli addosso mentre si dava alla fuga al seguito dei ben noti avvenimenti. La Melina aveva fatto passare la guerra al pennato sotto la letamaia, avvolto in uno straccio di lana ingrassata di strutto; e lì l'Omo Nudo l'aveva trovato rivoltando le macerie. Non sarà come quello dell'Aristo, ma poco ci manca. Quando morirà penso che spetterà a me, al suo nipote prediletto, e mi toccherà fondere il mio, o lasciarlo morire buttato da qualche parte. Poco male, in fin dei conti è stato generato da un fallimento.

Ma pare che presto avremo una figlia e so già che nasceranno problemi al proposito della mia eredità. Se conosco bene la 'Nita, non mancherà di fare questioni sull'uso oppressivo dei costumi e delle tradizioni, e lo farà non senza qualche ragione. Ciò mi indurrà in tentazione, perché non è bene che un pennato finisca avvizzito, soprattutto se è stato di un nome, ed è un peccato mortale che il pennato dell'Omo Nudo finisca nel nulla. Ora, se dunque sarà una figlia, mi piacerebbe lasciare a lei il pennato che già fu dell'Omo Nudo. Dirle come si fa e come si tiene, portarla alla selva a impararlo. Trovarle una cinta di cuoio per custodirlo adatta alla sua conformazione di femmina, presumibilmente doverne adattare una, perché non si lavorano cinte da pennato espressamente per femmine.

Mi piacerebbe quest'immagine di lei che entra negli uffici dell'autorità e poggia il suo pennato da qualche parte perché sia chiaro che non intende provocare nessuno lì intorno. Mi piacerebbe sapere che alla stagione matura saprà sfrondare il noce con la giusta misura senza farsi prendere dallo spavento quando le streghe cominceranno a strillare. Ma perché questo accada dovrò dare specifiche disposizioni, e prima ancora avviarla alla conoscenza del suo pennato. Ponendomi contro i costumi e le consuetudini di questo distretto, contro ciò che c'è di buono nel loro carattere oppressivo. Che ha una comprovata funzione lenitiva e mitigatrice di tutta questa grande libertà che ci rode dentro da un paio di millenni, e ci fa girare la testa finché non finiamo con lo spaesarci. E gli uomini spaesati finiscono per fare brutti pensieri sulla libertà.

La libertà è un sacrificio solitario e una pena dell'anima, e per questo cerchiamo di placarla, di farcela un po' più domestica. Qui ci sono cimiteri pieni di uomini che hanno combattuto per la libertà fino a rimanerci secchi, parecchi di loro sono morti a migliaia di chilometri da dove sono nati, e hanno sentito parlare di libertà fino a farsene una passione.

Gente che è morta in Paraguay, in Polonia, in Spagna, in Grecia, in Russia, più di cento anni fa, ancora più in là nel tempo. Senza contare tutti quelli che sono morti qui a casa. Sulle loro lapidi c'è sempre e solo scritto MORTO PER LA LIBERTÀ. Ma la loro morte, se così si può dire, è stata una faccenda semplice e franca. E, in definitiva, non sono poi così tanti rispetto a quelli che sono "morti di libertà". Quelli vissuti cent'anni senza che gli desse un giorno di tregua un limio che li ha smangiati di dentro, come un ragno che li ha presi nella sua tela e se li è divorati con calma facendoli agonizzare per decenni. Metà di quelli che sono morti di cirrosi lo hanno fatto attaccandosi al bottiglione di striscino solo per placare quel limio, e io credo persino la metà di quelli che si sono venduti alle Brigate Nere. L'opprimente libertà di pensare l'inopportuno, l'indecifrabile libertà dello spirito che si agita nelle penombre del dubbio, il soffio divino che libera le mani in un gesto meraviglioso; quella libertà lì che non ha nomi di amici né di nemici, può essere una tortura troppo crudele, un lavoro troppo pesante.

Molto più facile togliersi lo sfizio e abbrancare l'oppressore, e sgozzarlo con un solco del pennato, agguantare lo sfruttatore e buttarlo giù nel pozzo di una cava. Più facile ancora sbeffeggiare e impiccare quelli che ti sbattono in faccia il loro magone, la smania della febbre che gli invidi. Per questa ragione coltiviamo con tanta devozione le tradizioni e gli stupidi doveri a esse correlati. Per placarci.

Ora, se lascerò il pennato a questa benedetta figliola, so che darò la luce a una creatura infelice, destinata a portarsi sulla schiena una libertà in più di quanto non sia pattuito dalle usanze del luogo. E forse non solo una, e forse non solo quella. Perché, rotto un ordine delle cose, niente rimane più saldo. Il fatto è che mi piacerebbe, che sono pur sempre servo dei miei geni, dell'egoismo ancestrale che pretende la perpetuazione dell'asse ereditario; e fino alla notte dell'elezione del quarantaquattresimo presidente degli Stati Uniti, questo lo ignoravo. E la mia disgrazia è che, una volta morto l'Omo Nudo, non ci sarà nessuno a impedire che io assecondi i miei interiori impulsi, nessuno abbastanza forte per farlo: io qui rivesto la posizione che sarebbe di un re, un privilegio di indiscutibilità che mi fa più servo che padrone. Iddio mi perdoni.

E non tutte le antiche usanze si sono mantenute, perché il tempo ne ha addolcito le crudezze, perché gli uomini si sono impoveriti dello smisurato orgoglio che li reggeva nelle consuetudini più barbare e più vere. C'è stato un tempo che al momento stabilito i re si ammazzavano per legge. Chi voleva godersi il titolo di re sapeva che la pacchia sarebbe durata una decina d'anni, al rozzo calendario di allora. Era stato calcolato in base alla vile esperienza, che dieci anni erano quanti ne bastavano perché chiunque, anche il più probo tra gli uomini, fosse indotto a montarsi la testa. Onde non si potesse equivocare, e fosse chiaro che chi voleva farsi re partiva comunque con il piede sbagliato, incaricato del regicidio era il suo successore. Era un buon sistema.

Passeranno dieci anni e nessuno mi ucciderà, neanche il più ambizioso tra i pretendenti al trono. E nessuno oserà nemmeno criticarmi per aver lasciato erede del pennato che fu del Bresci, e prima ancora dell'Otello, e prima ancora dell'Ontano, e prima ancora di qualcun altro di cui non può essersi persa completa memoria, una femmina. Diranno quello che si dice ovunque nel mondo, che prima o poi doveva succedere. Diranno a voce alta che è meglio così, e in cuor loro si limeranno quel poco di orgoglio che è rimasto, covando vigliaccamente vendette che nessuno dei discendenti maschi di questo vecchio popolo sarà mai più in grado di ottemperare.

Dopo di lei altre femmine porteranno il pennato senza chiederlo in prestito ai loro uomini, come è stato sempre fatto senza che nessuna di loro se ne sentisse sminuita, e non ci sarà più metafora. Anche per questo non sarò mai un buon padre finché vivrò: davanti alla porta di questa casa non ci sono più dure regole da imporre, né guerre da combattere. In questa età così generosa di pacificazioni e così ostile alla perseveranza, restano solo pochi aerei princìpi che soltanto i padri defunti possono corroborare con la loro leggendaria ostinazione. Sì, soprattutto in questa età so che sarei stato una buona madre invece, avendo da scialacquare per mia figlia una riserva quasi infinita del bene materno della memoria.

3.

I CENTO NOMI DELLE CITTÀ D'ITALIA

Quando la mattina il cicalino della sveglia cinguetta il motivetto cinese che imbastisce ancora una volta assieme i sogni che continuiamo a fare nella notte ognuno per conto nostro, e la 'Nita mi si allunga addosso, e poi si arriccia, e si allunga, e si arriccia ancora più stretta, e mi scava nel ventre come il verme primordiale nel suo nutrimento, per alitare da lì su tutto il mio vecchio corpo i nomi che nottetempo ha escogitato per la nascitura, di chi fa il nome?

E quando poi, svogliata come un'odalisca, allunga il collo fuori dalle coperte e si fissa sulla nebbia che filtra dalla finestra, e inizia a salmodiare i suoi presagi di gravida, per chi canta il sole che deve ancora venire?

Se trovo abbastanza forza, quello è l'attimo in cui più mi piacerebbe montarla, coprirla. Non c'è momento che sia più vasta, bella e provocante; perché mi canta di chi è lei, e dei suoi avi e dei suoi trisavoli. Giù fino alla prima generazione di anellidi che ha escogitato la copula, assumendo, tentativo dopo tentativo, la coscienza definitiva che quel penetrarsi era di gran lunga più interessante che continuare a dividersi in due e poi in due e in due ancora.

Quando parliamo di ciò che verrà, raccontiamo di quello che è stato, e più ci azzardiamo in avanti, più scaviamo nel remoto.

Lei è gravida di antichità.

E anche questa mattina mi piace il mio silenzio mentre l'ascolto e la guardo, e mi rallegro del rinnovato miracolo di un'erezione che trova forza dove da solo non l'avrei mai saputa cercare. Per fortuna ignoro ciò che sogna nella notte, e mi applico con diuturna cura a coltivare la reciprocità della cosa. La solitudine notturna ci tiene d'assedio e ci convince a stringerci l'un l'altro sugli spalti di quello che andremo a vivere. Se le concedo dopo tanto penare l'uso della parola amore, è solo perché a conti fatti anch'io posso dire di amare: amo ricongiungermi con lei la mattina, sul far dell'alba.

Il sogno è diamantina solitudine. Se solo sfiorasse colei che ci dorme accanto, ciò che sogniamo avrebbe il potenziale distruttivo di un gorgo di antimateria. Le mutevoli ombre del sogno vorticano sull'orlo di un buco nero dove non siamo né padri né madri, né amanti di una qualche affidabilità, solo figli unici, orfani di ignota provenienza. Smettessimo di sognare, andrebbe anche meglio; almeno per lei, soprattutto ora che è gravida. Ma la 'Nita ha spirito imprenditoriale e capacità manageriali di notevole entità, ha funzioni di controllo in una grande azienda con molti dipendenti; nel momento preciso in cui si leva dalle coperte in tutta la sua turgida bellezza, ha già riconfermato il nostro patto, punto per punto, sogni o non sogni. E senza alcuna esitazione: la sua affidabilità è di pregiata fattura.

E prende e se ne va nel mondo della produzione di beni essenziali con uno slancio colmo di fiduciosa attesa. Gattescamente si avvicina alla sua Karmann facendo il giro largo dell'aia, mentre la nebbia le si sta alzando intorno e lei, che ama la scena, nel gettare la borsa nell'infimo abitacolo del coupé, si inchina prima alla valle e poi alla casa, salutando con indecifrabile lingua.

Il rombo di catarro di quella magnifica automobile straccia in mille pezzetti le ultime filacce della brina che ancora si gingillavano intorno al noce. Tra i rami rinsecchiti dal gelo, le antiche streghe, più morte che vive, rabbrividiscono al tanfo insopportabile dello scappamento. Non credo che scenderanno mai più da quell'albero. Eppure ho ancora la fisarmonica di mia madre da qualche parte e, volendo, potrei tentare di renderle meno vecchie e tristi suonando per loro sia la rumba che la passacaglia. Le danze che la Duse mi ha insegnato con trasporto nella serena convinzione che mi sarebbero tornate utili; perché, mi sentenziava sul collo mentre cercava di piegarlo in modo che non finissi soffocato nel mantice, arriva sempre il tempo per la rumba e arriva quello della passacaglia. Il tempo, già; ma questo è appunto il tempo che le streghe si son fatte troppo sorde e anchilosate per ballare con me; e non hanno più voglia di un uomo, non hanno più senso di musica.

A chi penso quando, buttando via il libro che mi sta pesando in mano, mi volto verso la 'Nita e me la covo, mentre strabico lo sguardo per ammirare con un unico colpo d'occhio la consistenza delle sue mammelle e la plasticità dei suoi fianchi? Io penso alla Duse, penso a mia madre. Penso al fatto che anch'io sono nato. E a mio padre, il leggendario, che, qualunque cosa stesse facendo, parrebbe che non si sia mai fermato per ammirare le mammelle della sua donna. Di certo non per torcere delicatamente il collo di suo figlio che doveva imparare a tenerci poggiato, oltre alla fisarmonica, anche il proprio destino. Ma mio padre è una storia, mia madre è carne, la carne della Duse. È carne anche ora, ed è un anno ormai che è morta, è carne anche se ha passato tutto il suo tempo a insegnarmi le cose dello spirito.

Era la maestra.

Quanto ho voluto bene alla maestra Duse ancora non lo so, e quanto me ne ha voluto lei è un mistero che non mi ha mai voluto svelare. Ma in realtà tra una madre e un figlio volersi bene non è niente. Possono imparare a volersi bene solo quando uno dei due se n'è andato, solitamente per sempre.

Ma finché si guardano tra loro, e si possono ancora toccare, c'è solo amore e dispetto per l'amore. Non mi ha insegnato solo la rumba e la passacaglia, ma più o meno tutto quello che sapeva. Mi ha allattato e poi curato fino a che mi sono fatto curare. Mi ha parlato, mi ha parlato sempre di ogni cosa, senza reticenza alcuna. E me ne ha sempre dette di tutti i colori.

Come per tutto il resto, la Duse mi ha raccontato senza imbarazzo le circostanze della mia immacolata concezione e della successiva venuta a questo mondo. Non ha aspettato che io glielo chiedessi.

Mi disse innanzitutto un giorno di quanto era stata bella. Io non lo avrei mai creduto, ma quando me lo raccontò pensai che non poteva che essere vero. Quando mi fece vedere la fotografia di una ragazza meravigliosa appoggiata a una bicicletta con i capelli ricci lunghi fino alla canna, provai il primo sentimento per mio padre: rabbiosa gelosia.

Mi prese da parte una domenica che non avevo ancora finito la mia quarta elementare, ed era quasi estate. Mi pulì bene bene le mani. Ricordo ogni particolare come se fosse questione di vita o di morte: era ormai sera e le mie mani sapevano di acido perché stavo giocando a uccidere più formiche che potevo. C'era in fondo al giardino un grande formicaio di grosse formiche nere dentro il tronco marcito di un platano; d'autunno crescevano nella corteccia i funghi chiodini. Con le mani ben pulite mi fece sedere sul sofà con le molle di ferro dove lei la sera leggeva e cuciva. Sopra il sofà c'era una lampada con la forma di un fiore azzurro; la lampadina restava accesa giorno e notte perché in quella stanza le persiane erano sempre chiuse. Nella stanza c'erano anche un tavolo quadrato e due sedie; su quel tavolo io facevo i miei compiti e lei correggeva quelli dei suoi alunni. Quando aveva finito correggeva anche i miei. Questo nei giorni in cui tornava dalla scuola, il sabato e la domenica, e per le vacanze. Io vedevo mia madre allora, per il resto della settimana a me ci pensava la Santarellina. Così finché la Duse ha insegnato alla scuola della Capria, su in montagna, e dunque finché non ho compiuto dieci anni.

Mi raccontava sempre di quello che le succedeva alla Capria. A scuola ci andavano i figli dei pastori che avevano le cascine più alte della valle del Sillico. Insegnava in una casa di sassi intonacati di malta che faceva a mezzo con un casaro; nella stanza accanto alla sua aula il casaro faceva cuocere il latte e lo cagliava. La casa era sul ciglio di una selva di castagni proprietà del popolo di Sillico, che la coltivava da quattro secoli a turno famiglia per famiglia. Ogni pianta aveva un nome e i ragazzi della scuola li conoscevano tutti; ognuna aveva uno spirito e i ragazzi parlavano con ciascuno. A scuola la Duse li interrogava su cosa ascoltassero dagli spiriti e su cosa dicessero loro, e i ragazzi rispondevano che ce n'erano di buoni e di meno buoni. I buoni li guidavano quando faceva buio e gli spiegavano come fare a nascondere le loro tracce quando nelle foreste in alto i lupi fiutavano il loro odore e si apprestavano a scendere; perché i lupi sono guardinghi ma anche assai curiosi, e morivano dalla voglia di vedere se per la valle stava passando una pecora o un ragazzino. I meno buoni li facevano sbandare dalla strada per fargli rovinare le scarpe, e gli inacidivano le fette di neccio che si portavano a scuola per la colazione. I peggiori tra i meno buoni, verso sera si trasformavano all'occorrenza in belùe e rapivano i solitari. Un ragazzino che viveva con la madre e le sorelle alla Sella di Cerasa aveva preso per padre un castagno di nome Beniamino, perché aveva perso il suo primo nella guerra e aveva bisogno di un altro; a scuola non andava male, ma ogni tanto si metteva a dormire, e nel sonno parlava a suo padre e rispondeva alle sue domande. Il ragazzino si chiamava Mirto.

Quando la gente di questo distretto si fu ripresa dalla guerra, a metà degli anni cinquanta, quando poi fu chiusa la scuola della Capria, tutti presero a scappare verso l'Inghilterra e l'Australia, dove già si erano rifugiati in parecchi nelle generazioni passate, e sulle montagne non è rimasto più nessuno per trent'anni almeno. Fra i primi a partire ci fu il Mirto con le sue sorelle, che avevano uno zio a Newcastle, e si fecero la loro fortuna cominciando da sguatteri negli hotel di lusso di quella città, quando i londinesi ancora pensavano che quel posto freddo e oceanico fosse l'ideale per la stagione dei bagni. Adesso il Mirto è uno degli inglesi che non se la sentono più di tornare a casa, cosicché manda i figli. I figli vengono, se ne stanno un po' di tempo nella loro cascina alla Sella di Cerasa e prima di partire consegnano per conto del padre cento sterline alla comunità del popolo di Sillico per il mantenimento del Beniamino. La comunità consegna ai figli, quando più quando meno, una decina di chili di farina di neccio, un sacchetto di castagne secche e un paio di chili di miele; che è quanto dà ancora al popolo il castagno che ha fatto da padre al Mirto. La Duse era una maestra, e non mi raccontava leggende. E quello che constato io è che i figli e i nipoti degli inglesi, che sono tornati e si sono fermati a ripopolare il distretto, mostrano di soffrire ancora il fiuto dei lupi dell'Alpe, e quando li incontro nelle selve, spesso li sento parlottare tra sé e sé, sottovoce.

Ma intanto a guardia della casa c'era un cane, nero e cattivo come l'aglio; il cane cercava di azzannare i ragazzi finché non si riparavano nei banchi, ma la notte faceva la guardia alla Duse. La Duse dormiva in quella casa, in un soppalco sopra l'aula dove prima che aprissero la scuola dormiva il casaro. C'era ancora il suo odore, e quello di latte andato a male; che forse era l'odore del casaro, forse del suo formaggio. La mattina, assieme al cane la Duse andava a fare acqua a una polla che d'inverno gelava. Ci andava a buio, senza il bisogno della sua lampada a carburo perché le bastava per arrivarci stare dietro al fiato del cane. Poi accendeva la stufa per scaldare l'acqua e lavarsi. Il cane la guardava mentre a torso nudo si insaponava le ascelle e in una bacinella accanto alla stufa si lavava le intimità, e ringhiava a tutti i rumori che venivano dalla selva, quelli che la Duse non poteva sentire. A volte, mentre si preparava per fare la scuola, la Duse piangeva di nostalgia, e pensava a suo figlio, il sottoscritto, e alla Santarellina, che stava per svegliarlo. Poi arrivavano gli alunni e non aveva più tempo né per suo figlio né per alcunché.

Di alunni a volte ne aveva cinque, a volte venti, a volte nessuno: dipendeva dalla stagione, da come andavano la raccolta delle castagne e del fieno, la difterite e la scarlattina, i debiti e i guadagni. Non importava che ci fosse mezzo metro di neve o fosse franato il monte, perché erano cose che non spaventavano quegli scolari; avevano invece il terrore delle malattie dei fratelli e dei debiti del padre. Per andare a scuola bastavano un paio di scarpe e un fardello per la merenda e il quaderno, e quelle cose ce le avevano più o meno tutti. E si applicavano negli studi al caldo della stufa con il tanfo del caglio che copriva i loro sudori, e il cane che uggiolava sulla soglia. Studiavano e studiavano e imparavano poco, perché avevano la testa in altri pensieri, e qualcuno tra loro era uscito di casa già quando la Duse ancora doveva andare a fare acqua. E aveva cominciato a pensare lungo la strada pensieri strani che si sarebbe portato dietro poi tutto il santo giorno e nella notte, e forse tutta la vita.

La Duse pensava questo perché, incontrandone poi qualcuno già fatto uomo, gli riconosceva nello sguardo la svagatezza di quando era scolaro. E cercava di farseli raccontare quei loro pensieri, ma i ragazzi non sapevano come spiegarli, e tentavano di cavarsela tirando avanti con lo spirito di questo e lo spirito di quello, streghi e buffardelli, inciampando nelle parole finché cominciavano a balbettare. Allora tutto quello che gli veniva da fare era di ridere di quello che erano. Ma la Duse faceva il suo lavoro tutti i giorni come se fossero tutti quanti figli del re. E lei era monarchica, lo so. Si buttavano sui quaderni con quelle mani che avevano già piene di calli e di scorticature, si applicavano duramente a non fare almeno delle macchie con l'inchiostro, un palmo di lingua tirata fuori dai denti dallo sforzo, e gli veniva appetito. Mentre i ragazzi mangiavano le loro fette di polenta di neccio, la Duse mangiava il suo pane con il formaggio, perché il neccio le restava sullo stomaco; il formaggio che comprava dal casaro era poco più che latticello. Raramente riusciva a farsi dare una bella formetta vecchia e sana, come se quel casaro cattivo e ignorante non si fidasse della bontà dei soldi che gli dava; quando la trovava la teneva per portarla il sabato a casa e mangiarla con suo figlio.

Quando era l'ora di far colazione, i suoi scolari dovevano guadagnare tempo leggendo sulla carta geografica appesa al muro quanti più nomi potevano delle città d'Italia. Nessuno di loro ne conosceva anche una sola, se non Roma e Firenze per sentito dire. Era più facile che in casa sentissero parlare di Newcastle, appunto, o di Londra, di Melbourne, di Glasgow, dove si avevano parenti e si aveva idea di andare prima o poi a guadagnarsi da vivere come si deve. Per questo la Duse insisteva a fargli andare a memoria le città d'Italia, e gliele raccontava nei minimi particolari: perché se le ficcassero in testa senza poterle più dimenticare, neanche se si fossero trovati per il resto della vita a costruire città nuove di zecca agli antipodi. Che si mettessero bene in mente che tutte quelle città erano il loro paese, e avevano il dovere di conoscerlo a menadito, e il buon diritto di andare dappertutto, padroni della loro terra.

Il casaro le vendeva il formaggio, ma solo quello e un po' di latte per la mattina; il resto se lo portava da casa, e il pane e il lardo e il farro e l'occorrente per la zuppa della sera lo andava a comprare nelle cascine. Così che approfittava per tenere udienza sull'andamento scolastico dei figlioli. Il profitto non era un granché, ma doveva pur sempre diventare qualcosa di utile; almeno quanto bastava un giorno per poter parlare con un dottore, un padrone, e firmare una carta senza vergognarsi. Magari leggere un giornale per sapere in che modo sta girando il mondo. Non diceva a quella gente, già piena di timori, che sperava in questo modo, grazie all'inestimabile dono della conoscenza, che quei loro ragazzi riuscissero a farsi ragione dei pensieri strani che li assalivano senza cianciare di spiriti e streghi. Non spiegava, a quella gente travagliata di fame, che i loro figlioli dovevano imparare a memoria le più belle poesie della lingua italiana per portarsi a casa parole che non si sentivano nei campi e nelle selve, e che forse nemmeno i loro padroni conoscevano così bene come lasciavano intendere. La Duse insisteva solo che li mandassero a scuola e che gli dessero un po' di respiro per non farli arrivare già stanchi. Se solo potevano.

Io non sapevo che mia madre fosse bella finché lei stessa non me lo ha fatto vedere; pensavo solo che fosse coraggiosa e forte e prepotente. Ma aveva ancora i suoi capelli ricci e lunghissimi quando andava alla scuola della Capria, e lasciava che io ci mettessi la faccia dentro quando tornava e se li scioglieva prima di andare a lavarsi. Sapevano di tutte le puzze del suo lavoro, e quando ci mettevamo a cena, e cominciava a raccontarmi di quello che aveva fatto e di chi aveva visto, io conoscevo già l'odore di tutto. Non mi dispiaceva il suo odore, e se me lo lasciava annusare, immagino che non dispiacesse nemmeno a lei. Forse su in montagna aveva nostalgia di me e le faceva piacere che io conoscessi ogni cosa della sua vita, compreso il tanfo, perché non ne avessi io troppa di lei. Finita la cena, andavamo nella stanza del sofà, ci sedevamo al tavolo e mi passava in rassegna. E il lunedì mattina a buio ripartiva.

Cosa pensi quando pensi a tua madre? A nient'altro che non sia possessione e abbandono, servitù e rivolta; le cose ineluttabili concernenti l'amore. Io e la Duse abbiamo avuto modo di riflettere approfonditamente su questi temi per i due interi giorni che ho passato con la testa fuori e i piedi dentro il suo ventre. Lei mi ha raccontato, ero ormai quasi un uomo quando l'ha fatto, che per partorirmi ha faticato quarantott'ore di travaglio. Ho faticato, ha detto, per cercar di rimanere viva senza farti morire. E tu mi lottavi contro, e l'ostetrica mi pigliava a schiaffi per non farmi addormentare svenuta. Pregava sant'Anna e mi gridava addosso come se fossi stata un'assassina; quando rimaneva senza voce, mi si infilava la testa tra le gambe e ti bisbigliava. Voleva convincerti perché era sicura che non volevi venire al mondo in nessun modo, al costo di farci morire, io, te e lei. Lei di vergogna per aver lasciato due morti in mezzo alla sua carriera senza sbagli.

Quarantott'ore mezzo soffocato, livido e tumefatto in tutto il corpo a discutere con la Duse e l'ostetrica su quello che dovevo fare per il bene mio; e ancora non avevo un giorno di vita. E loro sapevano parlare, ma io no. Mi ha raccontato di cos'è il dolore del travaglio, che io non saprò mai.

Quello che non mi ha detto, è quanto mi ha maledetto in quei due giorni; si è dilungata in raccapriccianti particolari sulla quantità di forza con cui ha voluto che nascessi, ma ha taciuto su quanto mi ha odiato perché non ci riuscivo senza farla morire di dolore.

Quello che a quel tempo non avrei saputo dirle, è quanto l'ho odiata io mentre i suoi sfinteri vaginali mi stavano stritolando. È solo questione di veniali omissioni verbali: quello che c'era da sapere di definitivo tra noi, ce lo siamo detto in quei due giorni. Se siamo sopravvissuti è perché alla fine abbiamo trovato un accordo. Quell'accordo è tuttora valido. Anche oggi, mi sento di dire, anche se lei è morta da un pezzo. Oggi più che mai, visto che sono rimasto solo io a potergli fare onore.

Ricordo la donna che partiva di notte. E qualche volta lasciava che la vedessi mentre se ne andava. Mi svegliava prima di prepararsi, e mi rimetteva a letto prima di andare, perché la sua partenza era fissata per le ore quattro del mattino: a quel tempo alla scuola non c'era altro modo di andare se non a piedi. Per lei come per i suoi valorosi alunni. A differenza loro aveva una bicicletta, sempre quella della fotografia, eppure ancora splendente di olio e cromature, ma non si andava alla Capria in bicicletta. Come i suoi alunni doveva essere puntuale alla lezione del lunedì, ma a lei spettava scaldare l'aula per tempo e dare una spazzata in terra e seppellire i topi che erano rimasti nelle tagliole.

Per il viaggio aveva un paio di bellissimi scarponi americani; la domenica sera li rimpinzava nella punta con fiocchi di cotone perché le erano un po' grandi. E aveva una gonna di fustagno lunga e ruvida, che mi arrossava i ginocchi quando mi ci strofinavo contro. E una giacca di lana cotta con i revers di velluto che mi sarebbe piaciuto averla io da grande, perché, oltretutto, aveva i bottoni di osso con l'intaglio della testa di un cavallo. E sotto la giacca tutte le maglie che le servivano, perché a quell'ora era freddo per gran parte dei mesi della scuola. E poi una lampada militare ad acetilene di qualche esercito che non ricordava, per farsi luce nelle selve finché non spuntava mattino. E dentro lo zaino, chiuso con un elastico in un panno di lino di quelli che secondo la Duse mi erano serviti quando mi allattava, la scatoletta di latta del siero antivipera; ma solo nella stagione che veniva a far caldo, e i serpi erano per strada già di buon'ora.

Anche lo zaino era americano, e c'era la promessa che mi sarebbe rimasto in eredità quando la Duse avesse finito di andare alla Capria; a pieno carico era abbastanza pesante perché mi proibisse di provare a caricarmelo sulle spalle. Forse faceva un po' la sbruffona con suo figlio, ma doveva essere davvero pesante, perché dentro c'era tutto quello che non avrebbe trovato alle cascine per mangiare, vestirsi e fare il suo lavoro. Per ultima cosa si sedeva e con calma raccoglieva la gran massa dei suoi capelli e la legava ben stretta sulla testa: quando aveva finito sembrava che ci portasse sopra un paniere.

E si dava il rossetto; già tutta calzata e vestita, in piedi in mezzo alla stanza, prendeva da una tasca della giacca la scatolina con lo specchietto e il bastoncino rosso e si disegnava le labbra. Ricordo bene come fossi geloso di quelle labbra dipinte, della smorfia da diva con cui le arricciava per stendere la tinta. Lei che era madre e maestra, mi spiegava che era solo per fare dispetto al provveditore. E mi ha raccontato di quando nel 1949 andò a prendersi il posto di maestra e il provveditore volle che gli mostrasse le mani. Voglio sincerarmi se ha lo smalto alle unghie, perché l'incarico che ho da darle non è consono a una signora avvezza allo smalto, le disse. La Duse non aveva smalto, e così le fu data la sua scuola di montagna. Ma trovando intollerabile la superficialità del suo superiore, volle portare un segno di insubordinazione, perché se per la Capria non andava bene lo smalto, non sarebbe andato bene neppure il rossetto. Se una maestra è destinata a rovinarsi le mani, argomentava mia madre, tanto più a sciuparsi la bocca. E un'altra volta si ricordasse, il provveditore, di aggiungerlo all'elenco. Mi parlava liberamente, allo stesso modo di un adulto, era il suo metodo.

Non l'ho mai vista uscire di casa, e questo è un bene. Mi rimetteva sotto le coperte, mi dava due baci sul collo, come poi avrei visto fare agli amanti, e mi infilava al collo la catenella d'oro con la sveglia. Era una piccola sveglia d'argento, e nel toccarla mi dava una sensazione intensa e singolare di fredda vitalità, come se stessi toccando una lucertola. La sveglia era un dono di suo padre; quell'uomo sarebbe stato mio nonno se si fosse trovato nei paraggi; ma io non l'ho mai visto, ed è rimasto sempre e soltanto suo padre. La sveglia aveva un suono di campanella ecclesiastica, quel genere di campanella che i chierichetti strombazzavano a destra e a sinistra quando accompagnavano per via il prete con l'olio santo, e aveva il compito di farmi saltare in piedi senza spaventarmi, in tempo per fare la colazione, vestirmi e andare a scuola. Perché anch'io, come i suoi alunni, andavo a scuola. Durante la settimana la curavo io, la caricavo e controllavo che non si fosse spostata la lancetta dell'ora di sveglia; la sera, prima di andarsene a casa, la Santarellina doveva solo controllare che fosse al suo posto, e ce la trovava sempre: sopra la maglietta di lana, sotto il pigiama.

Non l'ho mai vista uscire di casa, ma so la strada che faceva. Dal Ponte andava per la strada bianca fino a Treppignana, che erano poi le case dove viveva la sua amica Santarellina, da lì ai campi di canapa di Fosciandora. Dopodiché prendeva a salire per le mulattiere sempre ben tenute e sgombre delle selve che portavano ai metati di Villa. E poi a Sillico, e dal Sillico ancora su sempre per selve, fino ai sentieri scrocchianti delle faggete della Capria. Da qualche parte lì intorno c'era la sua scuola. Quell'andare di mulattiere era chiamato Vandelli, perché per qualche tratto saliva ancora assieme al tracciato dell'antica opera che l'abate Vandelli aveva disegnato per collegare i domini del distretto con la loro signoria estense. Su quella strada portavano di là dall'Appennino, marmo, sale, leve di soldati, lana di pecora, e un orso all'anno. L'orso era il tributo che gli Estensi chiedevano per confermare il libero arbitrio sulle sue selve del popolo di Sillico, e appena finita la raccolta delle castagne, tutti gli uomini di quella libera pieve si mettevano per le forre tra il monte Belfiore e Morgiandonda a dare la caccia a quest'orso. A quel tempo ce n'erano ancora parecchi, e in quel periodo dell'anno erano già abbastanza assonnati per non mangiarseli tutti, prima che il più balordo tra loro accettasse di consegnarsi al signorile sollazzo.

Questa era la strada per la scuola: al passo della Duse ci volevano più di due ore, se non c'era la neve; con la neve devi aggiungere un'ora, se la neve è molto alta una mezz'ora in più, se nella nottata la galaverna ha steso una ghiacciata troppo spessa per essere rotta senza impegno dallo scarpone, aggiungine un'altra ancora. E allora la Duse partiva di domenica sera. Al mio passo, e parlo di quando avrei potuto attraversare il globo intero sui miei piedi, col tempo buono ce ne mettevo tre di ore. La Duse è sempre stata più in gamba del suo figliolo.

Nei giorni di Natale abbiamo visto la fotografia del presidente Obama mentre dall'alto di una scogliera disperde nell'oceano le ceneri della sua amatissima ava. Era un'immagine molto suggestiva e la coreografia dei sentimenti ritratti nel bel volto del presidente molto efficace. Io e la 'Nita abbiamo riflettuto su quell'immagine, chiedendoci se in una circostanza del genere ci saremmo comportati bene come lui, se saremmo stati capaci di gesti così esemplari e di emozioni così vive. Se qualcuno avesse mai potuto scattarci una fotografia come quella. In occasione della morte della Duse avrei potuto essere il precursore del presidente eletto degli Stati Uniti.

La Duse è morta l'aprile scorso senza lasciar detto niente. Al riguardo di se stessa mia madre non ha mai detto niente che concernesse la sua fine e i postumi che ne sarebbero stati generati; né a me né a nessun altro, ch'io sappia. L'unica volontà nota risale a più di cinquant'anni or sono, e stabiliva che se le fosse successo qualcosa, il suo zaino americano sarebbe toccato a me. Ho preso poi quello zaino senza che le dovesse succedere niente.

Quando un figlio si accinge a seppellire sua madre, è lì che comincia a volerle bene. E si prende cura di lei con mistico abbandono, avendo lasciato altrove, dove non c'è più crudezza, le spoglie della carne che lo ha tenuto legato a cose ben più forti del bene e della sua cura. Nel farmi firmare le carte, mi è stato intimato di decidere all'istante cosa avrei fatto di lei. Erano i giorni della Pasqua. Nella sua casa, nella stanza del sofà, sul tavolo quadrato, ho trovato a lievitare sotto un telo di canapa le pasimate. Le pasimate devono lievitare dal Giovedì Santo alla domenica mattina, quando vanno infornate dopo che è stato cotto tutto il resto. Non era né vecchia, né malata per dover morire; immagino che lo abbia fatto allo stesso modo che ha portato il rossetto per tutto il tempo della scuola della Capria: per insubordinazione. Non era stabilito che morisse, ed era opinione comune nel distretto che ci avrebbe seppellito tutti.

La maestra Duse si era guadagnata la medaglia dei quarant'anni di servizio, ma continuava a fare scuola, visto che non aveva altro da fare, neppure da preparare la cena per qualcuno, voglio dire. Continuava a stare nella sua casa al Ponte, e l'unico trastullo che si dava era il giardino, per lo sbigottimento di tutto il paese. Aveva preso con il passare degli anni a tenere quei duecento metri di terra innocente come se fossero da mettere in riga, con le buone o con le cattive, e coartati a divenire un capriccio esotico contro la loro natura e la necessaria grazia. Dalla strada quel giardino appariva come un tormento di piante morenti, smanianti e distorte, oppure inverosimilmente floride e ipertrofiche, pervertite nell'immagine ridicola di un delirio tropicale: non una sola essenza aveva una qualche attinenza con il luogo dov'era costretta a vegetare; semi e bulbi e tuberi se li faceva arrivare per posta. Quel giardino era una pazzia, e come tutte quante le pazzie, traeva origine e motivo da uno strazio d'amore che nessuna arte del cucito era riuscita a rammendare. Questo è quello che penso io, ma tutto ciò che si vedeva era la stranezza senile della Duse, e al suo riguardo non c'era una sola delle sue adoranti amiche che non si vergognasse per lei e per la sacra dignità violata dell'Appennino. Quello che doveva fare la Duse, dicevano, era la scuola e basta.

Si portava in casa i suoi vecchi alunni e i loro nipoti, a turno o tutti assieme, e nella stanza del sofà continuava a fare il suo lavoro con la carta geografica delle città d'Italia e le più belle poesie della sua lingua. Tanto non era cambiato niente, e in generale i discendenti dei montanari continuavano ad avere scarsa attitudine allo studio e l'aria svagata dagli spiriti. Fin dove si spingeva la sua fama, si contemplava la sua paniera di capelli tinti con il turchinetto come destinata all'eternità. Quando me l'hanno fatta vedere aveva ancora un po' di rossetto sulle labbra, e quando la Santarellina l'ha preparata per la veglia, glielo ha risistemato per bene, forse anche un poco abbondante. Dunque ha messo a lievitare le pasimate per fare la Pasqua, si è cambiata, si è messa il rossetto, e ha chiamato la Santarellina perché l'accompagnasse all'ospedale, a morire. Se l'è cavata in un paio di giorni, il sabato sera era già tutto finito.

A vederla morire c'era la Santarellina. Io non avrei potuto esserci, e non avrei nemmeno voluto. Come si può veder morire la madre? Come può una madre lasciarsi morire davanti agli occhi di suo figlio? Pur di non umiliarsi si sarebbe smangiata nella malattia per cent'anni, finché non mi fossi deciso ad andare io per primo. Non ci siamo visti quasi mai in questi ultimi venti, trent'anni. Se mai ce ne veniva voglia, cercavamo di incontrarci per caso. La mia casa ora è a cinque ore dalla sua, al suo passo di quando era ragazza, e se volevamo che capitasse di vederci, dovevamo fare molta strada. Naturalmente non poteva che essere un momento raro, e sarebbe rimasto per un certo tempo il ricordo dell'ultima volta, parole e immagini su cui ogni tanto meditare per considerare cosa è perduto e cosa è rimasto del nostro patto primigenio. Non l'ho mai scoperta commossa di vedermi; ma una volta, alla fiera autunnale dei casari a Castelnuovo, ho notato che dava una sbirciatina alla sua scatolina con lo specchio prima di venire verso di me. E io sono andato a incontrarla allora, e credo sempre, con l'intenzione di riprovare ancora una volta a immergere la mia faccia nella massa dei suoi capelli. Per sentire l'odore della sua vita, se c'erano ancora le vecchie puzze o se ne aveva trovate di nuove. Ma da un bel pezzo sono alto due palmi più di lei, e la cosa sarebbe soltanto ridicola; sempre che lei avesse ancora voluto lasciarselo fare.

L'ultima volta che l'ho vista è stato per il Corpus Domini

dell'anno passato. Era sulla strada, davanti a casa sua, e spargeva sull'asfalto una gran grembiulata di petali per la processione che sarebbe passata di lì: erano i suoi fiori stranieri e inconoscibili. Non abbiamo parlato molto, ci siamo invece baciati e io mi sono chinato perché lei potesse farlo sul collo, come mi ha sempre baciato. Ancora una volta me ne sarei tornato nella mia vita senza che lei sentisse la necessità magistrale di dirmi qualcosa in proposito, ma con la traccia umida delle sue labbra e del suo rossetto là dove l'avrebbe dovuta lasciare un'amante; e ricordo di aver pensato con una certa soddisfazione che la 'Nita non avrebbe potuto fare a meno di notarla, e di interrogarsi, e di indispettirsi a lungo prima di decidere di ignorare quello sbaffo e, forse, dimenticarselo. Lei e la Duse non si sono mai incontrate. Non è stata una decisione, ma la pratica forza delle cose e una tacita convenienza.

Ecco che poi mi si domanda cosa ho intenzione di farne delle spoglie mortali di mia madre. Ho chiesto qualche ora e ho occupato quel tempo pensando perlopiù alla Pania. Alla Pania della Croce, fra le tre panie.

Adesso mi affaccio alla porta di casa e la vedo. Alta sui crinali di meridione, spinta in cielo come se le altre montagne non ne volessero più sapere di lei; aguzza e gotica, fiammante fino a un quarto d'ora fa, che il sole era raso all'occidente e l'accendeva di sbieco lungo il dorsale dell'Omo Morto, come fosse stata presa con le mani nel sacco e messa in mostra al mondo intero. In questo momento il castello di roccioni dove poggia è viola, e la sua vetta azzurra. Se ci fosse bisogno di un segno speciale di avvertimento, quattro dita sopra la sua cima brilla solitaria Venere, e quattro dita ancora più sopra, spostato a levante di non più di un grado, un grado e mezzo, domina per luce e massa Giove. Amanti solitari, nel cielo ancora tinto di qualche barlume, congiunti a contendersi vita e morte. Li ha notati già ieri notte la 'Nita e ne ha tratto i suoi indiscutibili aruspici di prosperità e concordia.

A nessuno di qui verrebbero in mente la concordia e la

prosperità guardando verso la Pania, di giorno come di notte, con o senza stelle e pianeti. Intorno al solstizio invernale, quando la sua ombra scivola giù dal crinale e mette a buio l'Alpe di Sant'Antonio, la gente di quel posto si rintana in casa tutto il giorno. Ombra di storie brutte che dilaga con il lento strascicato passo degli streghi del vespro, che in quella pieve sono ancora creduti, e dunque visti. Alla Pania c'è morta tanta gente, assai più che alla Vetta delle Saette e in qualsiasi altra montagna del distretto. Visto che la Pania non ha dato mai niente da vivere a nessuno, fosse stata anche solo una capra, è sempre parsa un posto adatto per morire. È troppo vicina al mare, sentenziano i montanari, troppo esposta alla malignità dell'aria; e almeno in questo hanno ragione, perché la sua vetta è il perno del gorgo di correnti che si contrastano ora per ora tra l'Appennino e il mare. Per questa ragione i ghiaioni da cui erutta il suo castello sono sempre in movimento, come fossero liquidi, instabili e traditori come lo è l'acqua del mare per quelli di qui. Ci sono morti su quei ghiaioni i pastori più avidi e impudenti, quelli che per andare a riprendersi un agnello già segnato si sono spezzati le gambe senza che nessuno potesse andarli a cercare in tempo, persi nelle nubi della sera, morti assiderati nella notte. Ci si muore di freddo sulla Pania; ti raggrinzi contro un sasso con il respiro che si è già schiumato nel tuo sangue che sta gelando, e potresti vedere, un paio di chilometri sotto il tuo ultimo batter di ciglia, spianare le spiagge di Versilia per prepararle alla prossima stagione dei bagni. Ne hanno trovati diversi nel corso degli anni accartocciati sul ciglio di un dirupo, ancora lì a guardare il mare. Intatti dopo mesi, perché alla Pania non passano né le volpi né i lupi; di solito, gente che era scappata da qualche altra parte, qualcuno inseguito dalla legge, qualcun altro dai banditi. E poi nel '44 sulla Pania si sono combattute le nostre Termopili, e questo fatto sarebbe bastato da solo a consacrarne la sventura.

Anche i ragazzini delle scuole sanno la storia del Valanga.

C'è sempre qualcuno che gliela racconta, c'è ancora nella gente l'idea che il Valanga e i suoi uomini rimangano a presidiarci l'orgoglio in eterno. Che poi non è altro che una storia di partigiani, ma piena della bellezza e della passione che basta per un'epopea millenaria. E tanto per cominciare era bello il ragazzo di Gallicano che smise di studiare medicina per darsi alla macchia. Era bella la sua famiglia e piena di passione libertaria. Era bella la sua donna, che gli fu portata via da un inglese che egli stesso aveva sottratto alla prigionia di un campo tedesco, e tenne in casa come un fratello. E già in questo, e nel dolore segreto e impronunciabile del Valanga, chiunque avrebbe potuto vedere la cecità di un destino che andava a compiersi senza riguardo per nessuno. Erano belle facce i suoi uomini, o per meglio dire i suoi giovanotti; e riescono ancora a essere belle lì dove sono, negli ovali di porcellana smangiati e ammuffiti nella lastra di marmo bianco, quello in eterno come l'orgoglio, ai piedi del cippo che conferma ciò che accadde. Era bello che si fossero decisi per la Pania della Croce per combattere: il posto più ingrato, ma il più lontano dalla gente che da una battaglia poteva soffrirne. E piene di passione le loro gesta, persino compassionevoli, nonostante che fossero pur sempre opera del Valanga. Erano in venti e ci si misero in duemila a stanarli. E naturalmente ci riuscirono, e li tennero stretti alla cima, senza cartucce e senza pane per giorni, finché la Valanga non prese la decisione di gettarsi all'unisono, nell'ultimo gesto di passione che le rimaneva: volare morendo.

Si dice che alla Pania ci sia morto anche mio padre, che un bel giorno sia salito fino alla croce e si sia buttato giù. Se è così ha planato per mille e cinquecento metri, prima di atterrare in qualche campo di formentone a ridosso delle spiagge versiliane, e se posso avere un'idea di cosa pensassero quelli della Valanga lungo lo stesso tragitto, non riesco a immaginare i suoi pensieri. Non lo conosco, non so chi sia, c'è solo la sua leggenda. La leggenda dice che si sia buttato per nostalgia, che la nostalgia l'avesse posseduto e portato fin lassù, come logica e unica destinazione. Parlano della sua nostalgia come di una cosa feroce e irrimediabile, perché era nostalgico di ciò che non aveva mai avuto né visto. E l'Omo Nudo dice che solo buttandosi giù dalla Pania, ha potuto almeno sfiorarlo quel che andava cercando.

Dunque, se pensavo alla Pania nel tempo che mi era stato dato per sistemare la Duse, era perché mi chiedevo se non avesse voluto mia madre fare la stessa sua strada, almeno quest'ultima volta, una sola volta. E mi chiedevo se non avesse davvero mai avuto nostalgia di lui come dava a vedere, se non altro per omissione: non ho mai visto niente di mio padre in casa, non una fotografia o anche solo un pezzo di stoffa, o un pezzo di carta che potesse aver mantenuto il suo odore. E quando me ne ha parlato, e lo ha fatto diffusamente, mi ha usato la stessa sincera generosità magistrale di quando mi raccontava le storie della scuola della Capria, o qualunque altra storia dei popoli che voleva farmi conoscere. Non la pur minima traccia di un'assenza e di un dolore, non il segno di uno strappo, né quello di una cucitura, solo un orribile giardino tropicale. Se solo avessi avuto qualcosa per dire: forse le piacerebbe così; se fosse stata un po' meno impenetrabile, un po' meno la Duse, l'avrei fatta incenerire e l'avrei portata alla Pania per farla volare dietro all'uomo che l'ha avuta. L'uomo che lei ha voluto, comunque siano andate le cose. E avrei preceduto il presidente Obama di un bel po', a dimostrazione del fatto che non è che qui siamo così arretrati come ci dicono.

Ma la Duse è la Duse, e non puoi sottrarla a quello che vuole essere. Né puoi rubarla ai suoi alunni, ai loro figli, alle loro mamme e mogli e ai loro nonni, che sono comunque tutti stati alunni, o in procinto di diventarlo e ridiventarlo. E ciascuno di loro vantava diritti di familiarità e pretendeva di assolvere a doveri di gratitudine. E, soprattutto, non avrei potuto portarla via alla Santarellina, che le era sopravvissuta solo per accudirla ancora. E così ha avuto il suo funerale in pompa magna, con l'arciprete, i diaconi e i chierici, con la banda grande compresa di allievi: cento ottoni in vigore di fiato sin dal 1848. Ha avuto la messa e le lacrime, il singhiozzo e le corone, una bella predica e il corteo.

Ho solo chiesto, estrema volontà dell'erede, se per cortesia almeno alla fine potessi sbrigarmela da solo. Solo io e la Santarellina, e la 'Nita. Lei che non ha mai conosciuto la Duse, quel giorno si è fatta amica con la Santarellina, e ha imparato subito come tenere ben stretta senza romperla quella vecchietta alta un metro e un po', che pesava sì e no trenta chili, e di quei trenta uno almeno era di vernice rosso scarlatto per i capelli.

Di tutti i cimiteri che l'avrebbero voluta, e addirittura pretesa, ho scelto per mia madre quello di Castelvecchio; lì c'era ancora della terra e il guardiano non ha trovato niente da ridire alla richiesta di trapiantare sulla sua fossa un po' del suo giardino tropicale: anche lui era un ex alunno. Volendo, avrei forse potuto scoprire in quale tra i cimiteri d'Italia fossero andati a finire i suoi; avrei potuto consegnare la Duse alla sua famiglia, che a ben pensarci era quello che probabilmente lei avrebbe desiderato, dato il suo temperamento conservatore. Se solo fosse stata un poco meno sbadata intorno alla caducità della sua carne, avrei avuto un suo segnale, qualche parola, un ordine che mi sollevasse dal dover decidere per lei. Posizione del tutto innaturale: quando mai il figlio decide per la madre, se non per coprirsi di ridicolo?

Dovendo soltanto fare la cosa meno sbagliata, ho scelto il posto che piaceva di più alla Santarellina; forse perché là lei aveva qualcuno, forse perché era ben tenuto, di certo perché era vicino a casa sua, così che quando aveva un momento sapeva dove andarlo a passare. E poi, nonostante tutta la malavoglia che la contingenza funeraria aveva portato con sé, non avrei potuto dimenticarmi della storia che la Duse mi raccontava, di quando bambina portava ogni settimana un mazzetto di sigari toscani che le piaceva di fumarsi la vecchierella di Castelvecchio.

Che era un incarico delicato e segreto, perché la donnina rinsecchita e cattivissima di sguardo e di modi era nientedimeno che l'ultima sorella vivente del grande poeta d'Italia Giovanni Pascoli. Il quale grandissimo vate era di famiglia con l'osteria del Ponte, essendo bevitore costante, fino ad ammalarsi di vino e poi morirne. La quale osteria era a sua volta proprietà dei Ghetti, la famiglia della Duse. Così che la mamma della Duse, dal nome così bello di Amelia, giocava da piccina sulle ginocchia del poeta, neanche fosse sua figlia. E ricordava come gli sembrasse lui stesso un bambinello tutto moine e versetti finché giocherellava con lei: *Amelia, Amelia*, le cantava, *dolce sei di rosa spina, fuggi meco birbantella che or ti sciolgo la treccina.* E come poi la spaventasse quando, simile a un demonio dell'inferno, si accaldava a bestemmiare nel gioco delle carte assieme ai suoi amiconi barrocciai e repubblicani. Del resto il poeta figli non ne aveva, solo due amatissime sorelle, e vivevano da orfani quali erano in una villa che distava dieci minuti di calesse dal Ponte e dall'osteria. E quando il poeta morì, lasciando doppiamente orfane le sorelle e orba l'Italia e la poesia, si volle a furor di popolo che il calesse fosse posteggiato ad aeternum nella corte dell'osteria dei Ghetti, visto che era stato comprato e usato solo per quel tragitto e quella meta.

Tutto il popolo amava il poeta, come nessun altro poeta fu mai amato da fabbri e villani. Era un popolo orfano quel popolo d'Italia, e sapeva apprezzare come uno tra loro si fosse innalzato senza per questo dimenticare i loro intimi dolori di meschini. Da orfani conoscevano il bene che faceva un fiasco di vino, fosse stato anche solo andante, purché bevuto con qualcun altro che sapesse di cosa si stava parlando quando si rabboccava un bicchiere in un silenzio da chiesa. La maestra Duse conosceva l'orfanità d'Italia, e coltivava la memoria del suo cantore con una sconfinata dedizione; trovava provvidenziale che avesse scelto di vivere in questa terra più orfana di tutte le altre, e tragicamente poetico che avesse deciso di morire del vino dell'osteria dei suoi. Forse alla sua dedizione non era estranea un'intenzione espiatoria, sta di fatto che ancor prima di essere consegnato alla maestra che lo stato aveva scelto per me, mi aveva già fatto mandare a memoria la sua storia conosciuta e una dozzina di poesie. Mi fece gran meraviglia. Come potevo immaginare che fossero mai esistiti altri bambini così vicini alla poesia come lo ero io? Mi raccontò di aver conosciuto quel Valentino, ormai anziano, che andava in giro scalzo; quello vestito di nuovo come le brocche dei biancospini, quello che sarebbe diventato il più grande pescatore di cavedani della memoria distrettuale.

Non ho dimenticato la gioia che le dava parlare di quell'uomo, il rossore che le si spandeva sul viso quando ne recitava una poesia; e non perché il vate avesse tenuto in grembo sua madre, né perché lei stessa avesse fatto fumare di nascosto la moribonda sorella. Non so se ora mi piacciono le poesie che ho imparato, di certo non mi piacevano un granché quando la Duse me le faceva ingoiare il sabato e la domenica prima della cena. Ma è vero che quando me ne torna in mente qualcuna, in questo tempo che mi accorgo definitivamente e integralmente orfano, mi commuovo; fino alle lacrime, oso dire senza vergogna. E senza pudore mi trovo a recitare alla 'Nita quei due o tre versi della poesia che mi faceva piangere anche da bambino; e la Duse sapeva che avrei pianto e pietosamente la recitava con me perché il dolore che mi stava imponendo potessi sentirlo spartito: *per sempre vuol dire morire... sì: addormentarsi la sera: restare così come s'era.* Glielo canto quel mozzicone di poesia nel momento più sacro dell'abbandono, quando, posato a terra il suo libro del giorno, lasciato lì sul vecchio mattonato tormentato da fessure dove nella notte si agiteranno operose le prolifiche famiglie dei fuochisti di casa, si raccoglie nel suo grembo e inala il leggero alito del sonno. Già di là, nel posto delle sue inevitabili inviolate intimità, dove il vate degli orfani d'Italia non dovrebbe poter entrare nemmeno come un sospetto. Lei sente e non sente.

E dunque ce la portammo a Castelvecchio, infilati con l'autista nella Mercedes Benz di quell'osceno colore azzurro argentato in uso nelle pompe funebri; la Santarellina nel mezzo, come se fosse una bimba che nello sgomento potesse fare qualche pazzia con i pulsanti del finestrino o la maniglia della portiera. Invece non piangeva, né sembrava soffrisse di nulla; e ci guardava, ora l'uno ora l'altra proprio come fanno i bambini quando si aspettano che gli adulti combinino qualcosa. E sorrideva del suo abituale sorriso compito e di labbra strette e occhi ben aperti; che anche quello è un sorriso di bambino, che vede ogni cosa, qualunque cosa, da un filo più avanti, da un punto dove quello che accade è già passato e non c'è che da aspettarsi qualcosa di buono da quello che deve venire. Altrimenti i bambini sarebbero troppo fragili e potrebbero soccombere per un nonnulla, e altrettanto accadrebbe a lei.

La Santarellina dovrà seppellirci tutti, pensavo mentre il guardiano andava a cercare qualcuno per calare la Duse, se non altro perché sopravvivere a tutto è il suo dovere primo da quando è nata.

E il guardiano se ne tornò con due russi che stavano lavorando da qualche parte lì intorno, nell'attimo in cui la Santarellina aveva tirato fuori dalla borsetta un fazzoletto e si stava soffiando il naso. E forse sì, in quel momento avrebbe potuto iniziare a piangere, ma certo non sotto gli occhi della forza lavoro straniera. La borsetta della Santarellina era della vaga forma di una mandorla, quel genere di borsetta di vernice che portavano volentieri le signore inglesi nei pomeriggi di sabato degli anni cinquanta. Quel genere di articolo che trent'anni dopo le donne di qui avrebbero fieramente indossato ai matrimoni delle nipoti e delle cugine, avendole ricevute in dono sull'orlo dello sfinimento dalle loro parenti di là; che a loro volta le avevano avute quasi nuove come gratifica dalle loro volubili padrone di Newcastle e Birmingham. Nei vent'anni che ha passato a friggere pesciolini e patatine nella dorata cornice turistica di West Newcastle, la Santarellina ha avuto il modo di mettersi da parte i soldi per comprarsene una nuova tutta sua, e forse se l'è andata a comprare addirittura a Londra, perché si sa che almeno una volta c'è stata; in ogni caso, quella mattina la sua borsetta splendeva nel sole pasquale come fosse stata nuova di zecca. E splendeva anche il suo tailleurino di sciantung color blu oltremare. Ora che ci penso, la Santarellina quel giorno era vestita come per andare a un matrimonio, allo stesso modo in cui sarà andata a tutti i matrimoni e a tutti i funerali della sua lunga vita.

Anche se è stata con me per tutta la mia infanzia, non sono mai riuscito ad avere confidenza con lei, non abbastanza per fare le domande che fanno spensieratamente tutti i bambini alle persone che gli girano intorno. Solo quest'ultima volta che abbiamo ammazzato il maiale e sono passato da casa sua a portarle un po' di testina che le piace così tanto, questa volta che l'ho trovata con un telefono cellulare in mano e mi ha fatto vedere quanta gente aveva già chiamato per fare la veglia con la testina e starsene un po' lì a raccontarsi le fole antiche che si stavano scordando, in quei giorni che avevo appena visto la 'Nita ingravidarsi, le ho chiesto perché non si fosse mai sposata. Lei mi ha risposto allegra: perché, bimbo mio, io sono nata vedova. E aveva quel suo consueto sorriso di bocca chiusa e occhi aperti e sgranati sulla verità che covava in lei da ottant'anni e più. E dunque, una donna che è nata vedova non può fare distinzioni tra matrimoni e funerali, e un bel vestito di sciantung va bene per tutta una vita.

I russi lavorarono con metodo e meticolosa lentezza; in questo modo l'interramento fu fatto svelto e bene, le fronde tropicali sistemate con cura e persino annacquate. Tra la verzura, il guardiano ha posto una tavoletta di legno sottile ben rincalzata da una palata di ghiaia con su scritto in stampatello preciso e chiaro il nome e il cognome di mia madre. Per la lapide di marmo c'era da aspettare un po'. Nel retro della tavoletta, sbiadita ma non oscura a un intenditore, c'era la marca del più noto produttore di munizionamento per la caccia. Avrà pur voluto dire qualcosa.

Mentre ce ne andavamo, dando un'occhiata in su alle nuvole bianche della Pasqua, ho trovato al primo sguardo la Pania della Croce, lontana, vivida, albeggiante sopra i fumi che risalivano dal tiepido della valle. Volendo, la Duse avrebbe potuto vederla anche lei, senza scomodarsi troppo. Con il suo passetto da fagianella, la Santarellina sgambettava davanti a tutti quanti, già preoccupata di accendere il fuoco sotto il brodo. Brodo di gallina con i tortelli, è il piatto che fa bene ai parenti del morto, nella certezza di questo distretto che ci sarà sempre qualcuno che saprà prepararlo.

4.

IL TANGO DEL PERDUTO AMORE

Per come me l'ha messa mia madre, sono stato concepito per puro, immacolato amore. Per come la vedeva lei, mai e per nessuna ragione avrei dovuto formulare e, guai a me, esprimere giudizi al riguardo di mio padre, di lei stessa, di me che ero venuto al mondo da loro, ficcando il naso in quell'amore che lei si accingeva a narrarmi. Nessun fiato. Non mentre mi stava parlando – e quando lo fece avevo suppergiù nove anni –, non quando sarei diventato uomo. Allora, da uomo, avrei capito forse di più, ma già in quel momento, sul sofà con le molle, irradiato dalla luce verde e azzurra del fiore di vetro sopra il sofà, lei confidava che nulla mi avrebbe impedito di capire l'essenziale, ciò che davvero contava. Perché avevo un'anima, e la Duse nutriva una assoluta fiducia nella sua assennatezza, pur sapendo che l'anima di un bambino, come quella di un imperatore, era solo animula blandula e vagula. Mi disse esattamente così, stringendomi un poco il braccio perché mi volgessi a guardarla negli occhi: animula mia blandula. E non scherzava.

Su questo punto, sull'osservanza al precetto di non giudicare i fatti dell'amore, ho saputo mantenere per tutta la vita una disciplinata obbedienza; onde schivare inutili tentazioni, ho evitato, tanto per cominciare, di pronunciarne la parola stessa. Non ho mai fatto discorsi d'amore. In questo modo mi sono anche evitato di starne a sentire, visto che nessuno ha voglia di mettersi lì a parlare d'amore con chi, lo sa, non intende contraccambiare la cortesia. Naturalmente credo alla evidente esistenza dell'amore, alla sua concreta necessità e alla sua immane forza: mia madre ha voluto mostrarmi di esserne la prova schiacciante. Non avessi avuto certezze riguardo l'amore, non solo l'avrei tradita a morte, ma non sarei certamente arrivato qui, a questa donna che, noncurante dei divieti, sparge amore dappertutto, con opere e parole. E i divieti, nel perdere efficacia finiscono per perdere anche senso; cosicché, vecchio abbastanza perché possa concedermi di essere di indefettibili princìpi, non solo mi sono scoperto a pensare di amarla, ma mi sono sorpreso anche a dirglielo, magari in qualche momento di scarsa vigilanza.

Lei ora è di là, nella stanza grande che legge. So com'è: è accartocciata su una di quelle poltroncine di vimini piene di spunzoni che quest'estate abbiamo messo fuori nell'aia; si è messa sotto il culo un cuscino per non guastarsi la gonna. Ha ancora la cartella del suo lavoro buttata sul pavimento, e, ci giurerei, la giacca a vento da esploratore polare appallottolata sopra la cartella. L'ho sentita arrivare, buttare le sue cose, andarsi a prendere un bicchiere d'acqua in cucina – c'è un rumore di cataratta che l'acqua del rubinetto fa solo con lei – e buttarsi su quel nido di vimini secco e inospitale. Ci si accoccola come se volesse ridursi a un sacco di stracci: la sua condizione ideale per apprendere. Non mi è venuta a cercare entrando, né l'ho fatto io, ma se ora mi affaccio di là quello che trovo è una stanza piena d'amore. Colma, zeppa, intasata d'amore. Amore che arriva al soffitto, che scivola sui pavimenti, incastrato negli stipiti delle finestre, dilagato nella madia dove teniamo le coppe che ci mangeremo stasera. Lei è sempre quello che dice e fa sempre quello che è; e questo è sufficiente a dimostrare l'esistenza della vena sorgiva del suo amore. Se Dio è amore, e c'è una ricca e annosa teologia tesa a dimostrarlo, allora la presenza della 'Nita nella stanza di là è la prova della sua esistenza. Fosse così facile. Come ho appreso presto a non giudicare sui fatti dell'amore, ho con facilità imparato anche a non giudicare Dio. E, per non indurmi in facili confusioni, evito di pronunciare anche il suo nome. Evito le credenze in fatto di Dio e in fatto di amore.

Mentre credo alla storia che mi ha raccontato mia madre su di lei quando era ragazza, al tempo che incontrò un giovane uomo che era arrivato fin lì dal Rio delle Amazzoni. È una storia magnifica.

C'era la guerra, e la guerra aveva cambiato ogni cosa a tal punto che la foresta tropicale era venuta a lambire il distretto. All'inizio però c'era soltanto la Duse.

La Duse era nata bene, mi disse, e intendeva dire che era nata da due persone che si volevano bene e che impararono in fretta a voler bene anche a lei. Sua madre era figlia di osti, dunque cresciuta a essere bendisposta e curiosa. Suo padre era bello e forestiero, approdato al distretto qualche mese dopo Vittorio Veneto con ancora lo sguardo febbricitante del giovane ufficiale vittorioso; era lì per iniziare la carriera del burocrate provinciale, ma era ancora traboccante di energia e di fantasie. Gli piaceva venire all'osteria, mettersi all'ombra del platano, là dove già il sommo poeta teneva il tavolo della briscola, e bere con calma i punch che lei gli preparava. Sorseggiava lentamente, come fanno i borghesi di città, e si guardava attorno in cerca di qualcuno che potesse condividere le sue innovative idee di politica e di cultura. La cosa accadeva molto raramente, e con risultati insoddisfacenti. Il padre della Duse era di sentimenti rivoluzionari, e questo era ben gradito tra i bevitori del Ponte, ma le sue disposizioni d'animo risultavano ostiche ed estranee, tutte concepite negli iperborei della poesia, nelle ignote arti della modernità, nelle sperimentazioni delle scienze future. Mentre al suo gusto giungeva stantio e remoto persino il canto del poeta che fino a pochi anni prima sedeva, circondato dalla venerazione, sulla sedia da dove lui ora spargeva ingratitudine.

Non era simpatico a quelli del Ponte, ma piaceva alla figlia dei Ghetti, che pensava di capire cosa lui intendesse, quando le mostrava con un bianco sorriso la sua solitudine. Erano belli entrambi, di bellezze così diverse che non potevano che essere perfette l'una per l'altra. Si sposarono subito, senza stare a perdere del tempo a cercare evidenze che non servivano, e andarono a vivere abbastanza lontano dall'osteria da potersi illudere che ne avrebbero fatto a meno. Andarono in viaggio di nozze a Firenze, entrarono all'opera, videro i musei, e passeggiarono lungo i terrapieni appena rifatti dell'Arno. Ma il giovane sposo poté anche discutere molto e con grande soddisfazione nei circoli e nei caffè, finalmente! Lì ce n'erano molti come lui, di giovani spiriti vittoriosi e indomiti, desiderosi di riscatto dalla grigia mediocrità di un dopoguerra dove la massa si rifiutava alla gloria appena raggiunta ed era restia a osare nuove vittorie. Altri parlavano per conto del popolo e furoreggiavano di socialismo e di soviet, lui e i suoi nuovi amici detestavano di doversi riparare dietro un popolo che inveiva contro la naturale ineguaglianza degli spiriti forti, e si proponeva di incendiare quel che rimaneva dell'Italia in nome dell'insulsa banalità del pane. Tornò a casa fascista della prima ora; e non fece neppure in tempo a mettere incinta sua moglie, perché si mise subito in viaggio per fare la sua parte di marcia su Roma.

Tornò con un bagaglio di straordinari avvenimenti e storici capovolgimenti, con una divisa che lo conclamava gerarca, la esibiva appagato, e lo faceva un po' meno rivoluzionario e un po' più vecchio di come era partito. Tra i lunghi capelli neri gli era spuntata una frezza argentata. Cambiò lavoro e adesso era un pezzo grosso del fascio, con il dovere di occuparsi del giusto bene del popolo; continuava ad andare all'osteria e ora era il marito della figlia, ma nonostante fosse avanzato così vistosamente di grado, ancora cercava la discussione e continuava a non trovarla.

È la Duse che mi ha parlato così, è lei che ha detto: fascista della prima ora, e via dicendo. Non avendone mai più sentito parlare da mia madre, ricordo con più facilità il modo in cui me lo hanno riferito altri, molti anni dopo, ma mi viene ancora in mente il suo tono deciso e senza accaloramento alcuno: la voce piana, magistrale, esplicativa. È tornato che era fascista della prima ora. Era un brav'uomo, mi ha voluto tanto bene. Ha pensato di fare bene, al suo modo, ma alla fine è dovuto andare via, perché lui era stato per la guerra, e invece la guerra era persa. Non potevano più restare qui. Lui e mia madre, perché senza di lei quell'uomo si perdeva in un bicchier d'acqua. Non mi hanno lasciata sola, sono io che sono voluta restare: ero già grande ormai. Non ha mai fatto male a nessuno, dopo sarebbe potuto tornare. Ma chissà.

Ma quando i figli parlano dei padri parlano di sanguinolente fiabe e magnanime leggende, di nostalgie e rimorsi, vendetta e pietà. Parlano i figli di padri grandi come orchi, dolci come bianchi bovi, parlano delle grandi loro opere e delle ciclopiche miserie. Dipingono equivoci affreschi di turrite coniugalità, e parlano di quando se li volevano mangiare che erano bambini appena nati, di quando hanno dato sostanziosi lacerti delle loro carni perché si nutrissero e crescessero. Raccontano dei loro stessi occhi che hanno visto il mito. Un figlio non parla di ciò che è stato suo padre, ma di quello che ha sognato di se stesso e di lui.

Ma di che cosa parla una figlia quando dice a suo figlio, al nipote di suo padre, che il nonno di cui nulla sa è stato un fascista della prima ora? E il nipote non ricorda ancora oggi se allora avesse avuto anche la pur minima idea del fascismo e delle sue ore. Allora che era già tutto finito, dopo che non c'era più niente che potesse essere salvato, anche solo per amore filiale. Parla di ciò che né lei né il bambino in quel momento sanno mettere da qualche parte. Non parla di fiabe e leggende, ma della storia degli uomini. Non si fanno lezioni di storia sulla testa di un padre, nemmeno la maestra Duse ci riesce. Tutto quello che può, in virtù del suo amore per le cose come stanno, è ciò che deve: dire le parole in fila, ben chiare, perché restino. Anche se al momento non comprese, restino. Questa è la sua consegna. E poi il figlio saprà cosa farne: l'animula sua merita la massima fiducia. Come dicevo, io poi non ho mai conosciuto quell'uomo, e oggi ancora non nutro alcuna animosità nei suoi confronti, e nessun sentimento: lui è solo le parole di mia madre. Ho le mie idee sul perché non si sia fatto più vedere; né lui né la moglie, neppure per chiedere l'osteria che gli spettava, in tempi in cui tutti hanno chiesto senza vergogna e avuto senza ritegno. Ma le mie idee me le sono tenute per me; del resto, la Duse sapeva certamente tutto quanto di loro e di come sono andati a finire, e se di questo non ha mai voluto parlarmi avrà avuto le sue ragioni.

E quella sera continuò solo a raccontare.

Le hanno messo il nome Duse perché suo padre adorava la grande attrice Eleonora Duse; era stato addirittura a Napoli per vederla recitare, e poi in qualunque posto a quel tempo gli fosse possibile arrivare. La madre ebbe paura che se ne fosse innamorato; e siccome lui era una testa bizzosa, piangeva e piangeva spaventata a morte che potesse andarsene di casa per stare dietro alla Duse. Ma sono amori, quelli, che non c'è da averne paura, mi disse la Duse, sono amori di bambini. Intanto il prete non voleva battezzarla, perché non c'è nessuna santa nel calendario con un nome che anche solo assomigli un po' al suo. Così suo padre minacciò di farlo spretare, perché Mussolini in persona sarebbe andato dal papa a chiedere conto di questa storia, e se nel calendario non c'era ancora una santa, ce l'avrebbe fatta mettere lui. Sua madre adorava quell'uomo così candido e volitivo e si fece andar bene, pur nell'angoscia dei sospetti che ancora covavano, anche il nome che diede alla loro figlia.

Così mia madre è l'unica Duse d'Italia. Le vollero bene, ma molto, insisteva. Suo padre naturalmente ci teneva che diventasse brava come l'attrice e anche di più. La mandarono a scuola a Lucca e le fecero studiare la musica; portarono un pianoforte in casa, e pare che non ce ne fosse uno eguale nemmeno nel Teatro degli Impavidi. Le fecero imparare anche il canto.

Per il canto prendeva lezioni da una famosa cantante russa che riceveva al teatro. Mi disse che non c'era cosa peggiore di quella donna, che parlava senza la minima voglia di farsi capire e vestiva con delle ridicole crinoline, come se non avesse mai smesso di fare la *Traviata*, neanche per andare al gabinetto. Mi disse che non c'era cosa più odiosa di prendersi sulla testa i suoi nocchini, crudeli e maligni, e cosa più ridicola della sua capigliatura a forma di pignatta, che teneva sempre inforcinata da cento mollette. Però sapeva cantare e insegnare qualcosa del suo canto. E a quattordici anni la Duse era una ragazza felice, che si sarebbe diplomata a scuola ancor prima del dovuto, mentre passava il tempo a fare tutto quello che le sembrava bello e interessante. E non sapeva dove stare meglio: se a scuola, al canto, alla sfilata delle Giovani Italiane, all'osteria di sua nonna, a casa sua.

Dove suo padre si vedeva poco, ma quando arrivava aveva sempre qualcosa per le sue donne. Ed erano preziosità, che non bastava essere gerarchi del partito fascista per trovarle, ma bisognava anche amare abbastanza queste sue donne per darsi la pena di cercarle. Il fiore di vetro che faceva ancora luce sopra al sofà, l'aveva portato suo padre da un'isola di Venezia. E anche la scatola musicale che teneva sul comò della sua camera, con le figurine di due ballerini che danzavano il valzer degli addii; quel mistero meccanico che io non potevo mettere in moto, ma solo aspettare che lei avesse voglia di farmelo sentire una, due volte in un anno, anche questo era un pensiero d'amore per lei dalla lontana Baviera.

Se non era in viaggio per i territori dell'Impero, il sabato pomeriggio lasciava che sua figlia gli cantasse l'ultima aria che aveva imparato, e poi tornava all'osteria dei suoceri, indefettibile nella sua volontà di dibattere con i lattonieri e i barrocciai sui grandi temi dell'arte e della politica. E pasticciava un discorso via l'altro, ostinato a illudersi di soddisfare almeno la sua bramosia d'arte, visto che per la politica s'avvide presto che non c'era più niente da fare. Quelli che da ormai cinquant'anni continuavano a giocare a carte e a bere striscino appoggiati al calesse del poeta, non lo stavano nemmeno a sentire; i nuovi, i fascisti della seconda e della terz'ora, non facevano che infastidirlo con i loro sissignori. La Duse, che ormai era una signorina e aveva preso nei giorni di festa a servire i tavoli, si dava d'occhio con suo padre e a quelli gli facevano i versi. E sembrava che tutto fosse bello e ben fatto, nell'ordine giusto e nella giusta armonia, così che la vita e il mondo, perché la sua vita era tutto il mondo possibile e immaginabile, non avevano che da restare così, per sempre.

Quando venne la guerra lì per lì nessuno se ne accorse. Certo che tutti lo sapevano che c'era, ma lì per lì si era risolta nella mobilitazione generale dell'UNPA e per la Duse in qualche esercizio ginnico in più da fare il sabato mattina e in un quarto d'ora a fine lezioni di istruzioni sul nemico che stava in agguato. Il nemico era francese, inglese, americano, polacco, russo, il nemico era ovunque. Ed era anche lì da qualche parte, sotto le mentite spoglie che lei non riusciva a intravedere, ma che suo padre giurava di saper riconoscere. La cantina sotto la casa del Ponte si riempiva ogni giorno un pochino di più di cose da mangiare, legna da ardere e carbone per cuocere. I topi giravano in tondo come matti, come fossero al luna park.

Poi la guerra si cominciò a perdere, e anche allora nessuno lì per lì se ne accorse. Ma fu questione di un attimo; poi la cantina cominciò a svuotarsi, un po' alla volta come si era riempita. Tornò a casa qualche soldato ferito e si mise sotto il platano dell'osteria a guardare in faccia la gente come se fosse dell'altro mondo; prima in silenzio, poi a parlare senza più smettere. Disfattismo, diceva suo padre, ma lo diceva ogni giorno con meno energia. Alla fine non disse più niente; fu il giorno che misero Benito Mussolini agli arresti e lo lasciarono in cima a una montagna, che cominciò il suo mutismo, anche con la moglie e la figliola, che pure continuava ad amarle così tanto. E venne l'Otto Settembre, e capirono tutti, pure quelli che fino a quel momento avevano fatto finta di non capire. Capì anche la Duse, che pure aveva sedici anni, guardando la fila dei cingolati tedeschi minuti e fitti come formiche che scendeva giù come burrasca di tuoni dal Passo dei Carpinelli. Qualche giorno dopo suo padre le disse che non c'era più da andare al canto a Lucca, che ora c'era la Repubblica e tutti dovevano mettere su giudizio se la volevano vincere una volta per tutte quella guerra. E partì lasciando le chiavi della cantina e la tessera annonaria speciale per i pezzi grossi; e stette fuori casa per mesi, al Nord, a fare quella nuova repubblica. Quando alla fine dell'inverno tornò, davanti a casa sua c'era il fronte. Allora per prima cosa suo padre baciò la Duse, le chiese scusa e vendette il pianoforte ai tedeschi; poi si mise a fare di nuovo i bagagli: si doveva andare tutti insieme a tirare avanti la Repubblica. E la Duse scoprì che anche a diciassette anni poteva dire la sua. Quel giorno si indispettì e per la prima volta mancò di rispetto a suo padre. Non per il pianoforte, ma perché gli aveva scoperto in faccia qualcosa che le diede assai più fastidio: un'indecisione che non gli aveva mai visto prima. Un'inettitudine da ragazzo, un vagolare: non era più suo padre, ma qualcuno che somigliava a un fratello minore, da dovergli star dietro per tutta la casa perché non facesse danni. Vedeva quell'uomo che le aveva portato i ballerini dalla Baviera, le rose di pietra dalla Libia, il profumo di violetta dal regno del Montenegro, frugare incerto nei cassetti di casa sua, mentre il suo animo si faceva sempre più chiaro e determinato; era sicura, in quella circostanza così confusa, che la sua vita non stava per finire, ma era appena cominciata.

Mi disse che è così che si diventa uomini, e donne: che senti all'improvviso che quello e solo quello è il momento giusto di cominciare la tua vita, anche se sembra il momento più sbagliato di tutti. Cosa andava cercando quel ragazzo con i capelli neri tinti che di notte li teneva chiusi nella retina per paura che scappassero via? Dove pensava di portare sua moglie e sua figlia, se anche solo da come si muoveva insaccando le cose da portarsi via, si capiva che nemmeno lui sapeva dove andare e perché andarci? Quel ragazzo parlava e parlava, ma aveva paura di tutto, anche di quello che diceva. Così disse a suo padre che sarebbe rimasta, che gli voleva tanto bene, ma che sarebbe rimasta lì, anche senza il pianoforte. Sua madre si mise su una sedia a piangere piano, ma né lei né suo padre alla fine fecero troppe storie. Era dunque vero che non sapevano che sarebbe successo di loro.

Il fronte era pericoloso, ma c'era l'osteria al Ponte, e un'osteria è un posto sicuro, in pace e in guerra; meglio della scialuppa di una nave, meglio ancora dei bunker che avevano costruito sui crinali.

Dunque restò, e nessuno osò entrare in casa sua, o fermarla per la strada, o anche solo rivolgerle una parola sgraziata. Metà della casa l'avevano requisita i tedeschi e ci alloggiava un ufficiale con il suo attendente. Ma non si vedevano mai; entravano e uscivano dalla porta di dietro e restavano nelle loro stanze in assoluto silenzio: forse venivano solo per dormire. Però ogni tanto lasciavano sul tavolo della cucina un pezzetto di burro o qualche fetta di salsiccia di fegato, quel loro mangiare dolciastro e pizzicante.

La Duse portava quelle cose all'osteria, e là si fermava a mangiare e a leggere i libri che suo padre aveva lasciato a casa; si metteva su una sedia sotto il platano ogni giorno con un libro nuovo. Era incredibile la quantità di libri che suo padre era riuscito a leggere prima di metterla al mondo, e le pareva inverosimile che tutti quei libri fossero serviti a null'altro che a farne un fuggiasco che non sapeva più come parlare a sua figlia. Suo padre aveva amato molto l'arte e la poesia degli anni appena trascorsi, e se i libri di arte la lasciavano dubbiosa e interdetta, persino annoiata all'idea di non poter capire che una piccola parte di quello che vedeva, ogni volta che apriva un libro di poesie, qualunque libro, fosse anche quello di un indisponente avanguardista, sapeva che avrebbe trovato qualcosa che poi avrebbe portato con sé. Come un sasso di strano colore trovato nel fiume, avrebbe continuato a tenerselo tra le mani, alitandolo e lisciandolo fino alla soglia del sonno. E oltre ancora: sentiva che certe parole sarebbero rimaste con lei per sempre. Se le covava dentro, e aveva la sensazione che la facessero crescere di minuto in minuto, come un pallone aerostatico, sempre più grande e più leggera, alimentata dall'aria calda che sprigionava la poesia. A volte si scontrava con un verso così penetrante, così assonante ai suoi più fragili pensieri, che doveva lasciare, smettere di leggere. E sforzarsi di contenere quell'invasore troppo grande per il suo cuore, impedirgli di farle del male. Si sentiva come la diga alta del Soraggio, quando da bambina la portavano a sentirla gemere sotto la spinta furente dei torrenti del disgelo. Altre volte, le capitava di gettare via il libro che stava leggendo, come se le avesse fatto male tenerlo tra le mani; poteva succedere che finisse nella strada, ma per fortuna in quei giorni non passava quasi mai nessuno.

In casa aveva trovato anche tutti i libri del poeta degli orfani, quel Pascoli che suo padre disdegnava così tanto, e leggerlo all'osteria le metteva un'allegria strana e confidenziale, come se quelle poesie gliele stesse leggendo lui in persona, il poeta, tenendola come aveva tenuto sua madre, sulle ginocchia. Lo stesso vecchio zio dolce e mesto, pieno di storie malinconiche; quell'uomo non si aspettava altra soddisfazione dalla vita che non fosse un sorriso della sua adorata nipotina. E lei leggeva le poesie che già conosceva a memoria, e sorrideva, anche quando erano piene di neve e orfanità. Intorno a lei, sotto il platano, c'era ancora chi continuava a giocare a carte e a bere striscino; erano i vecchi, quelli che si ricordavano davvero quanto ne avevano bevuto con il poeta.

Nessuno le dava retta; lì nessuno dava importanza a niente, pareva. Nemmeno quando in prima estate cominciarono a fischiare alte le salve degli obici da 140 che partivano dalla Versilia e andavano a schiantarsi sulla linea di Pradarena; nemmeno quando cominciarono a ronzargli negli orecchi gli stormi di aerei che, a quelli che si sforzavano di alzare il capo, a volte apparivano neri e a volte argentati. Pareva che a quella gente sotto il platano, gli importasse poco o nulla il fatto che gli aerei argentati cominciassero a mitragliare sulla strada che saliva da Lucca; e nulla del tutto quando i tedeschi presero a dare ordini di stare tutti rintanati. Allo stesso modo, quando si fecero cattivi e cominciarono a portar via la roba dalle case, e a frugare dappertutto, e a chiedere carte qui e carte là. E quando cominciarono a sentire gli echi delle raffiche degli sten che arrivavano fin lì dalle gole di Sassi, e i *crak crak crak* che, poco prima che il sole calasse, venivano a dire che i cecchini avevano trovato da lavorare con i loro moschetti. Pallottole non contro gli inglesi, ma contro i figli e i nipoti e i pronipoti di quelli che erano restati sotto il platano. Quelli che non davano retta a niente. Sembrava che il Ponte e l'osteria fossero un avamposto della Svizzera neutrale che nessuno osava violare. Il fronte era lì, a due passi, ma intorno a loro era silente e inoperoso, mentre si sparava, si bombardava e si bruciava dappertutto. Quel fenomeno si chiamava Terra di Nessuno. Calato il sole, la Duse dava una mano a mettere la tela nera alle finestre, poi si metteva in strada per eseguire diligentemente le operazioni di oscuramento a casa sua, che fosse tutto in regola prima che uscissero le pattuglie del coprifuoco. E si metteva seduta davanti alla porta chiusa a chiave che dalla cucina dava nelle stanze dei tedeschi, e stava attenta che da lì non venisse nessun rumore, che non si sentisse nemmeno un fiato, nemmeno un sospiro di sonno. Se era proprio sicura che fossero fuori a pattugliare, allora andava in camera sua e tirava fuori da sotto il letto la coperta dove teneva infagottata la sua fisarmonica, e si metteva a suonare.

La guerra aveva portato via delle cose alla Duse, ma gliene aveva anche fatte venire. Suo padre le aveva venduto il pianoforte, ma sua madre le aveva portato dall'osteria la fisarmonica che tenevano in una vetrinetta davanti alla mescita, pronta per un non si sa mai. Capitava sempre un non si sa mai, da che sua madre ricordava, e c'era sempre stato qualcuno che a un certo punto della sera, soprattutto nell'estate, quando facevano tutti fatica a sbronzarsi abbastanza per strisciare a casa a dormire, andava alla vetrinetta e tirava fuori la fisarmonica. Qualche volta poteva accadere che ballassero; tra uomini, compiti e aggraziati come damerini, perché il passo del ballo è una cosa che uno ce l'ha come la signorilità: a gratis. Con il coprifuoco la fisarmonica non serviva più a nessuno, e ora era di proprietà della Duse. Era uno strumento all'antica, con tasti d'avorio e il mantice di finissima pelle di agnello tutta dipinta; aveva perso qua e là un po' di laccatura, ma riusciva ancora a tenere un suono nitido e potente. La Duse voleva imparare a suonarla, come il pianoforte, meglio ancora se possibile, perché non le era rimasto altro che potesse servire a farla felice.

Le dava una grande gioia lo sforzo, nuovo e sorprendente, che le era necessario per generare una sola nota. Una nota piena; la stessa che al pianoforte era bastato il tocco dell'indice e una leggera pressione sul pedale, per sentirla spandere per tutta la casa. Ma le sembrava più bello così, che per la musica fosse necessaria della fatica di braccia e di spalle. Come un lavoro. Vedeva che lavoravano tutti intorno a lei, da quando c'era la guerra con una energia spasmodica. La gente si ammazzava di fatica per qualcosa da mangiare, qualcosa da vestirsi, qualcosa da scaldarsi. Le ragazze della sua età, le bambine, salivano e scendevano dalla montagna con panieri di sassi, sacchi di castagne, crocette di paglia; i ragazzini stavano piegati in due tutto il giorno assieme ai loro padri e ai loro nonni a scavare buche, a riempire fossi, a spaccare pietre, ad alzarci muri. Si sfiancavano per trovare un po' di riparo dalla fame che stava per arrivare, dal freddo che sarebbe venuto, dalle bombe che cominciavano a cadere. Anche le bimbette più mingherline si erano fatte spalle larghe e mani grosse. Avrebbe voluto lavorare anche lei, ma non sapeva cosa fare: suonare la fisarmonica era l'unico lavoro che poteva imparare in fretta.

Imparava a orecchio, perché gli spartiti del pianoforte non le dicevano più niente di buono. Cercava di mandare a memoria le canzoni che sentiva alla radio, e ricordare quelle che aveva sentito cantare all'osteria e in piazza, quando d'estate, prima della guerra, il sabato sera tutto il Ponte si metteva a ballare. Erano perlopiù canzoni melanconiche, e ora che ci faceva più attenzione, si meravigliava di come alla gente quelle canzoni piacessero così tanto, come se avessero il desiderio di struggersi più di quanto la vita già non li struggesse. Ma anche a lei piacevano, anche la Duse sentiva il bisogno di quella speciale malinconia che le saliva su dai polmoni e dalle braccia, mentre, nella notte senza fiati e senza lumi, distendeva con un largo abbraccio il mantice, e la fisarmonica faceva un respiro profondo, come esalasse lo spirito assonnato di una caverna sepolta tra le selve. E chiudeva l'abbraccio, comprimeva il mantice, e il sospiro diventava il primo accordo. Di un tango.

C'erano tanti tanghi da imparare.

Mare perché
questa notte mi inviti a sognar,
mentre soffro e non so più scordar
il mio perduto amor?
Dimmi cos'è,

questa musica strana che tu,
dolcemente sussurri quaggiù,
e fa più triste il cuor.
Forse sarà la musica del mare
che nell'attesa fa tremare il cuore,
torna ogni vela e tu non sai tornare,
che lacrime amare versare fai tu.

La Duse non aveva avuto nessun amore, e tra le cose che si erano perse non c'erano amori, non quelli. Ma quando suonava questa canzone sentiva di aver già sofferto tutte le pene e di aver goduto tutte le passioni di un grande amore. Aveva la notte, cercava il mare. Un mare scuro e gonfio, un mare di lontananza e di esilio, di spume turbinose e di freddo vento glaciale. Cercava nel mare una vela, ed erano tre, quattro, dieci vele che si portavano in salvo alla riva. E piangeva, piangeva di malinconia per il suo amore che non sapeva tornare. Se i tedeschi fossero stati di là, zitti a sentirla, avrebbero pianto anche loro.

Quanti tanghi c'erano da imparare. E lei ce la metteva tutta.

Sul finire dell'estate, con la luna nuova di settembre, cominciò a farsi vivo Pippo, e la Duse imparò presto ad accordare i suoi tanghi con il ritmo capriccioso e il timbro discontinuo del suo motore. Lo accompagnava, ovunque andasse. Un paio di volte aveva sganciato una bomba, a casaccio nel buio, e nessuno si era fatto male; ma lo temevano tutti come la peste, tranne lei. La Duse apprezzava molto il fatto che Pippo sapesse tornare.

In quei giorni la radio repubblicana continuava a trasmettere una canzone che più triste non si poteva. Era un bambino che scriveva da casa una lettera a suo padre che era alla guerra. *Caro papà, ti scrive la mia mano, il cuore trema e io non so perché. Le lacrime che bagnano il mio viso, son lacrime d'orgoglio credi a me.* La canzone si intitolava *Orticello di guerra*, perché quel bambino si dava da fare a dare il suo contributo allo sforzo bellico, coltivando nell'aiuola davanti a casa un piccolo orto. Quella canzone naturalmente le faceva ricordare suo padre; di come se ne fosse andato anche lui a combattere su qualche fronte di cui non sapeva niente, se non che doveva essere come quello intorno a casa sua. Ed era un fronte di bombe, fucilate e morti, senza che si sentisse nessuno parlare di orgoglio. E le ricordava sua madre, di come fosse, in modo del tutto innaturale, insieme a suo marito, invece che essere lì, a casa, ad aspettarlo, orgogliosa assieme alla sua figliola.

Così, in quei giorni ancora caldi, mentre nelle selve le castagne stavano maturando in una quantità e grandezza mai viste, che quasi facevano dimenticare alla gente che ci sarebbero dovuti andare sotto le bombe a raccoglierle, la Duse si trovò a riflettere più e più volte sull'amore di suo padre e sua madre. E si convinse che fosse di specie e natura ancora più conturbanti ed equivoche di quelle che i tanghi non osassero cantare. Oppure non era nemmeno amore, ma ancora di più, qualcosa che veniva dopo. Come quello che dovevano aver provato Adamo ed Eva quando se ne vennero via dall'Eden e se ne andarono avvinti l'un l'altra per il mondo selvaggio di fuori finché vissero, chissà per quanti millenni ancora. La complicità immortale di due grandissimi peccatori, forse quella di due assassini. Legati assieme come Paolo e Francesca non avrebbero mai potuto essere legati. Ma lei ignorava di quale peccato si erano macchiati, e poteva fare solo congetture. E le sue congetture non portavano a niente che non fosse maggior incertezza e ancora nostalgia.

Si era fatta un'amica quell'estate, mi raccontò la Duse, e senza quella sua amica non sarebbe accaduto nulla di quello che poi successe. Né forse la Duse stessa avrebbe potuto vivere abbastanza per far succedere qualcosa; perché, mi spiegò, la felicità che le dava la fisarmonica e la tenerezza che veniva dalle poesie non le sarebbero bastate. Così venne alla luce la Santarellina.

C'è una fotografia sul mobile della camera del sofà dove si vedono la Duse e la Santarellina al tempo che si conobbero, ai giorni della guerra. Sono due ragazze che si tengono a braccetto all'ombra del platano dell'osteria del Ponte. La luce che filtra tra le foglie del grande albero crea dei complicati effetti di chiaroscuro, per cui i lineamenti delle due ragazze si confondono e si esaltano in modo bizzarro, così che è difficile riconoscerle. Se non per i capelli e le scarpe. Una ragazza ha dei cortissimi riccetti neri e porta ai piedi degli zoccoli di legno: quella è la Santarellina. L'altra ragazza ha una massa di onde capricciose tenute a freno da un grosso nastro, porta ai piedi delle scarpette basse così lucide che brillano nell'ombra: e lei è la Duse. Quello che si vede ancora è che la Santarellina con i suoi riccetti arriva a malapena agli occhi della Duse. Quello che non si riesce a capire bene, e che mi dirà la Duse, è che se lei a quel tempo era piuttosto mingherlina, la Santarellina era di una magrezza straordinaria, anche per una montanara in tempo di guerra.

La stessa fotografia è anche sul mobile della cucina della Santarellina, cambia solo la cornice: quella della Duse è d'argento, quella della Santarellina di legno ornato con fiori dipinti. Ho chiesto alla Santarellina chi avesse scattato quella foto: è stato un ufficiale tedesco che aveva una macchinetta fotografica che portava sempre con sé per fotografare ogni cosa. Quell'ufficiale si fermava qualche volta a bere un punch all'osteria scendendosene giù a piedi da Castelnuovo, ed era famoso per la sua eleganza e i modi gentili; così distinto tra tutti, che i vecchi del platano l'avevano soprannominato il Barone. E lei ricorda pure che è stato solo per questo motivo che la Duse ha accettato di farsi fotografare: per la signorile gentilezza di quell'uomo, e perché voleva a tutti i costi che loro due fossero immortalate mentre erano allegre, qualunque cosa potesse succedere poi. Ricorda anche che l'ufficiale fece in tempo a dar loro le fotografie prima di sgombrare la sua guarnigione per fare posto a *quegli altri*. La Santarellina dice "quegli altri" e intende i soldati italiani della Repubblica, gli alpini Monterosa. Non li chiama per nome per disprezzo e vergogna. Ricorda che la prima volta che ha visto "quegli altri", è quando sono venuti a prendersi nella stalla dei suoi padroni l'unica vacca da latte che era rimasta. Quella vacca era sì dei suoi padroni, ma un po' del suo latte toccava anche a lei. E ricorda come non vollero saperne dei suoi pianti; e ricorda infine che da lì a notte arrivò da Castelnuovo un soldato tedesco con la vacca alla corda per restituirla. E questo era l'ultimo ricordo che lasciava l'ufficiale elegante; ragion per cui quella bella cornice che aveva comprato negli anni di Newcastle, non era solo per lei e la Duse, ma anche per lui. Il Barone, per come si erano messe poi le cose, era probabilmente morto da lì a non troppo tempo.

Le due amiche si erano incontrate perché quell'estate la Santarellina era scesa dalla montagna per fermarsi a lavorare alla casa dei suoi padroni. Lì, dopo i reclutamenti forzati e le spie e le retate, non c'erano rimasti più uomini per le opere. Lei lavorava da uomo, non da domestica di casa. Viveva per gran parte dell'anno in una cascina dei suoi padroni sopra le Rocchette, e lì pasturava le bestie e pettinava le selve. Quando si spegnevano i metati, scendeva assieme ai muli che portavano le castagne ai mulini. Restava in paese fino alle feste e poco più, e risaliva alla montagna che la neve era ancora alta; stava lassù fin sotto alla fiera di San Michele, quando riscendeva con gli agnelli e il formaggio da vendere.

Ma adesso che alle Rocchette ci passava la linea più alta del fronte, e pareva che quei sassi contassero per i tedeschi più di Berlino, i suoi padroni avevano dato vacche e pecore in accomando ai pastori delle valli ancora quiete di là dal Vestito, e lei l'avevano chiamata al paese; l'avrebbero fatta risalire alla stagione delle castagne.

Per inciso, nell'imperdonabile confusione che spesso genera la guerra tra proprietà e accaparramento, abigeato e giusta causa, i padroni della Santarellina non avrebbero mai più rivisto le loro bestie, sparite chissà dove o vendute a chissà chi, e si sarebbero dovuti accontentare per un bel po' della vacchetta che il Barone aveva fatto riportare alla Santarellina; ma avrebbero poi trovato abbondante risarcimento con altri accaparri e altri abigeati, consumati presso altre guerre che andarono a cercarsi in Africa.

Tra loro, il più eminente fu un figliolo, il Rizieri, di leggendaria canaglieria, che subito dopo il referendum del '46, impaurito da questa nuova repubblica, partì con la moglie a fare il guardiano in una miniera di diamanti del Transvaal, in fondo all'Africa. Egli escogitò un furbissimo sistema per rubare diamanti all'azienda mineraria che l'aveva assunto: ne faceva ingoiare a suon di bastonate uno alla settimana a un paio di scavatori neri che si teneva come schiavi, e glieli faceva ricagare a pugni nella pancia fuori dai recinti dei controlli. Riuscì a comprarsi tre quarti del paese natio, prima di essere preso e ammazzato dai ranger della sua azienda, morendo peggio di come aveva fatto vivere i suoi neri.

Così dice la Santarellina, e aggiunge particolari di orrendo dettaglio. E dice della moglie, che tornò al paese, e se anche non era più tanto "dritta di gambe e dura di culo" com'era partita, era pur sempre viva, nonostante al ponderato suo parere fosse stata lei la pietra dello scandalo e l'edificatrice della rovina del Rizieri. Questo, a ulteriore riprova della sua convinzione circa la stupidità dei maschi e la salvifica puttaneria delle femmine.

La Duse e la Santarellina si incontrarono una mattina mentre scappavano per la strada di Fosciandora inseguite dalla Cicogna. Allora ancora non si sapeva che la Cicogna volasse così bassa per fotografare meglio la situazione del fronte, e si andava invece dicendo che fosse pilotata da un aviatore particolarmente maligno, che con la sua maligneria andava a cercarsi una per una le persone che gli aggradava di mitragliare. La Duse stava tornando dal mulino dove aveva preso un po' di pane da portare all'osteria, la Santarellina andava a vendere del maiale a una famiglia di lassù; ognuna aveva il suo fagotto bello peso tenuto a tracolla e nessuna delle due considerava di offrirsi come la prescelta del mitragliere. Si buttarono nel fosso tra gli ontani prima ancora di accorgersi l'una dell'altra. Una vide dei gran capelli tra le erbe, l'altra, due occhi grandi così, che parevano quelli di una poiana presa col coniglio tra le grinfie. Non si conoscevano, ognuna sapeva chi era l'altra ma non si erano mai salutate. Aspettarono che la Cicogna andasse a cercarsi qualcun altro e poi si tirarono su. Controllarono prima se per caso non se la fossero fatta sotto, si sistemarono un po', palparono i loro fagotti, e poi si salutarono. Se ne stettero lì sul ciglio del fosso un bel po'. Parlarono così tanto da farsi venir fame, e mangiarono pane e maiale, tutta roba che non era nemmeno loro. Così divennero amiche; senza tanti preamboli e salamelecchi, come dice la Santarellina. Come fossimo state sorelle che s'incontrano dopo aver camminato per vent'anni, cercò di spiegarmi la Duse. Quel giorno della Cicogna la Duse ne aveva diciotto ancora da compiere e la Santarellina uno solo di più.

La guerra aveva portato via molte cose, ma ne aveva anche fatte venire, e la Santarellina era venuta perché la guerra non si portasse via più niente di quel che rimaneva, in special modo non si portasse via la vita che sarebbe ancora venuta. Questo è quello che ha sempre pensato la Duse. La Santarellina, che sa tutte le cose e sa parlare di ognuna, su questi argomenti è molto discreta; oppure, più facilmente, non ha opinioni. La Santarellina è molto interessata ai fatti che accadono, e non dà segno di elucubrare sulle questioni che concernono l'anima. Del resto, la sua vita è stata occupata da fatti talmente pesanti e ingombranti, che le cose dell'anima le devono essere sempre sembrate leggerezze, quisquiglie.

5.

SONO NATA VEDOVA

La Duse mi ha detto di come è nata la Santarellina, e lei stessa mi racconta ancora adesso qualcosa di come è vissuta. È una vecchietta fiera e orgogliosa, e molto vanitosa.

Sono nata vedova, mi ha rivelato, ancora così piena di stupore per se stessa, ancora in vena alla sua età di sbeffeggiare la sua tragica vita.

Non ho mai conosciuto un'altra donna che se la sentisse di dire di sé qualcosa di altrettanto definitivo. Né un maschio. *Sono nato vedovo.* Non zitello, non zitella, non estraneo né incapace, ma "sono nato orbato". Perché la Santarellina rida della sua tragedia mi risulta oscuro; non so se ha imparato a farlo, se si è costretta, se non abbia trovato nient'altro di adatto a se stessa e alla vita in genere. Perché di tutto quello che racconta, lei poi si mette a ridere. Con la bocca chiusa, con gli occhi sgranati, con appena un punto di luccichio di saliva, quando, per sbaglio, le spunta la lama di un dentino di porcellana tra le labbra. La 'Nita dice che, così minuta com'è, in questo modo dev'essersela cavata in molti pessimi frangenti. Ridendo. Che quando te la passi male davvero, male male per dirla con lei, e non hai modo di scappare, o di fare altro, allora scopri che ridere può funzionare. Credo che abbia ragione, almeno riguardo alla Santarellina, anche se di lei conosco soltanto quello che vuole che si sappia, per bocca sua o a suo tempo della sua amica Duse, e il resto potrei solo immaginarlo. E non serve.

La Santarellina oltre che vedova è nata anche orfana. Quel genere di orfani che ai tempi venivano lasciati sull'altare di san Lazzaro nella cappella delle monache di Sassi. Il suo nome, Santarellina, è appunto quel genere di nome che amano dare le suore ai trovatelli: se la saranno trovata lì più morta che viva, avranno scoperto con gioia che non frignava da far disperare, che con poco la tenevano buona, e le hanno trovato il suo nome d'elezione. Non so come se la sia cavata lassù a Sassi, ma in ogni caso c'è stata poco. Quando aveva otto anni, e aveva ormai finito la scuola e imparato a portare gli zoccoli senza inciampare, sono venuti dei contadini a comprarsela e se la sono portata via. Per non doversi poi stare a preoccupare di niente, da buoni cristiani chiesero alle monache di chiamare un prete e di farle dare la sua prima comunione. Così si usava. C'era una gran voglia di mettere a lavorare i bimbetti per tempo, che imparassero senza far discussioni a servire alle opere e crescessero a loro agio nella servitù. Se non c'erano abbastanza figli nelle case dei braccianti, i padroni delle terre andavano dalle monache, sceglievano quello che serviva, e facevano un'offerta a san Giuseppe, il più augusto dei padri putativi. Punto e basta. Nessuna obiezione al riguardo: era un'opera di bene; in un modo o nell'altro pareva che lo dovesse essere.

Infatti non ho mai sentito la Santarellina fare commenti sui suoi padroni, o esprimere giudizi sulla sua condizione. Forse che all'orfanotrofio sarebbe andata meglio? Lei ricorda, ridendo, che quando ha cominciato a lavorare alle selve, pesava meno del carico che doveva portare. Venticinque chili di castagne. O un agnello, che era un poco più leggero. Secondo me, solo basandomi sulle leggi della gravitazione e delle leve, doveva pesare qualcosina in più per contrastare la gravità e applicare una leva efficace; ma è solo questione di dettagli, e non è escluso che la Santarellina abbia potuto fare il suo lavoro in contrasto alle leggi di natura.

Ricorda la vita che faceva. Le canzoni che cantava; che

erano tutte le canzoni di chiesa che le avevano insegnato le monache. Le canzoni erano importanti, perché facevano molta compagnia nelle selve e nelle pasture sopra la Turrite, distanti anche tre, quattro ore dagli ovili. I discorsi che faceva, da sola, tra sé e sé per non farsi sentire; anche quelli erano importanti, perché se non si discorre un po' si perde il dono che Iddio ci ha dato di ragionare con la favella, e dunque aver la riprova che si sta al mondo diversamente dagli animali. Lei non parlava mai con gli animali, perché ricorda di averne sempre avuto paura; compresi gli agnelli e le pecore che si spaventavano solo a vedere la sua cavezza di vinco fresco. Eppure era così. E secondo lei quella paura le venne al convento delle monache per non passarle mai più. Perché gli era che quando faceva l'orfana cattiva, le monache la mettevano a dormire nella stalla col somaro e la vacca, e quei due avevano la consegna di non farla dormire un minuto tranquilla, e si ingegnavano, a calciate e musate e peti, di cacciarla via dalla paglia pulita dove poteva coricarsi un po' comoda. Nella notte, il somaro cercava di mangiarsela e la vacca di cacarle in grembo, e nessuno dei due aveva mai mostrato un briciolo di pietà.

Dunque teneva discosto gli animali, invece trescava volentieri con le piante, e in special modo con i castagni. I castagni sono buoni e non c'è da averne minimamente paura; piuttosto, a volerli conoscere, danno sempre una mano quando ce n'è bisogno. Ricorda di quella volta che aveva ancora da compiere dieci anni e la mandarono a fare un carico per un metato dove non era mai stata prima; le dissero dov'era la strada e la lasciarono che stava per andar giù il sole. E lei che non aveva mai niente da lamentare, prese il suo peso e salì per un viotto in mezzo alla selva, e più saliva, più si faceva scura e franta.

Ma non era tanto l'oscurità che la spaventava, quanto di non conoscere quelle piante per nome. Avesse riconosciuto quei castagni, li avrebbe chiamati e loro sarebbero stati a sentire, e si sarebbero fatti compagnia, perché quando va a buio è star soli il peggio danno. Essendogli stata in confidenza, avrebbe trovato quelli adatti per posatoio, e ogni tanto si sarebbe potuta fermare un pochino a riposare i piedi dalle storte e dai graffi. Avrebbe saputo dove tenevano radici e non sarebbe inciampata.

Così, da forestiera, non le rimaneva altro da fare che tirare avanti con il suo peso e cantare *Tantum Ergo Sacramentum*, almeno per resistere alla tentazione malvagia di fermarsi e aspettare che la notte se la prendesse. O, peggio, che se la prendesse la belùa. E siccome le fole sono tutta pura verità, in special modo quando raccontano di fatti degli orfani, proprio come in una fola nel bel mezzo della salita le si ruppe uno zoccolo, e si trovò a camminare scalza tra i sassi e i ricci finché non le presero a sanguinare i piedi.

Quando spiega in che modo erano ridotte le palme dei suoi piedini, la Santarellina intorcigna le mani in un grumo informe e ride, ricordando con orgoglio come ridesse anche allora per la forma strana e buffa che avevano preso. E sarebbe morta di freddo e di paura ridendo dei suoi piedi sanguinolenti, perduta nel mezzo della montagna, se non fosse venuto un brav'uomo a cercarla dal metato. Come nelle fole più vere, l'uomo era brutto come il peccato ma con il cuore d'oro, e le diede un paio di scarpe che teneva da parte per farla tornare a casa. Le scarpe erano vecchie da non dire e i suoi piedi ci stavano così larghi che soffrivano peggio che a battere sui sassi; ma le faceva così piacere aver ricevuto quella cortesia, che fece la strada del ritorno correndo. Correva nel buio in una selva sconosciuta, e rideva, rideva; finché non trovò il lume della sua casa, e allora si mise a piangere dalla contentezza. Quella sera mangiò la sua parte di polenta con i piedi dentro una bacinella di acqua fredda che si era tinta tutta di rosso; e già mangiando, dalla stanchezza dormiva e sognava.

Sognava ridendo, dice. E ricorda che i suoi sogni avevano per tema principalmente la gobba. Perché la sua più grande preoccupazione era appunto di averci la gobba, che era la disgrazia che la schifava più di qualsiasi altra bruttura. Un cristiano poteva essere più brutto del diavolo e andare ancora a testa alta, ma se aveva la gobba era il diavolo in persona, e allora non poteva che vedere il mondo di traverso e avere tutto in odio. Aveva paura per sé a proposito della gobba, a causa dei pesi che portava. Gli altri lavoranti la spaventavano dicendole che, così piccina com'era, con tutti i carichi che si portava sulle spalle si sarebbe ingobbita prima dei vent'anni. Lei stava zitta, ma si struggeva di questa gobba che sarebbe arrivata, e non sognava altro che gobbe. Così, già a otto anni, si era fatta le idee molto chiare circa la vita: aveva deciso che non sarebbe mai diventata gobba, mai. E siccome questo era tutto quello che avrebbe voluto, Iddio glielo doveva dare.

E nel rammentarmi questo suo sacro giuramento, mi si para davanti e ruota sulle punte dei piedi come una modella, in modo che possa vedere bene come alla sua età gobba ancora non l'è diventata. È così agile, e così microscopica, la sua dentiera così verosimile, e la permanente dei suoi capelli così rossa e viva, che le sue tozze mani artrosiche sembrano incollate a tutto il resto per sbaglio. Ma nemmeno Dio può salvare le mani dalla vita, e il carico di pesi sulle mani della Santarellina è stato un morso di cane che non ha mai mollato la presa. Non le ha fatte vedere mai volentieri le sue mani, nemmeno quando ero bambino e mi accudiva tutti i santi giorni. Quello che si sa delle sue mani, è che non sono state né le selve né le opere di casa a renderle così disumane, ma i vent'anni che si è fatta a Newcastle. Quando se n'è andata lassù a friggere patate e pesciolini; e a farle delle mani così non è stato tanto pelare tre o quattro quintali di patate ogni giorno, né pulire tutti quei pesciolini, ma l'olio dove metteva a friggere quelle cose, che ogni tanto finiva per friggerle anche le mani. Pare che i suoi polmoni siano ridotti più o meno come le sue mani, anche se l'unico che li ha visti è il dottore inglese che l'ha rispedita qui. Sempre per via dell'olio, che glieli ha fritti. Ma la Santarellina è ancora forte come non mai.

Più forti della Santarellina ci sono soltanto le donne di Vagli. Ma quelle sono donne che non si sa da dove vengono.

Neppure dei loro uomini si sa bene, salvo la certezza che sono appena meno forti delle loro donne. Vivono qui nel distretto ma non è di qui che sono originari. Non per lingua, non per aspetto, non per abitudini e carattere; persino il loro pennato è diverso da quello di tutti gli altri, più largo e più corto. Si sono fatti una loro leggenda per cui sarebbero i figli degli schiavi che l'occupante romano non seppe mantenere captivi nei giorni del disfacimento dell'Impero.

Fuggitivi dai latifondi coloniali, si erano condotti per bande vivendo alle spalle della corruzione, finché avevano trovato una tana sicura nei ristretti pianori sopra le gole di Forcoli. Lì nemmeno i barbari longobardi riuscirono a penetrare a sufficienza e con bastante cattiveria per ridurli a qualche intesa e commercio; non riuscirono neppure a convincerli della bontà del loro Cristo ariano, e di edificare una delle loro chiese, neanche a parlarne. Al tempo longobardo, le chiese presero il posto dei castri disabilitati nel disfacimento delle legioni imperiali; quei fortini furono occupati dalle plebi per tenersene al riparo, e, per dare un po' di respiro anche alle anime in quell'epoca di afflizioni, riedificate come case del nuovo Dio dei senza padrone. Di quelle chiese consacrate e arredate con germanica probità, ne sono rimaste almeno una per ogni paese, tranne che nel paese di Vagli. Lì si vantano pagani; e anche i loro preti, che hanno usanza di scegliersi per conto proprio volente o nolente l'autorità preposta, non hanno mai scherzato quando si è trattato di eresiarcare, nel passato come nel presente.

È quello vaglino un particolare tipo di prete guerriero, come guerrieri sono i suoi pievani; tutti quanti, femmine e maschi, laici e consacrati, posseduti da una combattività irriducibile che li porta all'estremo ribellismo, e li confina in un'indole avversativa universale. Al tempo della guerra, metà della banda Valanga era fatta di loro ragazzi, come delle loro ragazze era il fiore delle staffette; un loro prete ha combattuto, i chierichetti si sono dati da fare. Ma venivano da loro anche le spie più cattive e vendicative, traditori per piacere e vocazione. E questo porterebbe acqua al mulino della loro leggenda, sempre che sia vero che il portato genetico della schiavitù mischia per l'eternità, assieme alla fame di giustizia e alla sete di rivolta, un resto di invidia e vendetta.

Ma nella loro parlata ci sono espressioni incomprensibili solo per chi non conosce i rudimenti del sanscrito volgare dei gitani d'Oriente, e negli zigomi, che portano alti sotto gli occhi tondi e singolarmente neri, non sa vedere l'inconfondibile supponenza dei sinti. Ragion per cui, piuttosto che l'improbabile stirpe di schiavi ribelli, la cosa più facile è che vengano semplicemente dall'India, e si siano fermati nel distretto al tempo dell'ultima grande peste d'Europa, quando il cuore ancora caldo di uno di loro valeva sì e no una forma di pane. Si sono fermati perché il genere di stanzialità che qui potevano coltivare era quanto di più ramingo potessero gradire. Forse è una banale questione di effetto ottico, ma chi vive in queste valli è convinto di non stare mai fermo un minuto; questo nonostante i preoccupati studi dell'autorità, che hanno stabilito invece come, rispetto al tumultuoso andamento del mondo, il distretto resti eccezionalmente immobile. Insomma, è assai più probabile che siano zingari, e non c'è niente di male in questo, se non che a loro non piace per niente; tanto che, nel corso degli ultimi due secoli, si sono fatti scrivere dai loro preti apostati dei gran libri in latino e in italiano, lingue ambedue a loro stessi assai ostiche, per perorare la santa causa della loro leggenda. Un proposito quanto mai patetico, ma nobilmente oneroso; e anche questo va a suffragare la fola che siano eredi di una genia di schiavi affrancati.

In verità la loro leggenda si è sparsa per il mondo portata non da libri illeggibili e fazioni, ma dai loro migranti. Dagli inglesi, come continuiamo a chiamarli confondendoli con tutti gli altri che sono partiti, anche se a Londra quelli di Vagli non ce li hanno voluti, e sono andati a finire perlopiù nella Patagonia argentina e nella provincia di Canberra.

Quelle erano distese adatte per loro, dove hanno potuto scorrazzare e guerreggiare e fantasticare, come è indifferentemente nell'indole degli zingari e degli schiavi rivoltosi. Là, in quei continenti di solitudine, dove le storie sono tutte neonate e il corpo di leggende necessita di continuo nutrimento, si son dati un gran da fare a sfogare la propria rivalsa, spargendo le loro sgargianti epopee, cantandole alla luce dei fuochi pastorali, mormorandole sopra i vapori delle scodelle delle mense collettive, sbattendole in faccia agli assuntori anglofoni nella polvere delle Main Street dove andavano a cercare lavoro.

Così sono riusciti a farsi notare a tal punto, da convincere eminenti studiosi antropologi a varcare gli oceani per abbeverarsi alla fonte di quelle loro affascinanti storie direttamente nel distretto d'origine. Qui sono decenni ormai che questi distinti raccoglitori di avanzi origliano e spiano, discretamente domandano e fotografano, si ubriacano e registrano, nell'illusione di venire a capo della ancestrale vaglina singolarità. Quelli di Vagli li invitano a cena, li portano a bere il loro striscino, e gli raccontano quello che gli pare più onorevole e adatto a placare la curiosità della scienza, e gli studiosi vanno in visibilio. Poi li portano a vedere come si regolano con la legge nel loro consiglio comunale, e questi prendono appunti e girano film con le lacrime agli occhi, come se assistessero all'ultimo sacrificio umano. Intervistano le loro donne e se ne invaghiscono di tutte e di ogni età. Hanno le loro ragioni.

Di mestiere, i maschi preferiscono più di ogni altro impegnarsi come tecchiaioli nelle cave di marmo: tecchiaioli come loro non ce n'è. Il tecchiaiolo è l'acrobata che si arrampica e striscia e si appende a sanare e pulire il sito della vena marmifera dopo che l'esplosione della mina ha lasciato detriti a sfasciume che potrebbero ammazzare la gente che dovrà lavorare al taglio. Adesso gli danno qualche moschettone in più, e se vogliono possono persino imbragarsi alla fune di sicurezza e mettersi un elmetto in testa, così che ne muoiono meno, ma fino a vent'anni fa salivano con qualche bracciata di corda e un paio di cunei di legno, tenendo in una mano la loro mazza da cinque chili e con l'altra cercando dove appigliarsi. Estate e inverno, nudi e crudi, scalzi e calzati con le suole di legno. Su per tagli già lisci come specchi e poi sulle scarpate triturate dalle mine. Alzando polvere come tempesta, grandinando graniglia e sasso. Nessuno dice niente se buttano giù mezzo fiasco prima di cominciare il lavoro; quando tornano giù, hanno la gola così intasata di polvere di marmo che non riescono nemmeno a parlare senza sputare fuori i polmoni. Così si finiscono il fiasco facendoci i gargarismi. Hanno sudato e la polvere gli si è incrostata sulla faccia e sulle braccia, e, se è estate, sul dorso e sul petto, che tengono nudi per tradizione. Quando si sono lavati si vede che hanno segni in tutto il corpo, e vedi anche che a tutti gli manca qualche dito, nelle mani, nei piedi. Normalmente.

Eccezionalmente si fracassano e muoiono; oppure, ancor più eccezionalmente, perché li sega un cavo saltato da un verricello, o si sono presi troppa confidenza con la casamatta degli esplosivi. Se mai mettessero piede in chiesa, li riconosceresti anche lì che sono tecchiaioli, anche con la camicia e il cappello. E li riconosci il giorno del loro matrimonio, e in qualsiasi altra circostanza. Per la polvere incastrata nelle unghie, per le cicatrici, ma soprattutto per come stringono gli occhi e guardano ogni cosa un po' di traverso, per constatarla e valutarne la precarietà e il pericolo. E per come si porgono nel passo, diritto ed elastico, sfrontati e sicuri di tutto quello che sono. E naturalmente si sentono quello che sono: qualcosa che assomiglia a un eroe. Imprevedibili d'umore e disperati, miopi e vanitosi, ottusi e magnanimi come gli eroi. È ciò che pensano tutti quelli che girano intorno alle cave, al lavoro e alla fortuna e alla disgrazia che ne viene. In base a ciò che sa questa gente di eroismo. È quello che pensano persino i loro padroni.

Naturalmente, in cambio del molto che danno vogliono essere pagati bene e senza discorsi. L'ultima volta che hanno rinnovato il loro contratto, nella cava sopra il loro paese, hanno avuto delle storie con i nuovi padroni, gente da multinazionale. Visto che non arrivavano a concludere niente, hanno preso il loro ingegnere capo, lo hanno imbragato per benino e lo hanno calato nel pozzo di un vecchio taglio. E lo hanno lasciato lì a dondolarsi per una notte. A tirarlo su prima che morisse di freddo e di paura c'è andato un loro prete, che poi ha chiuso celermente la trattativa e ha messo lui le firme che andavano messe.

Conosco quel prete, qualche volta passa da qui a salutare quando va a caccia. Non so quanti anni abbia di preciso, ma di sicuro più di ottanta; tiene anche la plebe di Fabbriche da più di mezzo secolo, e lo vedevo girare con gli stivali di gomma che ero ancora un ragazzino. Anche allora era magro come adesso e aveva già la pelle del viso di un colore quasi marrone; tant'è che mi faceva un po' paura, perché, almeno il suo teschio, era identico a quello della mummia di san Pellegrino. Ma mentre san Pellegrino era tutto vestito di ori e di sete, lui portava solo una tonaca nera, e quando faceva freddo un giaccone di pelle sopra la tonaca. La tonaca è sempre la stessa, stessa taglia stesso modello; anche se non ha mai trovato il sarto che gliela facesse della misura giusta, perché gliel'ho sempre vista corta e larga. Non è mai stato un bel vedere, ma sono sicuro che a lui vada bene così, perché è la foggia ideale per muoversi senza intralci nelle forre dove va a cercarsi i cervi. Non si è neppure mai rasato bene, e anche questo non fa un bel vedere; soprattutto ora che quella cartavetra che gli ricopre la pelle del teschio è bianca e brilla nella luce del sole come una malattia.

Va a caccia da solo, c'è sempre andato così. Si infila una

manciata di cartucce in una tasca della tonaca e un pezzo di pane con un po' di companatico nell'altra, e parte. Ha un fucile bellissimo, molto vecchio ma tenuto meglio del Santissimo; se non fa troppo freddo si ferma a dormire nelle selve, soprattutto in questi ultimi anni che non ha più il suo giaccone di pelle, ma una giacca a vento di gran marca e stile avveniristico che gli hanno regalato i suoi pievani. Anche quella bella larga, ma adeguatamente lunga, cosicché all'occorrenza gli fa da materasso e da coperta. Non spara quasi mai, ma quando lo fa lo si sente per tutta la valle e anche più in là, visto che usa per le sue cartucce delle cariche militari che dice di essersi procurato in montagna frugando tra le grotte. È roba buona, roba che hanno lasciato quelli della Monterosa, quindi materiale tedesco di prima scelta. Se prende qualcosa, o è un cinghiale, o un daino, o un cervo giovane. Allora lo scuoia sul posto e scende giù ad avvisare qualcuno di andarselo a prendere: della sua caccia lui prende solo quello che gli portano già cucinato i pievani. E anche se è così magro, di sicuro la sua cucina è il posto dove si mangia meglio.

È un prete guerriero, dicevo, sulla scia della millenaria tradizione della plebe di Vagli, ragion per cui esercita il suo ministero con battagliera ferocia. Credo che i suoi lo amino soprattutto per questo. Amano don Gigliante, questo è il suo nome così significativo di augurale purezza, con una dedizione che, se non fosse gente di Vagli, sembrerebbe servile. Don Gigliante perseguita il peccato con la stessa costanza con cui segue le tracce dei cervi, e con la stessa decisione è disposto a sparare sui peccatori le sue cartucce tedesche. Così ammettono i suoi stessi pievani, e sembra che vadano fieri delle penitenze che impone loro, cocenti e ordaliche; da questa crudezza sentendosi privilegiati, tra i rari eletti su una strada sicura per evitare gli eterni e ben peggiori castighi dell'inferno. Per natura e civiltà sono grandi peccatori quelli di Vagli, ma per lo stesso motivo sono anche disponibili alla giustizia e alla pena, se è giusta pena. E sanno benissimo che quella che impone don Gigliante è giusta, oltre che santa. Lo sanno loro e il prete, che da cinquant'anni custodisce il segreto delle loro confessioni e predica ogni domenica chiamando per nome quelli che non hanno confessato perché rendano conto delle loro vergogne. Lui sa tutto di quella gente, non c'è alcun dubbio, e solo per questa ragione dovrebbe camminare piegato in due per il peso che porta. Se solo non fosse più forte ancora delle loro donne.

Quando passa, e ha voglia di fermarsi un po', gradisce accettare un poco della confettura di uva della 'Nita, che sorbetta dal cucchiaino con un gesto delicato da antico seminarista. Parla con lei della natura delle cose terrene e chiede con circospetta gentilezza dei suoi pievani che lavorano nell'azienda che dirige; quelli che non vanno alle cave, e non si prendono un camion e girano con quello, e neppure si fanno un gregge di capre e vagano a pasturare, si piegano alle occupazioni salariate. Chiede se si fanno onore e se sono sempre i migliori come dovrebbero. Poi parlano della vasta natura che si stende attorno al loro sguardo e si soffermano in elaborate constatazioni sulle difficoltà che comportano le coltivazioni più rare e pregiate. La 'Nita è questo che fa quando non attende ai suoi doveri di controllore della produzione di beni primari: ne produce ella stessa. Lo fa in quantità non più industriali, bensì del tutto insufficienti anche alla sua stessa sopravvivenza, ma di rara preziosità. Dietro la casa tiene un suo piccolo giardino commestibile dove pigramente allignano e con modestia vegetano antiche sementi di dimenticati frutti della terra. È in quel suo giardino che è sicura di poter riconoscere un giorno il suo Dio e decifrare conseguentemente il suo segreto disegno per la resurrezione delle carni.

Con don Gigliante, che non ha mai coltivato niente ma ha mangiato tutto il meglio della commestibilità, si sussurrano di catalogne e formentone e perine e melette, e forse anche di Dio e della resurrezione, così come possono intravvedere l'Uno nell'altra nell'incertezza della stagione che verrà. Si intrattengono con una familiarità che non ha ragione se non in qualche loro riservato e spirituale accordo. La 'Nita è pur sempre straniera; lo è nei costumi, nella lingua, nelle credenze; è più giovane di lui di cinquant'anni almeno e non c'è traccia di ferocia in lei, né di nessuna delle qualità che la potrebbero assimilare a don Gigliante o a una qualunque delle sue pievane. Ragion per cui il loro accordo mi sorprende e mi allarma.

L'ultima volta che don Gigliante è passato, poco dopo San Biagio, si era nel cuore della stagione del cervo, la stagione del bracconaggio, intendo. La neve era sufficientemente alta e abbastanza asciutta per conservare i più sottili dettagli di calibro e orario delle peste lasciate dagli animali; in quei giorni di galaverna erano ormai così affamati da accontentarsi degli aghi di pino e dei cardi cotti dal gelo che andavano cercando scendendo fino ai seminati. Sorbendo la sua parte di confettura, don Gigliante è venuto a conoscenza dello stato interessante della 'Nita. Allora ha chiesto anche un caffè, per dare più corpo al pezzo di toscano che si è messo a fumare, e mi ha chiamato da parte. Solitamente non ha bisogno di particolare riservatezza: io e lui non siamo soliti confessarci segreti dubbi e intime speranze; io e don Gigliante ci scambiamo perlopiù informazioni sull'andamento di quella parte del Creato apertamente o, al più, segretamente cacciabile. Mi ha chiesto se pensavo di vivere ancora abbastanza per tirare su questo mio figliolo; questa figliola, per la precisione, visto che anche lui è addivenuto istantaneamente alla convinzione che il nascituro è femmina. Me lo ha chiesto con il solito tono con cui mi sollecita informazioni riservate sulle disponibilità di cacciagione negli usi comuni che tocca a me far rispettare.

Gli ho assicurato che non sarà così, che quella figliola avrà scarse o nulle probabilità di subire il peso della mia vergogna. Mi è parso sollevato. Io lo so quanto ama i suoi uomini, ma so pure quanto ami le loro donne. So, e quello che si fa a Vagli è solo leggermente più teatrale di quello che accade altrove nel distretto, che quelle donne sono forti per qualunque peso, ma non abbastanza per sopportare i loro uomini. Non così a lungo da fargli spolpare la loro vita fino all'osso, non da arrivare a costringerle a dissacrare quella particola di divino che crescono al riparo del loro seno. Posso immaginare le confessioni di quelle donne: vorrei che il Signore mi facesse la grazia di levarmelo d'intorno, padre, lo strozzerei nella notte se non avessi il timore di svegliarlo. E non che molte di quelle donne non siano amate, persino venerate, dai loro tecchiaioli; ma è la natura dell'amore che gli uomini riversano su di loro che le sfianca. L'abnorme egoismo di quell'amore, l'inefficiente violenza con cui è esercitato nell'atto del dare, e l'inane infingardaggine nel prendere. L'inconsistenza della loro pretesa di paternità, come se davvero fossero in grado di possedere i loro figli senza essere riusciti nemmeno a possedere le loro donne, non come le donne si aspetterebbero, avendo un'anima da spartire. Io so tutto questo solo perché sono stato addestrato a vederlo sin da bambino, perché una domenica pomeriggio la maestra Duse ha cominciato a svolgere dalla mia concezione l'educazione attiva alla comprensione di un amore. E ora questo vecchio plebano mi parla come se dovessi ancora capire ogni cosa. È tipico della supponenza di quella gente.

Ma per tornare alle forzute di Vagli, quelle donne oggi vanno a fare le operaie nelle cartiere del fondovalle, le carrelliste, le manovali. Poi, appena hanno un po' di tempo, si fanno muratori ed erigono e disfano le case che abitano; le allungano, le allargano, le abbattono e le rimettono su. Se poi gli avanza ancora del tempo, si innamorano perdutamente e tragicamente. Queste donne fanno ammalare gli uomini, a non essergli preparati. Sono di una tornita mascolinità che eccita e confonde, vibranti nei loro movimenti di una grazia noncurante e truce. Hanno pelli scure e pelo setoso, come i loro uomini sono nere di occhi, ma li hanno arricchiti di un'espressione più intensa e ancor più maliziosa. Non c'è bisogno di aver studiato l'antropologia per capire che governano con pugno di ferro i loro amori e i loro affari. E lo fanno guidate dalla leggenda che non spartiscono con libri e chiacchiere, ma che fomentano nel cavo di sasso delle loro cosce, nel cuoio ossuto delle palme nude dei loro piedi, nella cantilena oscuramente melodica della loro parlata selvaggia. E nel loro andamento ingannevolmente debosciato, mollemente ondulatorio, che, a chi non sa, appare come il sintomo di una lascivia primitiva, ma è invece la cadenza con cui soppesano la loro straordinaria forza.

Le donne di Vagli si sono abituate nei secoli a fare le opere che i loro uomini rifiutano per poca paga e troppa fatica. Sono loro, peraltro, che hanno costruito le dighe del distretto, nella parte più infame del lavoro che necessitava: a cottimo per dieci, quindici anni, hanno portato le pietre dal basso corso del fiume fino ai bacini. Cinquanta chili in una cesta tenuta in bilico sulle spalle per cinquecento, seicento e persino, nell'ultima diga al Soraggio, mille metri di dislivello. Salendo per le mulattiere dirotte nella guerra e le sterrate spianate dai Ferguson lasciati dagli americani. Me le ricordo da bambino quando arrivavano in carovana al Ponte e si fermavano a riprendere fiato. Si arrembavano alla spalletta poggiando il carico senza sciogliersi la cinghia che lo teneva alle spalle, tiravano tre sospiri e poi si mettevano a rotolare le sigarette cavando fuori trinciato e cartine dai reggiseni. Le donne di Vagli, si sa, hanno sempre fumato.

Io le guardavo dall'altra parte della strada, da dietro gli ontani le immaginavo dileguarsi dentro il loro fumo, e mi innamoravo di tutte, una per una. Restavo a guardarle discosto perché ne avevo un po' paura; una paura dolce e disarmante, come quella che da grandi si ha per le cose belle nei sogni. Allora erano per me solo troppo donne e troppo straniere. E prima di ripartire si facevano una cantatina per farsi coraggio tra loro. Tutte insieme formavano un coro potente e guerresco, di voci fumose e irritanti come il verso degli animali indispettiti. La canzone più bella che cantavano faceva a un certo punto:

Tornerà a primavera con la spada insanguinata,
e se mi trova già maritata, oh che pena oh che dolor.

Con quella canzone smettevo all'improvviso di essere innamorato di loro. Era una delle canzoni che cantava più volentieri la Duse, e certe domeniche mattina si metteva davanti alla porta di casa con la fisarmonica solo per suonarla e cantarla per me.

Sento il fischio del vapore, è il mio amore che va via.

La Santarellina ha lavorato con le donne di Vagli. Poco dopo che lei e la Duse si sono incontrate mentre scappavano dalla Cicogna, i tedeschi hanno preso a rafforzare le linee del loro fronte; anzi, hanno costruito un fronte tutto nuovo, che a quel punto cominciò a chiamarsi Linea Gotica.

Vennero reclutati gli uomini rimasti in circolazione e furono scavate trincee ed eretti fortini e casematte lungo tutti i crinali, e fu progettata un'ardita rete di strade che riforniva tutti i punti strategici del nuovo fronte. E siccome a un certo punto gli uomini erano finiti, la TODT, che era l'organizzazione tedesca del lavoro forzato, mise a libro paga le donne che dimostravano di avere abbastanza forza; erano perlopiù destinate al trasporto delle pietre da selciato che i picchettini squadravano. La paga era di un chilo di pane, due etti di marmellata e un etto di margarina al giorno, più un buono quindicinale per altro grasso e altra farina dell'ammasso annonario. Le vagline andarono in massa, perché con quella paga potevano mantenerci da sole due figlioli, e perché molte di loro preferivano nascondere i loro uomini, lasciarli clandestini, proteggerli nelle loro attività segrete della Resistenza.

Dopo la guerra la società elettrica copiò dalla TODT l'idea di far sfacchinare le donne per il trasporto delle pietre, e si dimostrò ancora una buona idea, perché le donne avevano ancora bisogno di mantenersi da sole almeno un paio di figlioli; la paga della società era di cento lire giornaliere, in fatto di potere d'acquisto più o meno corrispondente alla paga dell'azienda del lavoro forzato. La Santarellina si fece arruolare perché non aveva paura di portar pietre, e perché quello che le avrebbero dato era il suo primo stipendio in cambio del suo lavoro. Di quello che le dava la TODT non solo ci poteva mangiare lei, ma poteva avanzarne qualcosa da barattare per prendersi quello che voleva. E questo non era mai successo prima, e aggiungeva una nuova ambizione alla sua antica di non diventar mai gobba. Restava ancora serva dei suoi contadini, ma poteva ormai fare solo poche cose, occupata com'era nel lavoro strategico dei tedeschi. Muovendosi con un po' di furbizia riusciva, ora che aveva due servitù contrastanti da adempiere, ad avere tra le mani un'altra cosa che non aveva mai saputo prima cos'era: tempo per conto suo. E voleva quel tempo per stare assieme alla sua amica Duse. Cosa facessero assieme loro due, la Santarellina non me lo ha mai spiegato, ma dice che ha cominciato a capire cos'è un po' di libertà quando è stata fatta serva per la seconda volta.

Neppure la Duse si è mai soffermata sulla natura di quel sodalizio, probabilmente si facevano semplicemente compagnia.

È cominciata così: che più sole di loro non c'era nessuno, in tutto il paese, in tutta la vallata. Nessuno così orfano. Si parlavano, si raccontavano, e intanto vedevano venire avanti la guerra, sempre più avanti, e si proteggevano come potevano, tenendosi vicine, standosene assieme. Naturalmente era la Santarellina che aveva più cose da mettere in comune. Era più forte, era più affamata, era più allegra, dunque più attiva e intraprendente, più affidabile e più perspicace. La Duse aveva da metterci solo la sua fisarmonica e la protezione dell'osteria, finché l'osteria è rimasta nella Terra di Nessuno. Ma alla Santarellina credo che fosse bastata la fisarmonica. Le ho sentite tante volte cantare assieme; una in faccia all'altra, la Duse che allargava il mantice con un gesto che arrivava ad abbracciare anche la sua amica, la Santarellina che alzava la gola e spalancava la bocca e filava fuori una voce minuta come lei, ma sopracuta in modo agghiacciante. Il pigolio dei pulcini affamati di una poiana.

La Duse sorrideva sempre mentre cantava, e la Santarellina era l'unico momento che non lo faceva. Cantavano la canzone dell'Albania, quella del mio amore che va via, cantavano i tanghi, cantavano altre canzoni che non ricordo bene, ma piene di amore scandaloso e furente, che alla fine della canzone alla Duse dolevano le braccia e doveva fermarsi un poco a sgranchirsele. Penso che fossero canzoni che aveva portato in dote la Santarellina, non potevano essere quelle di una ragazza cresciuta al canto da un soprano russo. Penso che la Santarellina le avesse imparate mentre costruiva la strada TODT: mi sembrano canzoni adatte alla voce delle donne di Vagli.

Si sono volute bene queste due ragazze, certo, ma non basta il bene che si sono volute per spiegare la loro unione. Quelle due sono state assieme tutta la vita. Assieme così come hanno potuto starci, ma sempre in un modo che a me è sembrato forse delle sorelle, forse degli sposi. Dovrei conoscere di più la materia, aver conosciuto meglio la Duse, e avere più confidenza con i sorrisi della Santarellina, forse allora potrei dire in onestà che si sono amate.

Ho pensato per la prima volta a questo tornando dal cimitero dove abbiamo sepolto la Duse, guardando la 'Nita a braccetto della Santarellina, come si guardavano e come si parlavano. Ho pensato ancora a questo tutte le volte che mi è tornata in mente la Duse e la sua fisarmonica, la sua voce e le sue canzoni: la Santarellina si è innamorata della Duse che suonava. Si è innamorata della musica e di questa ragazza che la portava con sé a tracolla. Potrei averlo fatto anch'io se fossi stato un uomo più libero, almeno da questo punto di vista. Non conosco l'amore che le ha unite; non so di cosa sto parlando, e probabilmente è ingiusta la libertà che mi sto prendendo. Ma ora mi piacerebbe aver potuto capire di più. Ora, che la 'Nita è gravida e vivrò abbastanza per vedere ciò che ne nascerà. E quello che nascerà sarà l'indice e il glossario della mia vita e delle vite che sono state gravide di me. Ora che la Duse non c'è più e non può più insegnarmi niente, mi piacerebbe aver imparato qualcosa di più.

Qualche anno fa la Santarellina ha preso il tetano; si era nella stagione dei campionati mondiali di calcio e ricostruendo poi la storia di quell'infezione è assai probabile che se la sia presa inciampando su un pezzo di rete del pollaio mentre correva a vedere l'Italia. È stata lì lì per morire, perché all'ospedale del distretto nessuno pensa più al tetano quando si presenta una vecchia in preda alle convulsioni. La Santarellina è ancora viva perché, come lei dice, al mondo c'era ancora del posto; e perché la figlia del Vittorio, un cardiologo poco più che ragazza, si è intestardita a frugare nelle sue vecchie membra, ben oltre il cuore, alla ricerca di segnali. Il tetano non è una morte così brutta: il corpo se ne va per conto suo progressivamente pezzo per pezzo, e l'ultimo ad andarsene è il cervello. Naturalmente se ti attaccano a una macchina che faccia il lavoro dei polmoni, che se ne vanno in malora assai prima del cervello. Dice la Santarellina che quando non le era rimasto che quell'ultimo pezzo di sé, la sua fabbrica dei pensieri, le è venuta una voglia inarrestabile di dire tutto quello che le era passato per la testa nella sua lunga vita piena di tragiche avventure, e non aveva ancora detto a nessuno. Dice che le è venuta una voglia improvvisa di scrivere dei gran romanzi. Vedeva chiara ogni cosa, aveva capito in un colpo solo tutto ciò che in quegli ottant'anni era successo a lei e all'Italia e all'intero mondo. Sapeva come dire tutto questo, ce lo aveva sulla punta della lingua. La Santarellina non lo sa, ma la sua improvvisa e abbagliante illuminazione è un effetto collaterale della fase terminale dell'infezione: si chiama iperlucidità. È come se, avendo rinunciato a governare il corpo, al cervello avanzasse una quantità di energia che può finalmente applicare nella pura e libera speculazione intellettuale.

Gran parte di quei romanzi sono stati scritti. Non per mano della Santarellina, che aveva gli arti superiori inutilizzabili già da qualche settimana e una genetica diffidenza verso la propria scrittura, ma per opera della Duse. La Duse è stata tutto il tempo all'ospedale con la sua amica, e le ha fatto da scrivano. Ci sono dunque diversi quaderni a casa sua, quaderni che nessuno ha ancora aperto, che tramandano ai posteri i romanzi della Santarellina, tutta la sua estrema coscienza circa se stessa e il Mondo. Me lo ha riferito la Santarellina in persona, ma non ha aggiunto che potrò leggerli se vorrò. Prima o poi la casa della Duse andrà svuotata, ripulita e venduta, e si porrà il problema di che fare di quei quaderni, e la Santarellina non intende aiutarmi a decidere. Naturalmente la Duse non me ne ha mai fatto cenno; probabilmente saranno assieme alla montagna di quaderni che mia madre ha riempito nel corso della sua vita con ogni genere di argomento e questione. Ci sono, questi li ho visti già quando ero ragazzo, i quaderni con le canzoni che suonava, quelli con il diario del suo giardino tropicale, e i compiti per suo figlio, ovviamente. Quelli che suo figlio ha fatto, e quelli che ha lasciato perdere. So che ha raccolto nei quaderni anche le fole che si andavano raccontando nelle veglie, e forse ci sarà qualche suo romanzo: anche se non è mai stata morsa dal tetano, la Duse ha sempre sofferto di iperlucidità. Immagino che in tutti quei romanzi giacenti in mezzo alla montagna di carta vergata dalla calligrafia magistrale della Duse, potrei trovare il modo di capire. Ma per capire dovrei violare un'intimità che non mi è stata concessa, che dovrei violare con un atto della mia volontà e assumermene la responsabilità agli occhi di quelli che mi hanno concepito e nutrito.

Non so, vedremo. Forse la 'Nita si metterà d'accordo con la Santarellina e si occuperà lei di conservare o distruggere, di sapere o lasciar perdere. In ogni caso una cosa almeno mi è stata palesata dell'attività letteraria della Santarellina. Mi ha riferito parola per parola la lettera che ha dettato alla sua amica e che è stata regolarmente spedita. È una lettera di congratulazioni per il signor Lippi, allenatore della squadra nazionale di calcio che si è fatta onore nel campionato mondiale mentre lei inventava romanzi. La Santarellina è juventina, come è di regola per tutti gli inglesi del distretto, ma è anche nobilmente sportiva e conosce il valore del signor Lippi e lo testimonia.

6.
ORTO DI DONNA

Quando in autunno arrivarono gli Alleati, la Duse e la Santarellina erano al Ponte ad aspettarli. La Duse si era portata la fisarmonica, la Santarellina aveva un falcetto per segare l'erba dentro la sacchetta di tela che teneva legata in vita. L'idea di mettersi sul Ponte ad aspettarli era stata della Duse. La sera che mi ha raccontato per esteso l'antefatto del mio concepimento non ha voluto soffermarsi sulle ragioni che l'hanno portata al Ponte. Se è vero che la mia blandula animula era in grado di contenere ogni cosa, avrei potuto pur capire anche quel dettaglio. Ma non ci si è soffermata, né ha ritenuto di soffermarcisi mai più, come se la cosa in sé non fosse stata di alcuna importanza. Andava a trovare il suo destino, il fatto di andarci era comunque necessario: se è lì che sei aspettato non c'è nessun altro posto dove puoi andare. Neppure la Santarellina crede di ricordare quel dettaglio: ci si andò appena finirono le cannonate, e per essere San Remigio faceva un freddo, bimbo mio, che la lama del falcetto mi gelava la pancia. S'era stufe della guerra, è tutto quello che aggiunge.

La guerra, in realtà, era appena cominciata. Ma c'erano già stati Sant'Anna, e Borgiola, e Forno e San Terenzo. E ancora prima, che si era ancora di giugno, era accaduto il fatto di Orto di Donna. E poi quelli della Valanga alla Pania della Croce, e così via. Qui tutti si ricordano di tutto, anche quelli che non c'erano; quelli che allora ancora dovevano nascere ne sanno più di tutti. E sono loro quelli che parlano, quelli che scrivono. Quelli che erano qui nell'estate del '44 e poi nell'autunno e infine nell'inverno di quell'anno, se hanno ancora la ventura di essere vivi dicono poco o niente, e men che meno scrivono. "S'era stufi della guerra", a loro può sembrare tutto ciò che c'è da dire, persino per quelli che hanno una medaglia d'argento al valor militare in fondo al primo cassetto del comò. Magari avvoltolata nel fagottino di un fazzoletto rosso, stinto fino all'osso della trama, come quella, addirittura d'oro, del Verano. Che io ho visto, dopo averne sentito parlare per qualche decennio, il giorno che suo figlio mi ha chiesto di conservargliela, perché partiva per l'Inghilterra e non voleva che restasse sola in una casa dove, fino ad allora, era stata custodita come la brace sempiterna del focolare di antica famiglia. Adesso è nella scatoletta di latta delle cose che contano.

Il silenzio è più adatto a conservare che a cancellare, e del '44 si è conservata ogni cosa; ma è rimasta in un luogo dentro l'anima di questa gente che è asciutto, secco come l'inverno della Candelora; osso puntuto e calloso che sporge appena dal resto delle sue ossa. Un fardello genetico che quando finiranno di morire quelli che allora erano vivi, resterà a dolere nei discendenti dei loro figli; e quando farà umido sentiranno, a seconda della posizione che prendono sedendosi, o sdraiandosi, o alzandosi in piedi, o rotolandosi facendo l'amore, un fastidio proprio in quel punto lì di quell'osso. E quando chiederanno, il dottore non saprà come spiegarselo, né loro ricorderanno più da dove viene. Ma resterà, differentemente da tutte le parole di tutti i libri, e di tutti i convegni sul tema. C'è qualche strada intitolata ai fatti di quell'anno, e ci sono targhe e cippi. Un tempo le autorità venivano a celebrare circostanze e ricorrenze, adesso è un po' che non si fanno più vedere. Ed è meglio. Venivano a prendere un po' di superstiti, un po' di medaglie, un po' di leggende, e li tenevano un paio d'ore impalati a umiliarsi davanti ai loro discorsi, alla loro ignoranza delle cose come sono andate, della loro sostanza. Cose di uomini e donne, di bambini e di bambine, e di animali. Quelli che avrebbero potuto davvero far vedere qualcosa di quella sostanza, hanno fatto presto a non farsi più vedere, ad ammalarsi e a dileguarsi, morendo in fretta e senza rumore.

Intanto va detto che per tutto quel periodo la gente viveva, e ha continuato a tagliare fieno, battere grano, mungere vacche e raccogliere castagne e tostarle, sempre che ce ne fosse e ne rimanesse dalle confische. Va detto che lo ha fatto con i morti ammazzati intorno, facendo finta di niente finché poteva. Va detto inoltre che se in quell'anno non si celebrarono matrimoni, non fu perché si annullarono, perché furono rotte promesse e generati disinganni, ma si rimandarono soltanto, in attesa che gli uomini tornassero dalla macchia, o dal lavoro forzato, o dalle grotte dove si erano nascosti.

E con ciò un matrimonio ci fu, nonostante tutto. E fu quello del giovane Filippo Nesi, che fino all'anno prima aveva studiato medicina a Lucca, e lì si era innamorato di una ragazza borghigiana, e non voleva saperne di aspettare niente. Il matrimonio fu celebrato di qua dal fronte, sotto la giurisdizione dell'occupazione alleata, neanche una settimana dopo la liberazione della città, e per andare a sposarsi il Nesi passò la Linea Gotica con uno zaino carico di tritolo: già che si sentiva allegro aveva voluto far festa facendo saltare in aria lungo la strada la fabbrica che riforniva i tedeschi di bobine di rame per i motori dei loro cannoni da 88. "Per allegria", fu quello che rispose quando gli chiesero cosa gli fosse passato per la testa proprio in quel giorno che andava a impegnarsi per la vita.

Comunque va detto che, nonostante non ci fossero stati matrimoni, in quell'anno nel distretto nacquero diversi bambini, e le levatrici fecero il loro lavoro come d'abitudine. Va detto ancora che i tedeschi si incattivirono proprio nel pieno dell'estate, quando le truppe furono avvicendate e presero il comando del fronte le SS della divisione Kesselring, il fiore del fiore. Ma buoni o cattivi che fossero, la gente ci visse gomito a gomito, cercò di accettarne le regole e parlò con loro e cercò di farli ragionare, spaccando il capello in quattro per trovare la misura che li rendesse sopportabili. Solo con gli italiani, che fossero SS, Monterosa, Brigata Nera, non parlarono mai e non spaccarono il capello, ma va detto che questo dipese dal fatto che quelli della Repubblica arrivarono addestrati a maledire tutto, in un modo talmente spropositato che iniziarono presto a odiare se stessi. E già nell'inverno del '44 la gente del distretto prese a seppellire parecchi di loro, mitragliati alle spalle dai loro caporioni mentre cercavano di disertare.

In primo luogo dunque, tutti cercarono di vivere, soprattutto in quei mesi; cercavano di mangiare e di dormire, di ripararsi dal freddo e di non morire di malattie. Va detto che per questa ragione in quei mesi non fu possibile per nessuno avere un'idea chiara della realtà, e nessuno in fin dei conti ci teneva ad averla: erano tempi senza buone notizie, erano tempi che dovevano passare stando il più alla larga possibile dalla verità nuda e cruda.

Detto questo, a metà giugno furono trovati cinque ragazzi e due donne a Orto di Donna. Ai ragazzi avevano sparato alla schiena, e le donne erano state sparate e poi impalate. Vennero a cercarli da Vinca: le donne portavano a nascondere di qua i loro ragazzi, la Brigata Nera li aveva trovati nel luogo più alto e più antico, più sacro e più sicuro di tutta la vallata. Furono portati via di notte, avvolti nelle coperte, a soma di una carovana di muli che li riportò a casa per la via TODT, avendo contrattato con i tedeschi il permesso di seppellirli nel loro paese. Nella carovana che bivaccò a Orto di Donna c'erano un medico e un prete. Il prete benedisse i morti così com'erano, dopodiché il medico impiegò diverse ore per sfilare il corpo delle donne dal palo, in modo che le loro membra non si disfacessero. Quel prete e quel medico non sopravvissero all'inverno del '44: furono ambedue fucilati in posti diversi in giorni diversi, con la medesima accusa di sabotaggio e banditismo. Quando si seppe di Orto di Donna, i pastori che ancora non erano saliti per la pastura estiva, andarono e misero a fuoco tutta la conca, e per quell'estate non una bestia della vallata si foraggiò della sua erba, non un secchio di latte fu cagliato da quella pastura. Detto questo, la gente non voleva altro che vivere.

Domenica voglio andare su, ieri mattina mi ha detto la 'Nita mentre si insaponava il viso. Intendendo con questo che per allora sarebbe stato mio compito far risplendere il sole, sciogliere i ghiacci, ripristinare le vie. Non è detto che ci riesca.

"Su" è dove lei va a pellegrinare. "Su" è Orto di Donna.

Le femmine vanno lì a pregare perché l'amore salvi i loro amati. Su questo punto sono molto testarde. Si sa che non vanno mai da sole, ma in gruppi e brigate, per farsi coraggio e scherzare tra loro. Si portano da mangiare e da bere, delle coperte per stendersi e stecche di sigarette da fumare; portano via di casa la forma di formaggio più bella che trovano e il fiasco meglio tappato della cantina, e si fanno cuocere apposta dai forni il pane di patate. La 'Nita prepara i suoi famosi biscotti e li adagia in un panno di lino dove riposano e sbolliscono; poi, prima di partire, li ripone con mani d'incanto in una scatola di latta che ficca nello zaino, contro ogni logico criterio di razionale bagaglio.

Quella scatola con sopra stampato un motivetto stile vecchia Scozia, l'aveva già con sé quando è venuta qui la prima volta, e da lì ho visto prendere e mettere ogni genere di cosa, a seconda dell'evenienza. È da quella scatola che un giorno ha tirato fuori la fotografia del grande campione William Grover-Williams. È lì che mette al riparo dal vento il fiore della peonia quando va a raccoglierlo sull'Argegna, il giorno unico e irripetibile della fioritura; lo fa anche se l'autorità forestale ne punisce la raccolta con una multa da capogiro. È da lì che lo raccoglie con gesto di meraviglia, ancora rosso come sangue sgorgato, perché io lo deponga intatto sull'altare dei nostri lari domestici.

È in quella scatola di latta che conserva il suo elenco dei nomi. I nomi che lei porta come fossero suoi, e vengono invece estratti dall'elenco che conserva nella scatola. Li sceglie in base a un ordine che io ignoro, se non che li usa come nomi periodici: Angela, Antonella, Domenica, Errica, Anna, Maria, Margret, Sonia, Patrizia, Silvana, Manuela, Natalia, Marina, Annamaria, Elisabetta, Eleonora, Velia, Viviana, Catherine, Helen, Loredana, Angelica, Mirella, Katia, Euridia, Nilla, Franca, Rita, Flavia, Rossella, Brigitte, Mariangela, Verdiana, Carla, Vincenzina, Berta, Lina, Rosina, Irene, Lidia, Idria. Sono tanti. Li porta per qualche tempo e poi guarda nella scatola e li cambia. È una stranezza, non c'è che dire, ma non è un problema: qui nel distretto i nomi sono per antica consuetudine una faccenda molto personale e privata. A meno che non riguardi le relazioni con l'autorità, naturalmente, e allora uno si chiama come c'è scritto sulla carta d'identità, e la cosa interessa solo l'autorità. L'Omo Nudo ha dato nome Angela alla sua scrofa da razza perché così si chiamava la mia donna più o meno un anno fa, quando la regina madre del suo porcilaio ha dato alla luce colei che è stata prescelta come principessa erede e titolare della perpetuazione della specie. In questi giorni sento che quando parlottano tra di loro le si rivolge come se fosse Sonia, senza dare a vedere di avere alcuna memoria di Angela. L'Omo Nudo è molto più duttile e condiscendente di me nei suoi confronti, più adatto ad ascoltarla quando estrae le intimità della sua scatola di latta, una scatola così diversa da quella che lui mi ha regalato a suo tempo. Sarebbe un buon vecchio padre per la mia donna, se lei acconsentisse: ancora in vita è già un'apparizione, presto sarà leggenda, e pur tuttavia si prende devotamente cura della figliola prediletta e accondiscende come un innamorato alle sue singolarità. Chi, se non il sottoscritto, può testimoniare come ogni vecchio stia ancora aspettando di avere un figlio, e ogni orfano si aspetti ancora un po' di padre?

Per la 'Nita io non uso i nomi della sua scatola, tantomeno quello della sua carta di identità; del resto, nominarci non è necessario a me e non lo è a lei: sappiamo già chi siamo. E quello che siamo stati non ha un nome che sia adatto l'uno per l'altra. Ma capita a volte che mi sia di piacere, ancor più che di necessità, tenerla presente, chiamarla per me o evocarla per altri, con il suo proprio nome. Allora uso quello che le hanno dato i vaglini che lavorano con lei. 'Nita. A Vagli si ha grande memoria della leggendaria moglie del generale Garibaldi, ed è rimasta, con le due pistole alla cintura e i capelli raccolti in una lunga e minacciosa treccia, un'immagine ancora viva oggi, che la sua storia non la ricorda quasi più nessuno. Per questa ragione, ci sono state e ancora ci sono in Vagli delle Anita, non battezzate, perché nessun padre ha voglia di averci per casa una 'Nita, ma rinominate per famigliare disappunto o fama popolare. Naturalmente sono donne di gran fascino ma per niente malleabili; donne prepotentemente appassionate e di spiccata indole insurrezionale, più ancora di quanto non lo siano in genere le vagline. Non conosco la ragione per cui la mia donna si sia guadagnata questo suo nuovo nome, anche se posso immaginarla, e in ogni caso a me piace. Mi piace averci una 'Nita per casa, mi piace chiamarla in quel modo mentre mi volta le spalle e alla mia voce la sorprende un brivido che neppure lei sa se è di inaspettato piacere o di sottile dispetto. Lei si volta e mi sorride, arricciando lievemente le labbra, caninamente feroce e amorevole; ed è Anita, così come l'ha vista sorridergli e tenergli testa il generale. Mi piace credere che una volta o l'altra, voltandosi, si sorprenda lei stessa a chiamarmi: Garibà, Garibaldi. Sarebbe davvero il vertice della mia umana carriera.

La 'Nita parte dunque per Orto di Donna con i suoi biscotti in scatola, e quando torna mi sembra che sia contenta di esser voluta tornare.

Quel posto è un luogo di verginità, un tabernacolo petroso di candida bellezza, innocente e aerea sul limite del crinale che butta la montagna di là, verso il mare. È "su", come dice la mia donna, perché lo è veramente, issato come un'ara votiva oltre gli sfasciumi della Cava Diciassette.

La Cava Diciassette è importante, la Cava Diciassette è qualcosa: è la fonte più limpida del marmor statuarius niveus. Quella cava era già coltivata secoli prima che gli antichi invasori se la accaparrassero come cosa loro e sperperassero un capitale per presidiarla con tre centurie di truppe scelte antiguerriglia. E questo solo per garantire un paio di tonnellate di candore eterno per ciascuno dei loro cazzo di cesari. Mentre non risulta che gli indigeni si trastullassero nell'arte della rievocazione tridimensionale delle divinità celesti e terrene, è altresì accertato che con quella pietra scavassero bacili per scopo d'igiene e di culto, e incidessero lastre per attestare il decoro delle loro case con cifre tuttora illeggibili. E tornivano anche mazze per promulgare leggi e comandi, e conche per conservare il lardo di suino oltre l'inverno. Più o meno come si continua a fare; e se oggi le leggi vengono bandite con mezzi meno duraturi, in quel marmo bianco purissimo sono ancora fondate le conche di tutto il distretto, e nelle sue fredde ombre vanno a invecchiare in pace i lardi dei suoi maiali.

È necessario per arrivare all'Orto di Donna che le femmine compiano un viaggio non facile e non breve, a piedi, come è del resto consono all'occasione dei loro riti. Me le vedo marciare bercianti e scanzonate con quelle loro scarpette sempre così inadatte, e prendere a salire duro dalla foce della Rifogliola fino alla Serenaia. E da principio è come se andassero a fare merenda ai Prati, ma si tengono più alte, rasente il ciglio della cava, e da lì iniziano il cimento vero, valicando, a rischio di dirupare, le doline edificate dallo sfasciume glaciale, risalendo sui solchi scavati dai picconi le gole aperte dalle ruspe, attraversando nell'ombra eterna il bosco di cornioli cresciuto sopra gli scogli di granito. E alla fine, come nei film delle civiltà perdute, bisogna che si stringano nei fagotti e nelle vesti per scivolare nella fessura tra due menhir erti nella forra infrangibile di more e sambuchi, due pietre alte come torri babilonesi che nessuno sa se sono state edificate da Iddio o dai progenitori degli uomini. È così che accedono, ormai consumate e purificate nel sovrappiù delle loro chiacchiere amorose, al santuario. E quello che vedono è una conca di timo, carlina e aquilegia, un prato che si è colmato nelle ere con i grani di terra portati dalle correnti contrastanti ai piedi delle tre vette matrici dell'Apua mater: Pizzo d'Uccello, Grandilice, Pisanino. Montagne dentute come pescicani.

Se questo è stato un orto un tempo, era ben riparato; se quell'orto è stato florido, allora il profumo che ancora oggi si odora un tempo doveva inebriare.

C'è naturalmente una storia al principio. Dice la storia che in quella conca segreta, ai tempi tragici delle guerre di Roma avverso i nostri popoli, si faceva forza nella sua solitudine una piccola tribù. E dice ancora la storia che nell'estremo svolgimento di quelle guerre, fu combattuta una durissima battaglia tra le legioni dell'invasore e ciò che era rimasto delle bande Apuane. La battaglia avvenne in campo aperto, fatalmente inadatto ai nostri guerriglieri, nelle piane alluvionate in prossimità della bocca dell'Arno, più o meno dove oggi tira a campare la città di Pisa. I nostri erano comandati dall'ultimo grande re e dal suo ultimo figliolo ancora in vita. Come si conviene, il re era molto orgoglioso di quel suo figlio, e lo amava teneramente; così il figliolo, che rispettosamente lo ricambiava con il suo straordinario ardimento e l'indomito coraggio. In più il principino era di una bellezza così chiara e gentile da parere ultraumana; una bellezza che avrebbe tentato alla superbia chiunque, ma non lui. Come sempre è accaduto, la bellezza del giovane principe non turbò gli invasori assetati di sangue e impero, che lo scelsero come preda da abbattere per prima, e infierirono su di lui e sul vessillo lurido del sangue nemico che portava come insegna. Non riuscirono a strappargliela dalle mani, ma lo massacrarono fino a ridurlo in fin di vita.

Fu l'ultima grande battaglia e la sconfitta decisiva che diede inizio alla spoliazione e all'asservimento di queste terre. Le bande si dispersero dileguandosi nelle paludi e il vecchio re prese il figlio esanime sulle vecchie e provate spalle e si incamminò verso la montagna, nel disperato tentativo di porre in salvo l'unica ricchezza che gli rimaneva. Se non fosse stato per amore della sua progenie, si sarebbe volentieri immolato sul cumulo delle sue sconfitte; avrebbe cercato la morte e l'avrebbe trovata, portando con sé nelle tenebre dell'apuo infero almeno un altro manipolo di legionari, quegli stolidi omuncoli che altro ardimento non conoscevano che non fosse serrarsi a testuggine e, ciechi come larve di falena, avanzare, avanzare, avanzare. Chiamò invece a sé ciò che rimaneva della sua regale possanza e si inoltrò nelle ben conosciute piste delle roccaforti apuane. Il suo prezioso carico gli cingeva le spalle mite come un agnello; di lui il re si accorgeva solo per il rauco respiro dell'agonia.

Dopo fatiche da non dire, valicarono alla Tambura e lì furono aiutati dalle scolte della tribù che si accampava in un recondito prativo a ridosso delle vette. La tribù era amica, e tutti in quei territori, purché fossero ancora vivi, erano amici del re. Quella terra stessa era amica, e al passaggio del principe morente le peonie, che da quelle parti avevano sempre avuto un fiore rosato, sbocciarono all'improvviso, prendendo il colore del sangue che gli imbrattava le vesti. Furono accolti e benvoluti, il re e suo figlio, e il capo della tribù propose che fosse la sua stessa figlia a tentare di salvare la vita al principe morente. Quella giovinetta era di perlacea bellezza e ancestrale saggezza, e si sentiva parlare di lei ben oltre le ristrettezze della sua tribù. Conosceva alla perfezione l'arte medica e le sue cure, e si applicò notte e giorno nel salvamento del principino. Si era innamorata di lui al primo sguardo, di quell'amore che solo la giovinezza più linda e innocente sa contemplare, e nell'ammirare quella poca luce che ancora baluginava negli occhi di lui, poteva ben sperare di essere ricambiata.

Tutto un inverno se ne stette al suo capezzale, allontanandosi solo per raccogliere le erbe medicinali che coltivava nel suo orto, orto di donna. E il suo amore cresceva di giorno in giorno, allo stesso modo che in tutta la tribù e nel re padre cresceva la speranza per una miracolosa guarigione. Ma come se fosse sordo a tutto l'amore e a ogni medicina, il principe si andava spegnendo un giorno via l'altro; inesorabilmente la sua linfa si consumava. E a primavera morì.

Da quel momento la storia non è più di re e principi, di guerre e tribù, è solo la storia di una giovane donna. Disperata di una disperazione senza tregua e pace, si ostinava a vivere solo per rinnovare ogni giorno il suo dolore e renderlo più acuto. Aveva fallito la sua scienza, e soprattutto aveva fallito il suo amore. Nulla di ciò che sapeva era servito a qualcosa, e nulla di ciò che sentiva aveva dato frutto. L'amore che la inondava e come una gora profonda la dilavava fino all'estremo ignoto, non era stato bastante alla vita del suo amato. E iniziò a piangere e non smise più. Pianse l'estate e si allagarono i prativi, pianse l'inverno e le lacrime si fecero cumulo di ghiaccio. Saliva sul ghiacciaio del proprio dolore e piangeva ancora, finché di quel suo dolore se ne erse una montagna. Una montagna di lacrime rapprese in candido ghiaccio. Una montagna che splende fino a bruciare gli occhi, una vetta che ha il nome di Pisanino, perché ricorda quello che va ricordato: che è per un giovane guerriero delle pianure pisane che è stato pianto abbastanza perché se ne facesse un monte.

E a quel punto arrivarono gli dèi. Perché, non differentemente dalle altre capricciose divinità dell'infanzia umana, a cose ormai fatte si fanno vivi gli antichi temuti e bizzosi dèi degli indigeni. A quel punto, non c'è nulla che possano fare di veramente buono, ma lenire possono ancora. Scatenano allora un terremoto così potente da mutare il volto delle montagne tutt'intorno al Pisanino e chiamano la fanciulla ad ammirare il loro lavoro. Guarda bella fanciulla, le dicono, il tuo amore sarà infine premiato. Sali pure sul tuo calvario lacrimoso, ma quando sarai sulla vetta di questo tuo Pisanino se volgerai verso sera lo sguardo un filo a meridione, d'ora in poi sarai consolata nel vedere il volto del tuo amato riposare rappacificato per l'eternità. E infatti col terremoto plasmarono l'Omo Morto, la cresta che specialmente di sera è precisamente quello che dice, un uomo che riposa supino in eterno. Complimenti.

Tutte le femmine conoscono a memoria questa storia, e se la tramandano tra di loro da non si sa più quante generazioni; lo fanno con dovizia di particolari e trasporto, e vanno a pellegrinare a Orto di Donna le madri con le figlie, le zie e persino le nonne con le nipoti, per quell'unica occasione spudoratamente in confidenza tra loro. La 'Nita viene da fuori e non ha molte amiche, e qualche volta preferisce addirittura andare da sola. Allora vuole che l'accompagni fino alla fine della strada carrozzabile e che poi passi a riprendermela. Ci diamo un appuntamento, per il pomeriggio, per il giorno dopo, per l'altro ancora. E resto ad aspettarla indefinitamente, perché intanto le sono successe una quantità di cose imprevedibili; non porta l'orologio per non perderlo, e non è molto pratica a orientarsi con il sole. Io aspetto, lo faccio sempre, non l'ho mai lasciata al suo destino. Mi piace farlo, e so che tra non molto tempo toccherà a lei aspettare me. Che finisca il mio pasto, che finisca di cagare, che esca da un ospedale, che prenda un po' di fiato. E aspetterà poi il giorno che sceglierò per andarmene; aspetterà di capire se sarà facile o se sarà complicato e doloroso, e quando avrà capito aspetterà ancora, in un modo o nell'altro, finché non sarà finalmente arrivato quel giorno. E allora, in ultimo, dissipate le spoglie mortali in qualche modo bizzarro a lei consonante, aspetterà il momento buono per venirmi a cercare. Lei crede nell'aldilà, per così dire; crede che non smetteremo mai di essere. È per questa ragione che ha resistito a tutti i miei tentativi di cacciarla di casa: sostanzialmente non crede alla morte e non teme le separazioni. Io non manco di metterla sull'avviso. Mi si sta affilando il naso e mi si assottigliano le labbra; e, guarda caso, ormai mi taglio tutte le volte che mi faccio la barba: il corso naturale delle cose procede.

Lei ha l'aria di essere una grande intenditrice di questioni riguardanti la morte. La sua indole speculatrice ci induce a parlarne. Lo facciamo approfittando delle occasioni in cui il lavoro può essere svolto part time: mentre ingombriamo il bagno mischiando le nostre faccende intime, interrompendo la lettura quando non procede come ci piacerebbe, o quando ci pare troppo emozionante per terminare senza prendere fiato la pagina che abbiamo appena iniziato. Non ne parliamo mai a tavola, perché il cibo ci occupa interamente la mente e il cuore, ma capita che lo facciamo lavorando per prepararlo.

"Morire, morire morire," e raddoppia perché sia chiaro che è sicura di quello che dice, "non è così semplice, vedrai."

Al riguardo della morte ama ripetere spesso "non è così semplice". E siccome non posso dimenticare che è un'esperta di semplificazione dei sistemi produttivi primari, questo non mi aiuta nel sostenere un franco contraddittorio.

"Non è così semplice far sparire un essere," proprietaria di una ferma ragione, può concedersi di filosofeggiare, " è per questo che, correttamente, un essere si chiama essere. Modo indefinito, tempo presente."

E pensa con questo di chiarirmi anche il suo andare solitario a Orto di Donna e del suo perdersi, e dell'inaffidabilità dell'ora del suo ritorno; illuminarmi della certezza che la illumina quando alla fine arriva al mancato appuntamento. Perché la 'Nita è convinta che quelli di Orto di Donna, i fucilati e le impalate del '44, siano contenti di aver ricevuto la sua visita, siano soddisfatti dei suoi biscotti e del fatto che dentro quella sua scatola di latta ci sia l'unica preghiera che lei dispensi. È certa della bontà della sua preghiera e del fatto che sia appropriata al modo indefinito, tempo presente, dell'essere.

Le hanno parlato dei morti di Orto di Donna. Io stesso le ho raccontato qualcosa del '44 l'estate che si era deciso che sarebbe rimasta a vivere nella mia casa. Quell'estate andammo a Orto di Donna, naturalmente, ma non fu in quell'occasione che gliene parlai, bensì a letto, in una notte abbastanza fresca da poterla passare a leggere uno dei libri che meritano di essere accolti nel sacrario della nostra camera di sopra. Lei si stava lavorando qualcuno di quei suoi romanzi francesi; e quella volta in particolare con una tale veemenza da impormi di dargli un'occhiata. Sulla copertina era scritto *L'educazione europea* e sul rovescio, con esibizionistica evidenza: "Il più bel romanzo sulla Resistenza secondo J.-P. Sartre". Non mi è parso che potesse piacermi, così ho preso a raccontarle del '44. Per disturbarla, e per gelosia. Devo dire che lei mi è stata a sentire; ha infilato un dito nella piega della pagina, si è sistemata sul cuscino in modo da potermi guardare con quel suo particolare sguardo sbieco che lascia intendere remote profondità di intenti, e si è messa buona ad ascoltare. Quando mi sono stancato di parlare, ha aperto il suo libro ed è andata dritta a un segno che aveva lasciato con la matita. "Nessuna cosa importante muore," ha letto, poi se n'è tornata per conto suo, al suo dito, alla sua pagina.

Qualche tempo dopo ho ripreso in mano questa *Educazione europea*, lasciato fuori posto come tutto quello che ha appena usato la mia donna, e l'ho anche letto. No, alla fine non mi è piaciuto: lì erano tutti più belli del più bello tra noi, tutti più significativi e nobilmente appassionati. Ma mi è piaciuto chi l'ha scritto, mi è piaciuta la sua vita; quel poco che era detto nel risvolto della copertina bastava e avanzava per farne un gran bell'uomo.

Chissà se ha mai avuto modo di conoscere il grande eroe William Grover-Williams, si è chiesta la 'Nita, che naturalmente su di lui la sa più lunga di me; lo diceva perché sembravano fatti per incontrarsi e diventare amiconi. E non ha tutti i torti. Ambedue mezzosangue, un po' parigini e un po' europei, tutti e due pazzi di velocità, e per la loro pazzia votati a diventare eroi. E l'amore che li appassionava per le fortunate donne che li hanno avuti, e la passione rivoltosa che li segnava e li destinava a giocarsi la vita con insensata generosità. William Grover-Williams è stato ammazzato troppo presto perché gli venisse in mente di mettersi a scrivere romanzi, ma se lassù a Sachsenhausen avesse avuto una matita e un pezzo di carta, prima di andarsene avrebbe scritto qualcosa di molto simile a quello che lasciò scritto Romain Gary prima di spararsi alla testa con la sua antica pistola d'ordinanza, ormai vecchio ma non per questo meno spiritoso: *Patiti dei cuori infranti, prego recarsi altrove.* I cuori a volte si infrangono per un nonnulla, e la gente è portata a credere che per un nonnulla si possa morire. Quel biglietto non era solo un ultimo moto di sarcasmo, ma una precisazione doverosa: l'eroico aviatore e romanziere Romain Gary, il grande campione William Grover-Williams sono morti per qualcosa e per qualcosa sono vissuti.

A seconda della posizione che prendo sul water, se mi spingo leggermente indietro sull'asse, ad esempio, riesco a vedere di là dalla finestrella, a levante dell'Omo Morto, i denti della Roccandagia. D'inverno, quando la giornata è chiara e tira vento da settentrione, vedo la croce che san Viano ha piantato sul dente più aguzzo. Settecento anni or sono, più o meno.

La storia che raccontiamo dice che san Viano se ne andò lassù in cima con la sua croce in spalla per fare penitenza, e ricordiamo volentieri che il suo peccato era stato peccato di ira. Ce l'aveva con il popolo del paese di Vagli, dove un bel giorno era arrivato per predicare la fede e profetare sull'avvento della giustizia divina sulla Terra. Sennonché, come era universalmente noto anche a quei tempi primordiali, quel popolo era riottoso alla fede e al Dio stesso di san Viano, e ricambiò la sua cortesia prendendolo a sassate ogni volta che metteva la testa fuori dall'eremo che si era costruito sull'orlo di un precipizio poco fuori dal paese.

San Viano, che pare fosse arrivato fin lì dalle remote terre degli Scani, non era ancora giunto alla santità, e nella sua fede non si era ancora spinto così in avanti da porgere l'altra guancia. Così che rispediva ai paesani i loro sassi. Sennonché erano tali l'aspettativa e la benevolenza che l'Iddio compassionevole e misericordioso nutriva per quell'uomo, che i suoi sassi arrivavano sulle teste sotto forma di pani. Pani di farina bianca di frumento, tiepidi e croccanti. Ricambiava i sassi con i pani, questa è la verità; ma, lungi dallo schiarirgli la vista sulla bontà della fede di san Viano, il miracolo spingeva il popolo di Vagli a tirargliene sempre di più: il pane era gratis, abbondante e buono.

Finché il santo, non ancora compiutamente santo, straboccò di barbara ira, e invocò Iddio perché la facesse finita con tutta la sua pietà e bontà; pregò perché i sassi restassero di pietra, tali e quali i cuori di quegli uomini. Iddio lo accontentò come poteva. I paesani non ricevettero più pane, ma san Viano non poté più tirare sassi: con tutta la sua forza scania ora il suo braccio non riusciva a lanciare più lontano di un passo, e prima che arrivasse a capire, intorno a lui si fece una montagnola di sassi mai arrivati a destinazione.

Alla fine capì; ricordò che il figliolo di Iddio si prese sassi e sputi e ingiurie, ma non per questo smise mai di ricambiare con pane. E decise di compiere la sua penitenza, cercando di diventare simile al suo Redentore almeno in qualcosa. Si costruì una croce e trovò nella Roccandagia il suo Golgota. Arrivato sulla cima piantò la croce e si diede a meditare sulla sua ira; imparò a placarla ramingando sulle creste, valicando e rivalicando attraverso burroni e precipizi, finché si trovò un'altra grotta, talmente sperduta che nessuno si prese mai più la briga di andarlo a disturbare nelle sue preghiere, anche se la tentazione dei vaglini di tornare a rifornirsi di pane a ufo era grande.

Gli uomini di Vagli dovettero procurarsi il pane in modo assai diverso, e la penitenza per la loro neghittosa incredulità, fu di doverselo guadagnare con il duro lavoro delle cave; da allora per l'eternità faticando a fare della pietra di marmo un pezzo di pane. E ognuno, la mattina appena alzato e la sera prima di coricarsi, dava uno sguardo alla Roccandagia nella speranza che il santo Viano continuasse a vivere in tale serenità da decidersi un giorno a tornare presso di loro, perdonarli e riprendere a dare pane. La qual cosa non successe mai, e probabilmente per questo il santo Viano non è un santo del calendario cattolico romano, e nessuno ha mai postulato per lui un altare. Se non nel paese di Vagli, dove non hanno ancora perduto l'ultima speranza nella sua miracolosa arte panificatrice, e dove lo temono e lo venerano come santo patrono; e il primitivo eremo da dove si sporgeva a predicare senza costrutto, è detto altare dei rimorsi, o delle occasioni perdute.

Non si sa di nessun altro che dopo di san Viano sia andato fin lassù alla Roccandagia e sia riuscito a valicare. Questa non è una leggenda: ci sono rimasti parecchi cretini lassù; alpinisti di fuori che si sentivano gridare per due o tre giorni prima che la smettessero e si buttassero giù dalle pareti a peso morto. Ogni tanto qualcuno dei pastori di Campo Catino è salito a prendere quelli più facili da tirar via dai costoni; un pastore che è mosso a pietà, il che non capita tutti i giorni.

Se sapessi come arrivare fino alla croce di san Viano, penso che lassù mi ci troverei bene a riflettere sull'indefinito presente; non c'è un posto in tutto il distretto più adatto a una cruda verifica della consistenza dell'essere, ciò che dell'essere permane indefinito e presente. Forse era di questo che si occupava san Viano mentre passava i suoi anni migliori a costruirsi una croce e il resto della sua vita a issarla sul dente.

Dovessi dar ascolto alle certezze della 'Nita, ora dovrebbe essere ancora lassù, presente e indefinito in eterno, a presidiare l'impossibile valico, a ricacciare giù per le voragini gli alpinisti, stolidi e ignari profanatori senza preghiera, eredi dei sassaioli vaglini. Se riuscissi a imitarlo, se mi impegnassi nella disumana impresa di salire fin lassù con la mia croce sulle spalle, piantarla accanto alla sua, solida materia legnosa e presente, fermarmi a dargli il meritato cambio alla guardia del valico, immagino che questo potrebbe diventare il primo mattone per la costruzione di una leggenda. Ma vista dal water mi sembra una faccenda un po' troppo pittoresca. Tutto quanto un po' troppo coreografico. Ma non la Roccandagia, no: anche da qui, pur vista dagli affari più meschini, è solo tragedia e bellezza.

Quando pronuncia il nome di Dio, alla 'Nita si imporporano le gote. Qualcosa le si accende da qualche parte, un micro relè neuronico dà corrente a una efficiente resistenza linfatica; crede in ciò che dice, vede il Dio che pronuncia e mostra di essergli affezionata. Dopo tutto questo tempo non mi è ancora chiaro a quale Dio sia devota, ma penso che questo sia un problema legato alla natura di Dio, non alla sua.

Io stesso, pur evitando accuratamente di farne il nome, non sono molto chiaro a proposito della divinità. Del resto, capita di parlarne mentre abbiamo la bocca piena di schiuma di dentifricio, o con le spine dei carciofi conficcate nelle mani: lo Spirito ci sovrasta ma non se la sente di renderci visibili tutte le sue molteplici sfaccettature. In quel genere di circostanze può accadere che si stabilisca una inverosimile familiarità con ciò che sarebbe altrimenti intoccabile; e la familiarità è nemica della conoscenza.

Tutta questa vallata è piena di tempo ed è stata popolata di uomini che hanno tirato avanti diffidando del tempo, sospettando che ce ne fosse più di quanto non gli avessero venduto assieme ai calendari. E ancora tirano avanti, e continuano a prolificare perché lo facciano di tirare avanti anche i loro figli, e i loro discendenti fino alla centesima generazione. E tutto quello che vogliono è un po' di tempo in più di quello che gli hanno promesso i governi, e i santi, e gli astronomi. Ma vorrei poter essere così ottimista e bendisposto come la 'Nita.

È per questo che a un certo punto ho rinunciato all'idea di levarmela di torno. Le ho solo chiesto di non azzardarsi a dichiarare pubblicamente che l'amore possa salvare qualcosa. Lei ha promesso, e dice di andare a Orto di Donna per ricordarsi della sua promessa, e di quanto sia sensata e logica alla luce dei fatti. Innumerevoli fatti. E io so che lei tradisce, e tardo a prendere provvedimenti solo perché la amo, e questo mi inclina alla debolezza.

La verità è che la 'Nita cova segretamente in sé una pia religione di abbandono alla vita, un culto di inumane dolcezze che la inducono a scarpinare fino a Orto di Donna nella placida certezza di trovarne conferma. Lei vede che quel tempio non è infestato di spettri, ma popolato di anime. So che lei crede anche questo, anche se si vergogna a dirmelo, almeno con queste parole.

Ma i pastori la pensano più o meno come lei, visto che già per il primo fieno dell'anno successivo a quello avvelenato del '44, tornarono con le loro bestie a Orto di Donna; e ancora oggi lassù ci si stagionano le forme più pregiate, i formaggi che portano ai concorsi per umiliare l'intero arco alpino di qua e di là dalle frontiere.

Ma intanto quell'estate dopo Orto di Donna venne Sant'Anna, e di questo se ne venne a sapere diversi giorni dopo, quando le donne della Versilia tornarono a risalire la strada TODT per valicare la Tambura e barattare il loro sale con quello che ancora riuscivano a trovare qui da noi: lardo, farina di farro, patate; quell'anno chi aveva un sacchetto di sale mangiava per una settimana. Non ripresero a salire il passo dopo mesi, o settimane, ma fecero passare solo qualche giorno; anche dopo Sant'Anna, tutto quello che volevano fare le versiliane era vivere, come tutti, e bisognava darsi da fare per questo, e mettersi in moto.

Quando ho chiesto all'Omo Nudo dove si fosse fermato mentre se ne tornava a casa da Sachsenhausen, mi ha guardato storto: "Mi pigli per il culo, bimbo?". Perché, diceva, fermarsi a far cosa? Meglio trottare che fermarsi a pensare.

Naturalmente no. Le donne della Versilia si rimisero sulla TODT senza starci troppo a pensare. Era un giorno di strada, a buio si fermavano a dormire sul passo, buttate nei campi. Qualcuna invece dormiva nella casermetta della Monterosa; ed erano quelle che avevano fame, ma fame davvero, e lì potevano mangiare quanto volevano, prima di mettersi a dormire con il maggiore, e poi con il sergente e il caporal maggiore, e poi con chi c'era ancora. Questo si è saputo dopo, le loro compagne non le hanno tradite. I loro fidanzati, i loro fratelli, i loro padri, hanno mangiato e bevuto di quello che portavano indietro dalla casermetta finché non hanno deciso di capire, e allora sono saliti loro alla Tambura; ma non quell'anno del '44, dopo, quando ormai lassù c'erano rimasti solo dei ragazzini, lasciati con un mitra in mano a pagare il conto del maggiore e del sergente e del caporal maggiore.

Tornarono dunque quelle donne, e si misero a parlare di Sant'Anna, perché per vivere è necessario farlo sapere che si è ancora vivi; vivi anche quando tutti gli altri sono morti. Di qua neanche si sapeva bene dov'era Sant'Anna, se non per bocca di quei due o tre cavatori che prima della Linea Gotica andavano a lavorare fino alle cave di Camaiore. Difatti Sant'Anna non è neppure un paese, ma una pieve con le sue case infrattate nelle piane scavate qua e là nei querceti impestati di gaggia, troppo vasti per essere curati a dovere da quelle poche anime. Ma quell'anno del '44, in piena estate, era stracolma di gente, parenti alla lontana e pigionanti, donne e bambini e uomini esenti dai servizi, sfollati da tutta la Lucchesia interiore e la Versilia. La quale zona in quel momento aveva preso a incassare cannonate da ogni dove; dai 380 da marina che tiravano da Montemarcello sugli inglesi, dalle granate degli obici neozelandesi che avevano preso Lucca, dalle bombe a spezzoni dei B17 americani che volevano fiaccare gli animi del nemico, dalle incendiarie dei bombardieri notturni della Francia Libera, ansiosa di rifarsi dei torti subiti. E da tutto l'armamentario che potevano sparare i tedeschi dalle batterie della Linea Gotica, per eseguire l'ordine del comando supremo che impegnava l'armata di Kesselring a tenere stretto l'esercito alleato nelle angustie della sua mezza vittoria.

Quel posto così lontano e ignoto era parso un buon rimedio; i tedeschi stessi lo avevano classificato come zona di sfollamento, e di solito mantenevano la parola.

Così che erano più o meno in mille stretti tra le case, le stalle e i fienili, a passare l'estate, a passare la guerra. E le donne con i figlioli piccoli erano contente di farli scavallare nei boschi, e le puerpere erano contente di avere un po' di latte di capra, e le gravide dell'aria buona e delle fette di lardo che riuscivano a mettere nel pane. Ci andarono quattro reparti di SS e un generale, uomini scelti della divisione Reichsführer, la divisione personale di Adolf Hitler, per ammazzarne cinquecentosessanta.

Pratici del mestiere com'erano, cominciarono alle sette di mattina, e alle dieci avevano già finito. Un lavoro eseguito con il dovuto scrupolo: prima mitraglia per sgrossare, poi pistola per rifinire, infine bomba a mano e lanciafiamme per ripulire. Ammazzarono le donne e i bambini, e i vecchi; gli uomini no, non tutti; erano scappati per tempo, erano gli unici che avevano da temere qualcosa. Era tutto a posto, era davvero tutto a posto: non c'erano partigiani lì, e intorno a quei monti non era successo mai niente; era solo un posto di sfollati.

È successo il 12 di agosto di quell'anno del '44, faceva caldo, era Sant'Aniceto; ma neanche il prete sapeva bene chi fosse stato quel santo e cosa avesse fatto di buono. Quel giorno il prete non morì, arrivò a Sant'Anna troppo tardi per essere messo al muro; lui ricordò soltanto di aver trovato i tedeschi buttati sotto gli alberi intorno al paese che bruciava. Fumavano e sentivano musica da certi grammofoni sparsi qua e là; gli sembrarono stanchi da non poterne più. Ma non era vero, sembrava soltanto. Da lì la Reichsführer partì e in due settimane risalì le Apuane fino all'Appennino emiliano, passando da Valla, Bardine, Vinca, da Pioppeti e Borgiola, da Forno, da San Terenzo, e si fermarono anche sul Frigido, e continuarono il loro lavoro, allo stesso modo, con i medesimi attrezzi.

Ho portato la 'Nita a Sant'Anna; l'anno scorso, quando ho deciso che sarebbe potuta rimanere, e l'ho accompagnata a perlustrare i confini del nostro distretto. Ci siamo andati a piedi, valicando alla Pania Secca, al Forato e al Procinto, e ci abbiamo messo molta fatica e molta suola, come è dovuto. Non è un gran bel posto, ora di certo molto meno di quell'estate. Ora ci sono i monumenti, i mausolei e gli ossari; e i monumenti sono sempre brutti, comunque li rigiri. E i mausolei sono peggio dei monumenti, e gli ossari anche peggio dei mausolei.

Ma ci sono i nomi, e io ho portato la 'Nita a leggerli. Sono veramente tanti, e ci vuole molto tempo a leggerli tutti, uno via l'altro senza sorvolare su questo o quello, senza far preferenze. Dare a ogni nome il giusto tempo, scandirlo bene perché non vada perso già nel pronunciare il successivo. Ogni nome è un'anima, ed è tutto quello che resta di un'anima su questa Terra. E allora non fare confusione, non dimenticarsi di nessuno nella fretta; leggere con calma senza saltare le righe, ci si può confondere. I Tucci, ad esempio, non sono soltanto parenti, ma sono otto fratelli:

TUCCI ANNA MARIA ANNI 18.
TUCCI CARLA ANNI 3.
TUCCI EROS ANNI 13.
TUCCI FELICIANO ANNI 10.
TUCCI FRANCA ANNI 6.
TUCCI LUCIANA ANNI 14.
TUCCI MARIA DI 3 MESI.
TUCCI MARIA GRAZIA ANNI 8.

E la madre, la signora Bianca, è da un'altra parte, perché l'anagrafe vuole che in una dicitura ufficiale ci sia prima il cognome da signorina, ma non per questo bisogna dimenticare che dovrebbe stare lì, dove sono i suoi figli; quindi va cercata e ricondotta mentalmente al suo posto. Almeno mentalmente.

Non basta un pomeriggio per leggere come si deve i nomi di Sant'Anna. Per questo la 'Nita ce l'ho portata ai primi di giugno, perché sotto il solstizio ha avuto tutta la luce che le serviva. Diligentemente ha trascritto i nomi in un quadernetto; poi, tra tutti, ne ha sottolineati otto con un pennarello rosso. Ho guardato: sono i nomi delle donne gravide; accanto a quei nomi, nell'elenco inciso nella lapide di marmo nero, è stato riportato lo stato della loro gravidanza, in mesi. C'era almeno un centinaio di ragazze e giovani donne il 12 agosto del '44 a Sant'Anna, chissà se erano davvero solo otto le donne gravide: forse qualcuna ancora non lo sapeva, forse c'è stata chi non aveva voluto farlo sapere in giro. A casa la mia donna ha strappato i fogli dal quaderno e li ha riposti nella sua scatola di biscotti. Altri nomi, altro elenco, molto più lungo di quello con cui è arrivata. Ora, alla luce di questa sua imminente maternità, mi chiedo perché, in un'epoca di totale ignoranza del suo futuro stato, avesse sentito la necessità di sottolineare i nomi delle gravide di Sant'Anna. Che già subornasse di diventare un giorno una loro collega? Collega di tutte le donne gravide di questo mondo, o di quelle mitragliate e incendiate di Sant'Anna? Per quanto la riguarda, non dovrebbe aver nulla da temere: qui dove ha deciso di restare non ci sarà nessun rastrellamento di civili, non sono previste guerre per almeno cent'anni, non qui. Da quel che è dato in nostro potere di conoscere, nessuno attenterà alla nostra vita con i lanciafiamme, né a quella dei nascituri.

A meno che lei non fiuti nell'aria qualcosa che sfugge a tutti noi, e a me per primo. Ho i sensi pronti e ben sviluppati, ma lei più di me, questo lo vedo. Ci sono momenti, momenti senza alcun significato apparente, in cui la sorprendo in inaspettati scarti dello sguardo, improvvisi fremiti delle narici, guizzi delle sue corte dita che esplorano il niente intorno a lei. Allora mi ricorda la Santarellina, quando mi portava da ragazzino per le selve. Come si volgesse a un tratto verso un rumore che non sentivo, così come interrompeva bruscamente i suoi confabulamenti per guardare qualcosa che non vedevo. Mi ricorda la sua silenziosa, costante vigilanza di confini che non mi risultavano. Aveva imparato nel '44, forse ancora prima: era fornita dell'intelligenza dello scampato, dotata dell'acuta ipersensibilità dei fuggiaschi. Era stufa della guerra la Santarellina, e ne è rimasta stufa per tutta la vita. Non diversamente da come è rimasta stufa della fame fino a oggi, nonostante non debba temere di niente al riguardo. E ancora la scorsa settimana, con tutto che i campi sono gonfi delle stoppie frante dal gelo che non è ancora finito, capita a casa nostra con una corba di erbetti primaticci, che ragione vorrebbe farli nascere tra un mese e più. Ma lei sa che è l'eccezione che salva la vita, non la ragione, e va per i campi fuori stagione, fiduciosa di scovare le eccezioni che nutriranno lei e i suoi amati.

La 'Nita, in un modo o nell'altro, ha imparato le stesse cose. Anche riguardo agli erbetti, che ora sa che esistono, e sta imparando a riconoscere senza che glieli debba cucinare e metterglieli nel piatto: anche lei è una scampata, e, scampando, fuggiasca.

Viene da un posto non diverso da Sant'Anna, da Sant'Anna nel fiore dell'estate del '44. Quando sono venuto a sapere da quale voragine veniva questa donna così giovane e bella e volitiva, ho pensato che questo distretto potesse non essere abbastanza grande per contenere anche lei. Soprattutto ora, che sono tornati gli inglesi, che si va ripopolando dei discendenti di ogni genere di sfollati, di esuli e di interdetti. Qui loro cercano di lenire ulcere ultrasecolari, qui si va ricostituendo il registro dei conti sospesi nella storia antica, mediana e recente. E si vede cosa si può saldare, cosa condonare. Cosa lavare e cosa dilavare. Questa vallata assomiglia, anno dopo anno con sempre maggiore plausibilità, a un sanatorio. Qui si sana; e per conseguenza, non si fanno miracoli. E non si apprezzano i miracolati, convinti come siamo per antichissima cultura che nessuno è sopravvissuto a Sant'Anna per miracolo, né a nessun altro massacro, persecuzione e guerra; così come nessuno è nato per miracolo, o per miracolo è morto, ma solo a cagione della vastità della vita stessa, della consistenza di chi la fabbrica e di chi l'abbatte.

Quando si è saputo chi era quella bellezza, appiccicata al suo nome, quello buono per l'autorità, era già stata affissa la dicitura: viva per miracolo. Non che lei si fosse presentata. Ma un tale del municipio dove era andata a costituirsi come ospite operoso avente diritto, un cultore dei casi della vita sempre all'erta, ha fatto le sue indagini. Tanto per mettersi avanti, vedere di saperla lunga nel caso gli venisse il garbo di allungare le mani sulla forestiera. Ecco dunque una bambina viva per miracolo, nel fiore dell'agosto dell'80. L'avevano trovata, con la sua sportina piena di bambole stretta sopra la faccia, tra i calcinacci della sala d'aspetto della stazione centrale di Bologna. Erano morti in ottantacinque quella mattina, compresi suo padre, sua madre e suo fratello, e non c'era ragione alcuna che dovesse rimanere viva solo lei nel mucchio che le stava intorno. Era la più piccola e la più fragile, era l'eccezione, non il miracolo. Ma tant'è.

Diversamente che dal '44, e similmente ad altre intermedie occasioni, fu una borsa gonfia di tritolo e non un dispiegamento di mezzi militari a compiere l'azione. Diversamente che dall'agosto del '44, non ci fu contatto diretto tra esecutori e giustiziati, similmente a quell'anno non si erano verificate azioni di partigiani nella zona, né operazioni belliche di un qualche rilievo. La stazione ferroviaria è di per sé luogo di sfollamento, universalmente riconosciuto come tale senza neppure la necessità di un'ordinanza specifica.

Da dove venisse la 'Nita l'ho dunque saputo da un impiegato dell'anagrafe che era intenzionato a farsela, convinto com'era che, posizionato nell'ultimo gradino dell'autorità, avrebbe ben potuto essere qualcuno, e se non qualcuno, almeno qualcosa. Naturalmente qui tutti sono venuti a sapere di questa storia, ma mai è successo, dico mai, che gliene facessero cenno in qualche forma e per qualsivoglia ragione, fosse stata anche bieca; l'impiegato stesso è stato consigliato al silenzio. E lei, la 'Nita, non ha mai ritenuto di dovermene parlare, e la sua vita fino al suo arrivo potrebbe essere finita in una delle casse dei libri che fermentano giù in cantina. Ciò nonostante, essendo leggiadramente vanitosa, ha provveduto a lasciare dietro di sé una lunga e delicata scia di indizi. Che poi sono i suoi nomi, quelli che porta e che smette come le fa piacere. Sono i nomi delle donne, delle ragazze, delle vecchie, delle bambine, saltate in aria alla stazione. Lo so perché ho fatto anch'io le mie ricerche, ma solo molto dopo essermela fatta. C'è vanità in questa sua ossessione, ma anche dolcezza e tenera fede infantile. Comunque non è così importante. La cosa che conta è che qui ci sia abbastanza posto per tutto quello che si è portata dietro. Perché qui non si fanno miracoli.

7.
WINTERGEWITTER

E ormai siamo a Pasqua. È stato un bell'inverno, un inverno pesante perché è così che deve essere l'inverno, con la neve di marzo che ha chiuso i passi, perché è bene che restino chiusi per un po', e l'ultima, di sabato scorso che ha bruciato i primi fiori degli albicocchi. Se sono buoni alberi si riprenderanno. All'alpe di San Pellegrino i pali sul ciglio della strada hanno segnato due metri per tutto l'inverno, e solo in questi giorni la neve comincia a sciogliersi e a sciorinare giù verso i fossi che stanno già ingrossando il fiume; anche questo è un bene: è bene che alla mummia di san Pellegrino si siano gelati i piedi nelle sue scarpette di filo dorato, ed è un bene che per scaldarsi abbia continuato a scalciar via la neve dall'alpe. Perché è da qui che riprende vigore la nuova stagione.

Fa ancora freddo, e la prima luna crescentina del mese sbarluccica dei vapori che sono andati a ghiacciarsi lassù: è la prima luna buona dell'anno per far crescere tutto quello che vuoi seminare nell'orto. La mia donna lo farà già domattina, oggi ha preparato ogni cosa sotto la supervisione dell'Omo Nudo. L'Omo Nudo che da domani comincerà già a sentir caldo.

La luna basta appena per dare un filo di luce alle creste delle panie, ma se tengo gli occhi ben aperti, da qui riesco a intravvedere tutto il distretto, la mia patria vallata, dall'inutile guardia della fortezza delle Verrucole all'ipocrita santità dei marmi di Barga. La campana del Sillico ha da poco suonato le undici, e ora che il riverbero si è andato a spegnere là nelle selve, sento il silenzio. È il silenzio di qui, è un silenzio che non è mai cambiato da quando mi ricordo. È il silenzio degli anni cinquanta. Se anche passasse ora un'automobile, giù nella statale lungo il fiume, farebbe lo stesso rumore di sessant'anni fa, e non romperebbe questo silenzio, che è il suono in cui sono cresciuto. Come la nota che ancora propaga nell'universo il suono della sua creazione; si spegnerà quando si spegneranno le galassie e tutto il resto. Da bambino in questo silenzio sentivo di poterci affogare senza resistenza alcuna; per la pura felicità di dissolvermi, per l'irresistibile necessità di appartenergli. Pensavo da bambino cose profonde che non penso più, vivevo una vita più nobile e sentimenti più grandi. Non so dove sono finiti; perlopiù, buttati perché inservibili. Se in questo momento potessi essere ancora quello che sono stato nascendo, che ne sarebbe di me? In una notte come questa correrei per le selve urlando di gioia, finché un paio di lupi con tutta la fame dell'inverno sulle zampe non mi spingessero contro un costone per finirmi aprendomi la carotide con un solo colpo di zanna.

Sento che attorno al noce l'aria si sta muovendo; non è un rumore, è un leggerissimo fremito, a corte ondate. Non lo vedo, ma so che è l'assiolo che nel perfetto silenzio del suo volo ha scelto il ramo su cui posarsi. Tra poco chiamerà: se ha lasciato il suo nido questa notte ed è arrivato fin qui è per chiamare; è cominciata la nuova stagione anche per lui. Infatti.

Diju, diju, diju.

Dalle parti della macchia di pruni sotto il metato risponde la femmina. *Diiju, diiju, diiju.*

Non è facile distinguerli, ma in questo silenzio non è poi così difficile. Se troveranno il modo di piacersi questa notte andranno a caccia assieme e poi decideranno quale dei loro nidi scegliere per cominciare la cova. E via di seguito fino a quest'inverno, quando se ne torneranno ognuno per conto suo. Fermamente monogamici, farebbero meglio a starsene assieme proprio quando sarà più difficile trovare cibo e calore, ma da qualche parte conservano la vaga sensazione di dover fare qualcosa da soli. Infatti nei libri c'è scritto che prima della neve dovrebbero partire per l'Africa, svernare nelle savane e poi tornare. Qui da noi sono rimasti. Sempre consultando i libri si deduce che, seppur raramente, è un'evenienza che può capitare; non qui, in Spagna, in Turchia, ma per la verità in questa vallata di ornitologi non se n'è ancora visti, e la permanenza invernale dell'assiolo è una delle non poche inspiegate incongruenze del distretto. In ogni caso è un bene che l'assiolo rimanga. È un uccello bellissimo che si nutre di cose che noi non mangiamo, e il suo volo invisibile e il suo richiamo discreto fanno parte del silenzio della notte così unico e prezioso.

Cosa se ne farà di tutto questo la nascitura? Imparerà ad ascoltare l'aria che si muove attorno alle ali dell'assiolo? E che suono avrà per lei questo silenzio? Anche se vivessi abbastanza per dedicarmi a insegnarle, e non è in programma che questo accada, non potrò insegnarle niente di questa notte, così come nessuno ha potuto insegnare a me. Capirà da sola, se vorrà; non c'è altro sistema. Se sarà adatta a vivere nel distretto dove è venuta a vivere sua madre e dove è nato e cresciuto il suo leggendario, lontano padre. Se sarà così non potrà che essere una grande gioia per quelli che rimarranno, perché la fine sarà protratta nel tempo ancora di un poco. Non la fine di questo modesto, scarsamente produttivo e insolente distretto, ma la fine di tutto l'universo. È così che la vedo. Ed è così che doveva vederla la Duse quando ha accettato di concepirmi e ha cominciato a pensarmi.

Quando la guerra stava ormai per finire, proprio nei giorni in cui era più terribile e sembrava impossibile che finisse davvero in tempo per lasciare qualcuno ancora vivo. Avrà pensato che se fossi cresciuto imparando ad ascoltare, le cose sarebbero andate avanti ancora per un po'. Ma allora non pensava all'assiolo, che, nella notte visitata dall'irrequieto ronzio del motore di Pippo, forse non sapeva neppure distinguere, ma alla sua fisarmonica. La musica della sua fisarmonica dentro il silenzio degli anni quaranta. Ci sono stati due giorni di grandi discussioni tra me e lei prima che mi decidessi a darle il permesso di partorirmi, e accettassi di farmi largo tra i tanghi della sua fisarmonica da dopoguerra fino a questa notte. La nascitura vorrà farlo? Acconsentirà a rinunciare a tutto quello che adesso ha, per allungare di un solo passo l'agonia del mondo? Questo, solo sua madre può saperlo. Lei è di sopra.

Dorme, dorme come tutte le femmine del buon Dio di un sonno che i maschi non conoscono. È un sonno profondo e senza remore, lungo e largo come il mare dei loro turbamenti, agitato di abbandono ferino; un sonno sano, curativo, fecondo. I maschi non sanno dormire così: il loro sonno è costantemente minato da questioni superficiali, un sonno involuto e grossolano, e si svegliano che non hanno mai riposato abbastanza. Lei ora riposa di una fatica che io non ho mai fatto, di cui non avrò mai sufficienti informazioni. Riposa della sua cova, e con lei riposa la nascitura: dormono tutte e due stordite da un flusso ormonale più potente di qualunque ricordo, di qualsivoglia gravame. Fossero anche macigni, ci stanno dormendo sopra.

La nascitura dà segno di sapere; non tutto, ma abbastanza per interagire con la sua matrice; e lei, la gravida, sa tutto e sta imboccando di sapere la sua creatura. Non mi cercano, non hanno bisogno di me. Lo faranno, di cercarmi, quando sentiranno l'impellente necessità di ricostituire la loro riserva di sali e di zuccheri, di alcali volatili e di grassi, e per questo andranno cercando qualcosa di rigorosamente fuori stagione e di incerta reperibilità. E poiché in questo momento il loro bisogno di vivere non conosce freno e misura, gli verrà la voglia di una cartata di fiori di acacia fritti. E me li chiederanno. Dovranno aspettare maggio per quelli, anche se non sanno aspettare.

Per intanto dormono, e nel sonno lo scambio di informazioni tra loro è placido e continuo. Come una chiacchiera di veglia, il fluire senza requie di una fola della Santarellina. Da qualche parte laggiù si sta costruendo un'orfana, e l'orfana perpetua la sua specie. Come se non ci fosse altro destino, come se in questa terra solo l'orfanità attecchisse con vigore; e solo qui si potesse efficacemente sanare qualcosa in proposito, volgendo l'orfano a un poetico destino di gloria. Perché mai ho ingravidato la 'Nita, innescando un rapido e sicuro processo di vedovanza e orfanità, se non perché i miei lombi sono nutriti dalla poetica certezza che da questo generare ne sarebbe uscito qualcosa di buono, e dal buono del bene? Perché mai la 'Nita è così fiera della sua gravidanza, così felicemente protesa alla sua futura vedovanza? Perché la Duse ha aspettato che finissero le cannonate, ha preso a tracolla la sua fisarmonica, e se n'è andata a sedere sulla spalletta del Ponte di Campia ad aspettare il suo destino, a suonare per lui, per l'orfano che sarebbe venuto?

Perché s'era stufe della guerra.

Dei massacri e dei morti alla spicciolata; poi di tutto il resto che nell'autunno del '44 doveva ancora venire. Ed è certo che ci si può abituare a fare ogni cosa, ma non è umanamente possibile farsi una ragione di ciò che si vede e si ascolta. Perché quello che si fa passa, ma tutto quello che si vede e si ascolta resta in eterno, e nel restare cresce e cresce; e, se il suo compito è quello, soffoca la vita e la strozza come un cancro.

Ascoltare le donne che venivano a raccontare di Sant'Anna era peggio che esserci stati; sentire gli urli di un uomo lasciato a morire sulla strada, peggio che essere uccisi. Sentire il sibilo dell'obice che viaggia nel cielo, peggio che saltare in aria; vedere impiccare un ragazzo, peggio che essere impiccati.

So che la staffetta Marta una notte è andata a prendere il corpo di Falco, il ragazzo del Valanga; uno dei pochi che era riuscito a scendere a valle, sparato alle spalle dalla milizia sulla strada nel bosco sopra casa sua, e lasciato lì a putrefarsi. So che per farlo non le è bastato il senso del dovere, non le è bastata la pietà cristiana, e neppure il fatto che quel ragazzo era un suo amico, cresciuto con lei e nato nello stesso mese. A farla uscire di casa nella notte, a convincerla a sfidare con la sua lampada ad acetilene la pattuglia della milizia in pieno coprifuoco, a costringerla a inzupparsi fino all'osso sotto una di quelle tempeste di ottobre che vengono fuori dal niente e tornano nel niente tali e quali una sfida del demonio, a darle la forza di caricarsi quel corpo fradicio sulle spalle e di portarlo fino al cimitero di Trasillico, a metterle in bocca le parole giuste per convincere il prete a uscire di casa e a bussare al sacrestano per fare la funzione con tutti i crismi e benedire il ragazzo e seppellirlo seduta stante, ecco, perché nella Marta potesse generarsi tutto questo, ci è voluta la disperazione dei suoi occhi, la maledizione del doverlo vedere insepolto marcire sulla strada per l'eternità. La Marta sarebbe marcita assieme a lui.

Quando la Marta scrive al suo comandante il rapporto di ciò che è accaduto, lei dice: *I sedicenti patrioti che non hanno voluto venire con me non hanno avuto vergogna di quello che avevano visto.*

La Marta non aveva ancora compiuto diciott'anni, aveva fatto la sesta classe e cuciva biancheria. Aggiunge: *Rinvenuto il cadavere del Falco non ho potuto trattenermi dal piangere, ma ho saputo frenarmi perché una donna italiana può tutto se non cede alla debolezza.*

Niente sfianca come il sentire e il vedere, non c'è maggior vergogna dell'aver visto e dell'aver sentito. Finita la guerra la Marta ha smesso di cucire, si è cercata una coppia di vacche e qualche capra e da allora vive in una stanza accostata a un ovile dalle parti di Borsigliana; e ormai sono sessant'anni che è lassù, raminga e scorbutica, imbisbetichita. Non hanno mai smesso di invitarla alle celebrazioni e lei non ha mai smesso di negarsele. Subito dopo la guerra hanno dato anche a lei una medaglia, e se faceva domanda ci prendeva sopra la pensione; ma anche se era stata così diligente nello scrivere i suoi rapporti, e la sua prosa era così ricca per una ragazza da sesta classe, non ha mai avuto il genio per fare domanda. Ma pare che non le serva.

Ha le sue vacche e le sue capre che alla stagione non manca mai di far accoppiare, così che nel tempo si sono moltiplicate e può bersi tutto il latte che vuole e fare del formaggio e venderlo, visto che ne è capace. E di quello che ha gliene avanza pure, e la generosità della Marta è un altro mattone del nostro orgoglio. Per anni, finita la guerra, le nostre madri sono state così smunte e denutrite da non avere nei loro seni di che allattarci; e per tutti quegli anni, e poi dopo, quando la denutrizione fu soppiantata dall'astenia, non c'è puerpera che sia pellegrinata fino alla sua stalla a chiedere un po' di latte di capra per il figliolo appena nato e non se ne sia tornata a casa con una capra alla cavezza. Che la Marta si è sempre onorata di cedere in accomodato gratuito per tutto il tempo del bisogno.

Ero ancora bimba che ero già bella che stufa di vedere i figlioli piangere. Come unico regalo pretende che gli si porti prima o poi a vedere come è cresciuto il figliolo, e se non fosse cresciuto bene la Marta ne morirebbe, lo sappiamo.

Per qualche via ogni famiglia della vallata è in debito con la Marta per la vita di un nato di casa; anche per questo lei è libera di esercitare le sue manie da bisbetica, e le sue pazzie ci sembrano dolci e tollerabili come quelle delle nostre vecchie madri arteriosclerotiche. Quando le sue capre sgravano d'inverno, lei porta l'agnello a letto con sé finché non ha abbastanza forza per zampettarsene via, ma quando ci capita di incontrarla a nessuno viene in mente di ritrarsi se lo abbraccia e lo bacia come figlio suo; che in fin dei conti è poi la verità, visto che del suo latte siamo cresciuti. Dico noi perché la Duse mi ha raccontato della capra che mi ha allattato; finché è restata in casa con noi la capra aveva nome Duse, perché, nella logica pratica della maestra, in questo modo io sarei cresciuto senza dover fare inutili distinzioni; non mi ricordo di quella capra, ma credo di ricordare la consistenza e il sapore del suo latte, che era dolce e appiccicoso.

Quando la mandria delle vacche cresce più di quello che le serve, la Marta cerca una costa abbastanza isolata e protetta e libera una coppia di vitelli; cosicché intorno all'Orecchiella ci sono oggidì manze e torelli che pascolano bradi da diverse generazioni. La cosa non piace all'autorità, che vede in quelle vacche libere di moltiplicarsi come gli pare un pericoloso azzardo nel perfetto equilibrio del Creato. Il biondo Nesbø ha più volte tentato un'imboscata alla Marta. Ma senza successo, visto che la Marta non aveva ancora diciott'anni che già sapeva come seminare le SS; così si sa che le vacche sono sue, ma all'autorità mancano prove circostanziali. Alla stagione che le brade si sgravano, si vede il rappresentante dell'autorità veterinaria in tenuta da campagna appostato nei roccioni intorno ai prativi del passo. Ben protetto dal cachi mimetico, spia con il suo binocolo l'andamento demografico delle liberte della Marta e segna in un registro quante sono e cosa fanno, onde addivenire a qualche definitiva soluzione. In verità le mandrie non sono mai cresciute molto, visto che nella sua lungimiranza Iddio ha generato il lupo e assieme al lupo l'inverno e la fame.

Avendo generato anche l'uomo, discende da lui la costituzione dei bracconieri d'alto bordo, che calano dalla lontana Lombardia su lussuosi camioncini americani per sparare a due o tre vitelle e portarsi a casa un po' di carne da servire alle nidiate affamate delle loro puttane e dei loro sodali. Macellano le bestie sul posto e già il giorno dopo sai che sono venuti perché il tanfo delle trippe si spande per chilometri, e per chilometri intorno puoi osservare le comitive di faine, volpi, tassi, e ogni genere di gracula, corvo e cornacchia che si dirigono verso frattaglie, pellame e cartilagini. Lo fanno sfacciatamente, contro la loro stessa natura e i noti costumi, abbacinati da quella innaturale abbondanza. A noi non piacciono granché gli animali che si nutrono dei cadaveri, e li disprezziamo; li distinguiamo dagli animali cacciatori che si applicano con onestà e fatica al nutrimento, e li decimiamo a nostro piacere.

C'è un arbitrio in questo nostro costume che dice molto di come siamo fatti, della nostra propensione a spadroneggiare nelle faccende della natura. Come se fossimo davvero gli eredi di Adamo, ci gloriamo del titolo di signori del Creato, e signoreggiamo legiferando su gracule e lupi. Invece il seme di Adamo si è disperso tra le pietre squadrate dai suoi stessi discendenti in qualche megalito della Mesopotamia, o dell'India, o di Atlantide, alcune migliaia di anni or sono; si è imbastardito con qualcosa di disumano in cui si è imbattuto squadrando le pietre e mettendole una sull'altra. Non conserviamo neppure il ricordo di Adamo, ed è una fortuna. Perché siamo solo i suoi bastardi, e ci accontentiamo di una signoria ristretta e meschina, adatta al nostro rango.

Ma i lombardi che arrivano con i loro pick-up abbelliti di cerate mimetiche e le casacche di fibra di carbonio ornate di carabine belliche, per sparare da duecento metri alle manzette della Marta, loro non si sognano neppure di legiferare su qualcosa: loro sono solo rapinatori che si eleggono padroni, padroni di tutto l'universo creato e non creato. Ovvero, di tutto quello su cui riescono a mettere le mani. Se noi siamo i bastardi di Adamo, loro sono stati generati direttamente dalla pietra. Alla Marta non piacciono quei bracconieri, come in genere i bracconieri non piacciono a nessuno, se proprio non sono di famiglia; ma si sa che da quando, finito il lavoro di staffetta, ha consegnato il suo sten ai carabinieri, non ha mai più alzato un dito su un essere vivente, eccezion fatta per un capretto a ogni festa dell'Assunta che fa macellare a un vicino per non lordarsi le mani.

A loro si dedica nei ritagli di tempo il Bresci, e nella stagione propizia alla caccia del vitello, l'Omo Nudo non tralascia nel suo ramingo pascolare di aggirarsi nei pressi dell'Orecchiella. E non aiuta la necessaria serenità del tiro alla vacca, la vista di quel vecchio mezzo nudo con il suo pennato ben in vista a tracolla. E se non lo vedono, ormai sanno riconoscere l'odore della sua guaina di cuoio, che al loro olfatto rudimentale e svogliato puzza come le trippe che lasceranno in giro. Allo stesso modo, non riescono più a dubitare che sia stato con quell'arnese che sono stati vituperati i copertoni dei loro pick-up. Odiano aver guaste le loro cose, odiano l'insubordinazione al loro patronato, e prima o poi gli spareranno; devono solo mettersi d'accordo tra di loro e trovare il coraggio di farlo.

Ma intanto, visto che Iddio, nel generare il lupo e tutto il resto, ha dato vita anche all'Omo Nudo, il perfetto equilibrio del Creato non ha bisogno di ulteriori protettori sanitari, non qui.

Devo dire per inciso che l'Omo Nudo e la Marta non si possono soffrire. E la cosa ha una sua straordinaria singolarità, visto che parrebbero nati l'uno per l'altra, o perlomeno vissuti in modo da potersi incontrare e legare: due esseri che hanno compiuto ciascuno il suo grande gesto per guadagnarsi la vita, trapassati dalla storia degli uomini e ambedue finiti a cercare di smaltire la ferita che ne è rimasta in un cronicario di solitudini. A un paio d'ore a piedi l'uno dall'altra. E per incontrare si incontrano, ma quando lo fanno si salutano voltando il capo di lato e trovando da ridirsi, borbottando per non farsi capire, del danno subìto dall'esistenza delle loro rispettive bestie. Visto che direttamente un danno non saprebbero neppure come farselo.

Avrebbero dovuto mettersi insieme sessant'anni fa, dovrebbero farlo ancora adesso, ma chi glielo va a dire? Sono tra i più buoni di noi, indiscutibilmente tra i viventi i più carichi di amabile leggenda; è vero, uno va in giro mezzo nudo e l'altra si porta addosso anche di luglio una giacca a vento che è ridotta a uno straccio, ma davvero per questo non potrebbero volersi del bene? Anche solo scambiarsi un po' di fresco e un po' di calore, non gli converrebbe provare a dormire assieme? Questa non è soltanto una cosa intima loro. Sono così vecchi ormai che la loro vita non è più nelle loro mani: avessero a soffrire di quello che stanno facendo, sarebbe responsabilità di tutti. A meno che non li si voglia lasciare nelle mani dell'autorità, che a un certo punto del disfacimento mandino qualcuno a prendere prima l'uno e poi l'altra. Ogni tanto se ne parla con la 'Nita, ed è opinione comune che prima che succeda andranno tutti e due a buttarsi giù dalla Pania. Ancora una volta facendo la stessa cosa, avendo le stesse intenzioni e lo stesso cuore, divisi.

Ma è opinione della mia donna che non si odino, e che invece si amino. Sostiene che siano innamorati ancora oggi, e che l'amore non è detto che c'entri qualcosa con il voler bene. Che si siano cercati qualche motivo di nessuna importanza per fare in modo di rendersi nemici in eterno. Forse, sostiene con una certa arditezza, non sopportano di amarsi, avendo già un tempo amato troppo qualcuno, o qualcosa. O avendo considerato che non doveva più essercene a disposizione di amore, e trovarselo lì, inaspettato e fuori posto, rimanerne indispettiti e furenti. O, semplicemente, non essendo pratici della cosa, e non sapendo come prenderla, l'hanno presa dal verso sbagliato. Non sempre l'amore è una buona notizia; in questo ha ragione.

Ma la domenica del racconto della mia natività, la Duse mi disse che invece è sempre una buona notizia.

Quella mattina dell'autunno del '44 dunque, faceva un

freddo che non c'era da aspettarsi in quella stagione, e si era poi saputo che c'era stata tempesta ghiacciata intorno a San Pellegrino, e gli spifferi erano scesi giù, crinale dopo crinale, fino al Ponte. Dal giorno prima non si era più visto un tedesco in giro; non che avessero fatto una ritirata in grande stile, ma a un certo punto non c'erano più. In realtà avevano iniziato ad andarsene un po' alla volta già una settimana prima; zitti zitti, senza darlo a vedere si erano ritirati nelle linee alte di difesa. Idem la milizia. Nella notte e fino al mattino da su avevano continuato a bombardare in direzione della strada di fondovalle; tiri lunghi e flosci, come se non ne avessero voglia, e tutti ben distanti dal Ponte, come se stessero attenti a risparmiarlo. A buio, nell'ora del coprifuoco che non c'erano più pattuglie a far rispettare, venne all'osteria un tale di Moriano, uno che si sapeva che aveva un fratello nelle Camicie Nere, un commerciante di mercerie che aveva sempre venduto a tutti. Mise su un tavolo la valigia aperta con la roba da vendere, si fece portare un bicchiere di vino, e disse che se c'erano dei camerati in giro era meglio che si mettessero buonini, perché stavano per arrivare gli americani. Disse che erano già in fila sulla strada di Lucca e che se uscivano fuori nella notte potevano anche sentire il rumore che facevano i motori in folle a non più di dieci chilometri da lì.

La Duse sentì queste cose perché dopo la minestra era rimasta con la Santarellina a dare una mano a sgranare il formentone. Non era una fatica farlo, e si stancavano prima di cantare che di sgranare. Cantavano sempre quando c'era da fare qualcosa assieme; cantavano al modo che aveva imparato la Santarellina dalle donne di Vagli mentre tiravano avanti la strada TODT, e cantavano al modo della Duse: comunque erano sempre le solite canzoni piene di gelosia e pena, canzoni d'amore e di stanchezza. L'uomo di Moriano se n'era andato contento di aver visto due ragazze così belle e allegre, avendo venduto del refe bianco e sei bottoni verdi acquamarina al mulattiere di Compiana che si era fermato a cena. Si sapeva che il mulattiere era un fascista e forse voleva fare qualche ritocco alla sua divisa: era avaro e non voleva buttarla via. Quella notte la Duse e la Santarellina dormirono assieme; lo facevano spesso negli ultimi tempi, perché la Duse aveva cominciato a non fidarsi più dei tedeschi che stavano silenziosi e immobili nelle stanze di là. Dormirono assieme perché si erano abituate a farlo; infatti lo fecero anche se avevano visto bene che mancavano dall'aia e dalla rimessa il side-car e i muli dei tedeschi.

La Santarellina dice che la Duse sarebbe andata al Ponte anche se ci fosse stato il generale Kesselring a controllare cosa stava facendo, ed è per questo che l'ha accompagnata con il falcetto, perché la Duse non aveva mai saputo vedere il pericolo. In effetti, dal suo punto di vista, l'unico pericolo che mia madre avesse mai corso era la solitudine. Per il resto, non era stato così pericoloso schivare le bombe della Cicogna ed evitare di farsi sparare al coprifuoco da un ragazzino della milizia; né aveva mai rischiato di morire per attraversare il Ponte e trovare la minestra all'osteria, visto che il Ponte era troppo importante per quelli di qua e quelli di là perché ci tirassero sopra, e l'osteria godeva della fortunata sacralità delle osterie sulla linea di confine. L'unico serio pericolo che poteva correre a restare in una casa nel mezzo della Terra di Nessuno, era che un bel giorno non ci fosse proprio più nessuno intorno, così come la Duse sospettava che potesse accadere; per questo aveva chiesto alla Santarellina di fermarsi a dormire con lei. E per questo la Santarellina lo faceva volentieri, anche se di star sola non le importava, visto che sola c'era nata e cresciuta. Perché questo devono fare due amiche: volersi bene e non lasciarsi mai nella paura. Parole della Santarellina.

Ma la Duse era anche coraggiosa, e ci sono qua io a dirlo, io che l'ho vista mettersi gli scarponi e buttarsi lo zaino sulle spalle per tutti quegli anni, io che l'ho sentita tornare ogni volta con il passo duro e preciso di chi sa fare qualunque strada da solo: se non sapeva cos'era il pericolo era perché per lei non c'era abbastanza pericolo, mai, e si è attenuta a questa sua personale convinzione finché è vissuta.

In ogni caso la Duse mi ha raccontato solo che è andata, e che quella mattina la fisarmonica le pesava come se fosse tornata bambina.

Si misero sedute sulla spalletta, la Duse con la fisarmonica ben piantata sulle cosce, la Santarellina con la sacca con il falcetto appoggiata in grembo; nessuna delle due era abbastanza alta per poggiare a terra i piedi, e li dondolavano facendoli rimbalzare mollemente sul sasso della spalletta. Era la loro abitudine, facevano sempre così quando si mettevano sul Ponte a veder passare la gente: lo facevano di dondolare i piedi perché sembrava loro che in questo modo si dessero un contegno da signorine smaliziate. Per via del freddo la Duse si era messa delle calze di lana che le facevano solletico ai polpacci, e più che dondolarli i piedi se li sfregava sulle gambe per darsi un po' di pace dal prurito. Sui platani dell'osteria s'erano posati gli storni e frinivano come cicale d'amore. Eppure sembrava che ci fosse silenzio, e questo perché, dice la Santarellina, quando smette il cannone qualunque rumore è silenzioso.

In quel silenzio, come se fossero cresciuti dentro il cicaleccio degli storni, sentirono i motori degli americani. E da quello che se ne capiva non erano più in folle. E in un attimo erano a premere alle curve di Campo. Mi ha raccontato la Duse che a causa del prurito delle calze di lana non aveva avuto modo di pensare bene a cosa fare della fisarmonica. L'aveva portata con sé sapendo che l'avrebbe suonata, ma solo quando si alzò la polvere dietro l'ultima curva, si accorse che non sapeva ancora cosa suonare. E allora pensò a qualcosa di straniero, perché tutto quello che si aspettava di vedere di lì a poco era straniero, talmente straniero che in confronto i tedeschi non erano che vicini di casa. Arrivavano gli americani. E lei non conosceva nessuna canzone americana, né ne aveva mai ascoltata una. Le prudevano talmente i polpacci che se ne sarebbe tornata a casa di corsa a metterli a bagno. Provava a poggiare le dita sulla tastiera ma sentiva le unghie che grattavano l'avorio. E mentre che grattava, le venne in mente un tango. Un tango che non si ballava all'osteria né nella piazza del paese, un tango che aveva imparato da suo padre, che l'aveva tormentata per molte sere perché imparasse a pronunciare bene le parole. Il più straniero che avesse mai suonato.

Ay limón limonero
Limonero mío de mi corazón.

E si raccolse i capelli che le cadevano tra le mani, rizzò la sua giovane schiena per sentirsi i muscoli ben tesi, aprì le braccia nell'arco più largo che potesse fare, prese nel mantice tutta l'aria che riusciva a portar via dal Ponte, e attaccò l'accordo alto e lacerante che consegnava all'esercito che avanzava il dolore di una ragazza innamorata che implorava pietà ai piedi di un fiorito albero del limone.

E suonava e cantava. E nella foga di quel tango che guaiva e giurava che mai aveva il mondo desiderato tanto quanto quella ragazza desiderava l'amore del suo mocito, i suoi lunghi indomiti capelli le si scompigliavano sul viso e tra le pieghe del mantice. E cantava e suonava. E subissava con la foga di quel tango gli storni sui platani e l'intero esercito alleato.

Quando alla fine della prima strofa prese fiato, provò ad aprire gli occhi e prima di vedere qualcosa sentì odore. Sentì odori dolci di benzina e di fumo di tabacco. E poi vide mio padre. Era tutto un po' confuso e lei doveva riprendere con la seconda strofa, dove la ragazza canta all'albero di limoni, come se cantasse a una rosa, il tormento di sentirsi abbandonata. Non c'erano camion e carrarmati lì intorno, erano un po' indietro, con i motori che si sentivano appena sotto la sua musica; fermi impalati a due passi da lei ad ascoltare il suo tango c'erano dei soldati. Un po' avanti agli altri, mio padre. Che era un ragazzo alto con i ricci e la faccia del colore che prendono i contadini alla fine della fienagione. Aveva un fazzoletto al collo di un colore adatto alle femmine, quasi rosa, e una sigaretta penzoloni tra le labbra. E teneva nelle mani un enorme fucile con la canna puntata a terra. Lei chiuse gli occhi e riprese a cantare e a suonare. E a metà della strofa sentì più forte l'odore del tabacco, il che le dava prurito al naso e la indispettiva, così alzò gli occhi e guardò questo ragazzo che le fumava nei capelli.

Mio padre la guardava e sorrideva in modo buffo, con la sigaretta che gli ballonzolava qua e là, mentre con una mano frugava nel taschino della giubba. Tirò fuori una scatoletta e cominciò a scuoterla. Aveva un gran senso del ritmo, mi ha raccontato la Duse: suonava la sua scatola di fiammiferi preciso e morbido come fossero una coppia di maracas. E allora la Duse non sapeva ancora cosa fossero le maracas. Lui accompagnò il suo tango del limonero fino alla fine, poi le fece un inchino mentre i suoi compagni applaudivano e si passavano tra loro borracce d'acqua spruzzandosi come a una festa di bambini. La Santarellina non conosceva quella canzone e dunque non la cantò assieme alla Duse. Comunque non lo avrebbe fatto, dice, e dice anche che è stata tutto il tempo con una mano nella sua sacca, stretta sul manico del falcetto. Ma quel ragazzo era bello, questo lo dice anche lei.

Tuo padre era bello.

Certe volte la mia donna mi dice che sono bello. Non le credo e faccio male: deprimo la libertà del suo sguardo. E poi forse assomiglio a mio padre. Secondo la Duse io assomiglio al suo di padre, ma sullo specifico di questo argomento non ci siamo mai inoltrati. Ho i capelli ricci, ce li avrei se li facessi crescere, e ho la carnagione scura, e sono magro e robusto. Né più né meno della metà di chi è nato in questo distretto. Ma sono piuttosto alto, e questo mi distingue.

Tuo padre era alto, mi ha raccontato la Duse, era così alto che mi raccoglieva le mele dagli alberi senza neppure alzarsi sulle punte dei piedi.

Le mele che mio padre coglieva per mia madre adesso non le vuole più nessuno, perché sono dure e aspre finché non marciscono. Le vanno giusto a raccogliere quelli come l'Omo Nudo che vogliono bene ai loro maiali. Non c'è niente che faccia felice un maiale come vedere un bel mucchio di melette rosse all'ombra della tettoia, non c'è niente che gli faccia la carne dolce e saporita come una palata al giorno di melette per tutto l'autunno. Le do anche ai miei. Ma io non vado in giro per la montagna con il sacco, io ho piantato tre meli selvatici nel mio orto, e l'ho fatto in onore di mio padre.

Mi ha raccontato la Duse che è stato il loro unico svago, quello di andare a rubare melette nei pascoli. A mio padre piacevano perché gli ricordavano il gusto di un frutto del suo paese. Questo per tutto l'autunno del '44 e il primo inverno. Ne prendevano solo tre a testa, per non farsi ammazzare dai contadini: in quell'autunno non bastava avere una divisa e un fucile calibro 9 per rubare mele impunemente. E dovevano essere belle acerbe per trovarle ancora sull'albero. Alla stagione vado anch'io ogni tanto con la mia donna nell'orto e le raccolgo qualche mela. È lei che me lo chiede. Prendimi questa, prendimi quella, e conta quante riesco a prenderne senza alzarmi sulla punta delle dita. Non le ho mai raccontato delle melette del '44, non è un particolare importante; evidentemente è un qualche gioco che piace alle femmine in generale, un sistema di valutazione dei loro uomini. In ogni caso, anche se assomigliassi a mio padre, non ho ereditato il suo carattere: io non rido quasi mai. Non ho neppure la bocca adatta per farlo, non mi si scoprono i denti. Pare invece che lui avesse una risata bellissima. Nel '44, ed è tutto dire.

Ho una fotografia di mio padre; o meglio, la Duse aveva una sua fotografia che mi ha fatto vedere la sera delle grandi rivelazioni. Da quella volta non l'ho più cercata. Non mi serve guardarla ancora, l'ho imparata a memoria in quel momento. Non l'ho cercata neppure quando ho sistemato la casa della Duse, come non ho cercato un sacco di altre cose che sono finite tutte alla rinfusa dentro le casse che adesso sono in cantina assieme a quelle dei libri. Ho una fotografia di mio padre e non so dov'è. Ma non importa. Era proprio un ragazzo. Stava dentro la sua divisa da campagna come i ragazzi indossano la loro roba da strapazzo, come un principe; quel modo noncurante e trasandato eppure naturalmente signorile che gli viene dalla gloria di un corpo orgoglioso e gioioso, anche quando sono pieni di fango.

Nella fotografia la divisa sembrava pulita, almeno abbastanza, ma gli scarponi erano infangati fino alle ghette. Lui guardava verso la fotocamera con la testa leggermente inclinata, come se volesse prendere la luce più giusta, e sorrideva. Nel farlo scopriva denti bianchissimi. Teneva una mano poggiata alla cintura gonfia di giberne, mentre con le dita dell'altra teneva una sigaretta accesa. In un modo curioso, come se fosse esplosiva e andasse trattata con cautela. Aveva gli occhi di un ragazzo e spero di averli avuti come lui alla sua età. Gli occhi di un uomo, anche del più franco tra gli uomini, sono sempre un po' opachi, quelli di un ragazzo sono limpidi. Ci sono ragazzi che li vedi costretti a diventare uomini a dodici anni, lui aveva ancora uno sguardo lucente nell'autunno del '44; e aveva ormai diciotto anni e da un anno era partito per la guerra. Alle spalle di mio padre c'era il profilo sfocato di quella che sembrava una bambina: la Duse mi disse che era la Santarellina. La Santarellina tendeva a non lasciare mai sola la sua amica, tranne, immagino, quando andava per melette con mio padre. Nella fotografia non si capisce, ma è probabile che avesse anche in quell'occasione la sacca con dentro il falcetto.

Come posso ricordarmi tutti questi particolari dopo cinquant'anni? Facile: in quella fotografia c'è tutto quello che ho visto di mio padre, tutto quello che mi rimane da ricordare. Ci sono diverse specie di orfani a disposizione dell'umana considerazione ed eventuale pietà, ma il più orfano di tutti è chi ha perso un padre o una madre senza una buona ragione. È facile farsi una ragione di un uomo morto in guerra, ragionevole persino mettersi il cuore in pace per una madre impalata in un campo, o due genitori saltati in aria in una stazione ferroviaria. Puoi scegliere di farti orfano di un padre assassino, o anche solo puttaniere; puoi abbandonare una madre cattiva alla più sacrilega delle solitudini. Ma come potresti farti una ragione di non essere mai riuscito neanche a vedere tuo padre, quando sai che è un ragazzo forte e sorridente, buono e generoso? Come puoi convincerti di essere un orfano ordinario quando non c'è nessun cadavere, nessun tradimento, o menzogna, o colpa, o cinico destino? E c'è solo la maestra Duse che ti dice: tuo padre era così alto che prendeva le mele dagli alberi senza nemmeno alzarsi sulle punte dei piedi, tuo padre era così buono che metteva delle bandierine colorate sulla canna del fucile per non spaventare i bambini che incontrava. Be', poteva provarci anche con me con le sue bandierine.

Ma non è questo il punto. Non ho mai sentito la mancanza di mio padre, neppure quando ero bambino sono mai stato geloso di quelli che ne hanno avuto uno, ma ho sempre sentito la necessità impellente di una buona ragione. Le uniche ragioni che conosco sono quelle della Duse, le sue spiegazioni nella domenica delle rivelazioni. E la Duse è stata una maestra: non ha mai ritenuto che fosse necessario giustificare ciò che spiegava e ciò che non spiegava.

La nascitura sarà un'orfana diversa da suo padre, sarà un'orfana normale. Avrà tempo sufficiente per capire e potrà constatare con i suoi occhi; sua madre si incaricherà di spiegare e fornire adeguate giustificazioni. Avrà i suoi ricordi e, se ci terrà a guardarsele, diverse fotografie che la 'Nita continua a scattare approfittando della mia debolezza nei suoi confronti, che mi impedisce di prendere quella fotocamera e buttarla giù dalla Pania. Saprà molte cose di suo padre, in parte veritiere.

Io so solo che sono nato per un puro e semplice gesto dell'amore. E so che poco dopo mio padre se n'è andato. In questo caso aveva una buona ragione per andarsene: era la vigilia di Natale del '44, era cominciata quella notte la Wintergewitter. La Duse mi ha raccontato che quella mattina era uscita che era ancora buio, contenta di quello che avrebbe fatto per mettere assieme un po' di Natale, e sul Ponte, riversi lungo la strada e buttati addosso alla spalletta, aveva trovato dei soldati morti. Erano tanti, una pattuglia intera, erano i compagni di mio padre. C'era sangue rappreso nella brina, dappertutto, e nessuno di loro aveva più le scarpe. L'osteria era chiusa, la Santarellina dai suoi padroni a preparare la Vigilia. Non c'era nessuno per la strada, non sentiva nessun rumore che venisse da qualunque parte, e lei si è messa a guardarli in faccia uno per uno per trovare mio padre. Lui non c'era.

Nella notte, silenziosa, era passata dal Ponte la Wintergewitter, l'offensiva di Natale. Si sarebbe saputo qualche ora dopo cos'era la Wintergewitter, quando cominciarono a passare a bassa quota gli aerei che andavano a mitragliare il fondovalle, e verso Lucca e Pistoia si sentivano tanti di quei colpi che sembrava fosse arrivato il giorno del Giudizio.

I tedeschi e la Monterosa erano scesi dalle loro linee sulla montagna e avevano tentato la sorpresa, uccidendo a coltellate per arrivare il più giù possibile senza dare nell'occhio. Le scarpe non le avevano prese loro, se le erano portate via quelli di lì che ne avevano bisogno ed erano usciti di casa prima della Duse. Mio padre e quelli rimasti vivi dei suoi si erano ritirati; in serata erano già a difendersi a Porretta.

8.

TUTTO QUESTO È VERO

Dove avranno mai dato sostanza mio padre e mia madre al puro e semplice atto di amare che mi ha concepito? Sotto quale melo, o in quale prativo, capanna o metato?

D'autunno i meli dei campi alti cominciano a seccare le foglie quando hanno i frutti ancora appesi e sotto ogni albero si forma un lettuccio dorato e scricchiolante. Lì è bello; è bello arrivarci con una ragazza senza aver parlato troppo lungo la strada, arrivarci sudati del calore che svapora dall'ultimo fieno, raccogliere un paio di frutti per rinfrescare la bocca prima di dire quello che va detto, e poi dirlo sottovoce sapendo di profumare di aspro. È bello baciare quella ragazza che ti ha seguito per tutta la strada senza chiedere dove e perché, baciarla e intanto adocchiare intorno se il contadino ha davvero finito il suo lavoro e per un po' non tornerà nel suo. Lì, nei giorni che san Remigio fa sembrare ancora estate per consolare quelli che hanno raccolto poco e sperano ancora di rifarsi con qualche verdura tardiva, lì, buttata la giacchetta sotto il melo più grande, è bello anche solo starsene sdraiati a mangiarsi una meletta e a sentire gli zoccoli dei daini che si agitano nelle macchie lontane aspettando la sera per godersi la loro parte di frutti. Così è bello anche da soli, e sono ormai decenni che faccio in questo modo, perché con il tempo ho imparato a preferirlo, a scegliere silenzi meno promettenti ma più duraturi, ragazze già sazie di aspro e curiose di altro.

Ma in quell'autunno la Duse e mio padre non erano di certo propensi alla sazietà, né, immagino, potevano dirsi curiosi di altro. Se erano innamorati; e questo lo posso soltanto supporre, perché né la sera del racconto dell'immacolata concezione, né in seguito ricordo di aver sentito dalla maestra Duse pronunciare in mia presenza il verbo "innamorarsi", o il sostantivo "innamorati". Parole che ho appreso in seguito e altrove; in particolare, quella sera ha solo detto "amore", e la Duse conosceva bene la lingua italiana e come insegnarla.

Forse che si possa amare e dare atto all'amore senza per questo essersi innamorati? Perché no? Maria si è forse innamorata di Giuseppe? Lo ha amato, amato a tal punto da confidargli il suo segreto; se mai Maria si era innamorata è stato per l'arcangelo annunciatore, per quello che era venuto a dirle. E mio padre? Chi è stato mio padre, Giuseppe o l'arcangelo Gabriele?

Da quello che ho visto era solo un ragazzo. E poteva forse un ragazzo, un qualunque ragazzo in salute, non essersi innamorato della Duse? Non foss'altro che per i suoi capelli, per la sua fisarmonica, per la sua voce? E averla fregata così, sotto un melo? Non è cosa da Duse, non è nella natura di mia madre buonanima farsi fregare da una creatura del Signore; forse dalle sue piante esotiche, ma da nessun altro. Ha insistito sul fatto che mio padre avesse un animo tenero e un cuore dolce. Non mi ha parlato di giacigli tra le foglie e di baci appassionati, di galanterie e munificenza, ma di come la sera stessero seduti sulla spalletta del Ponte a parlare delle cose meravigliose che aveva in animo. Di come cercassero di non smettere mai di parlare; e di come, quando il sonno li prendeva, cominciassero a battere assieme i piedi contro il muretto, e gli zoccoli avevano un suono alto e gli scarponi militari un suono basso, e questa era come musica. Finché lui non doveva rientrare al suo accampamento, e allora la accompagnava fino alla porta di casa, dove la Santarellina teneva il suo falcetto a un chiodo dello stipite, a portata di mano.

Mi ha riferito la Duse l'augurio con cui la lasciava ogni volta; bisbigliato, mi ha detto, come se fosse la cosa più bella del mondo che le lasciava in ricordo: Bella notte senza luna.

Me lo ha ripetuto più volte, ogni volta mettendoci un poco più di dolcezza e melodia, perché assomigliasse il più possibile al modo in cui le era stato detto, con l'accento speciale e irripetibile di mio padre, con la sua irripetibile dolcezza. Si è impegnata molto la Duse perché a mia volta imparassi a ripetere quel saluto, e nel modo giusto, perché era la cosa più romantica che le fosse mai stata detta da quell'uomo, e sfidava qualunque altro uomo, me compreso, a trovarne di migliori. Qualunque uomo che sappia regalare un po' di bellezza in una notte senza luna, sa qualcosa dell'amore, qualunque donna capace di trovare un po' di bellezza in una notte senza luna, ha imparato tutto quello che le serve dell'amore. Questo mi ha detto, e conseguente alla sua onestà magistrale, ha aggiunto che in quell'autunno del '44 nessuno che avesse avuto a cuore un essere umano si sarebbe sognato di sperare per lui lume di luna: era in quelle notti che passava a filo del riflesso della luna sul fiume, Pippo, il bombardiere che non sapeva mai bene su cosa tirare e allora sganciava la sua bomba dove gli veniva fantasia.

Ma questa, insisteva la Duse, era la cosa più bella di tuo padre, e dovrebbe essere la cosa più bella di tutti quelli che amano: sapeva sempre trovare la dolcezza della poesia.

Mio padre era un poeta, pensa te. Un giovane poeta arrivato dagli antipodi a far la guerra nella terra del grande poeta degli orfani, il beniamino del popolo afflitto dall'orfanità universale. Il vate che pur avendo sondato tutte le malinconiche dolcezze della notte e degli astri che nella notte risplendono, non aveva mai avuto genio per un solo verso che invitasse l'animo dei suoi non pochi lettori alla speranza di una bella notte senza luna. Senza contare che il ragazzo era orfano lui stesso, e che la Duse non poteva sentirsi niente di più. Come avrebbe potuto non innamorarsene? E come avrebbe potuto il giovane poeta non innamorarsi della ricciuta cantatrice di tanghi?

E dunque erano solo due ragazzi qualunque, innamorati nel mezzo della Linea Gotica, nel cuore del '44.

In quel tempo nessuno poteva pensare alla solitudine se non si era scavato un buco sotto la cantina e non ci si era sepolto dentro, e i due ragazzi hanno attraversato l'universo intero prima di trovarsi soli, loro due assieme in solitudine. Dove possano aver trovato in quell'autunno un posto adatto all'amore della Duse, al suo primo amore come da lei confermato, al suo unico amore come ha precisato, dove possano aver messo assieme tutto quello che serviva per evacuare da quella stagione di quell'anno così poco adatto agli innamorati, non so vederlo. Forse sotto un melo, se sono stati abbastanza coraggiosi, se mai hanno saputo approfittare di un mezzogiorno troppo caldo anche per i montanari, di un giorno di pioggia troppo noiosa anche per gli affamati di mele dure e aspre. Ma non è stato sotto un castagno, non è stato tra i sacconi di foglie di un metato. Infatti nessuno mi ha mai detto che puzzo di fumo di metato, ed è la prova più certa che non vengo da lì, cosa che mi seccherebbe moltissimo per la promiscuità insita nelle selve durante l'autunno, quando si raccoglie e si essicca, ed è tutto un viavai.

Il figlio del Verano, lui sì che è stato fatto nella selva, e sa di fumo da quando è nato. Perché è stato concepito in un metato, perché suo padre si è sposato e il giorno dopo ha portato la moglie in viaggio di nozze alla raccolta delle castagne. Dice la Santarellina che il Verano e la sua moglie novella si sentivano a buio urlare per tutta la costa, per via che nel movimento si facevano male con i rametti secchi nascosti tra le foglie. No, non è una cosa alla Duse questa. E io sono cresciuto aspro e duro, e lo resterò fino a marcire, ragion per cui è senz'altro dalle melette rosse che vengo.

Quando ero ragazzo le persone per bene e le riviste di cineromanzi che leggeva la Santarellina si rivolgevano a uno come me con l'espressione: un figlio dell'amore. Niente di più appropriato. Ma non mi è mai piaciuto pensare che qualcuno si rivolgesse a me in questo modo, nemmeno la Duse in fin dei conti. Il fatto che sia stato attento quando lei mi ha spiegato, che abbia mandato a memoria tutte le parole importanti, che abbia ricordato il tutto fino a oggi senza storpiare alcunché, non significa che abbia apprezzato. Non proprio. È difficile crescere come il più irriducibile degli orfani e credere che tutto ciò provenga dal privilegio di essere un figlio dell'amore. Una rarità in questo distretto, tant'è che non ne ho mai incontrato un altro. Non che fosse mai successo che qualcuno mi considerasse in modo speciale per questa ragione, che mi si rivolgesse come "al figlio dell'amore" e facezie del genere. Nessuna spiritosaggine, nessuna illazione al riguardo. Anche a essere tentati, vecchi e ragazzini avevano tutti troppa paura della maestra Duse per provarcisi. E non troppo tardi hanno cominciato ad aver paura anche di me. No, nemmeno la Duse poteva chiedere a suo figlio di farsi un'opinione sensata di se stesso. E una ragionevole opinione dell'amore, naturalmente. E una anche solo passabile su suo padre.

Che non era americano, non nel senso che tutti a quel tempo davano all'essere americani. Non faceva parte dell'esercito degli Stati Uniti. Era invece un americano del Brasile, un brasiliano dello stato del Pará. Noi che non siamo ingrati ce lo ricordiamo ancora: erano brasiliani i primi Alleati che si sono affacciati al distretto, sono stati loro che hanno tenuto il fronte nel '44. Poi sono arrivati gli indiani, i maori, i neozelandesi, i neri della Buffalo, ma solo dopo che i brasiliani si erano fatti ammazzare per la metà nell'offensiva di Natale, la Wintergewitter; come diligentemente abbiamo mandato a memoria nel suo suono originale, dando un involontario e fuori luogo tocco di femminile levità a una parola che i tedeschi considerano peggio che maschile, neutra.

I brasiliani erano quelli del Serpente che Fuma; era in questo modo buffo che si facevano chiamare. Venivano da un paese così grande e talmente distante da tutto il resto del mondo che anche la guerra mondiale ci sarebbe annegata dentro. Infatti il loro presidente, lo stupido dittatore Vargas, aveva solennemente dichiarato alla nazione che l'avrebbe risparmiata dalle sofferenze belliche, e aveva promesso: vedrete i serpenti fumare il sigaro prima che questo nostro amato paese si impegni in un'altra guerra. Il popolo ricordava ancora le lunghe e infruttuose guerre che qualche decennio prima avevano combattuto contro l'Argentina e il Paraguay per dei territori che nessuno sapeva se poi alla fine erano stati conquistati o persi, terre che comunque nessuno si prendeva la briga di andare a governare. Così che quando si trovarono in trentamila ammassati in una dozzina di mercantili con destinazione "il teatro europeo del conflitto", si dissero: be', allora vuol proprio dire che i serpenti si sono messi a fumare.

E lo scrissero sulle loro insegne, lo fecero ricamare sulle loro mostrine, lo dipinsero sulle fiancate dei loro camion. *Il serpente che fuma.* I loro generali non se la presero troppo, e neppure il presidente fedifrago: sapevano che non sarebbe stato né facile né opportuno castigare il senso dell'umorismo di quelle decine di migliaia di giovani che perlopiù non avevano ancora capito bene chi sarebbero stati i loro alleati e chi i loro nemici. Essendo il loro dittatore di ispirazione fascista, fino a un attimo prima dell'entrata in guerra si era sperticato in giuramenti di amicizia e fedeltà con l'Asse; Roosevelt dovette minacciare fuoco e fiamme, pagare molto e promettere di più per portare il Brasile con sé in Europa.

Partirono con un equipaggiamento vecchio di generazioni, spaiato e mal funzionante, affidati a ufficiali arruolati tra le famiglie dei grandi proprietari terrieri, i figli meno promettenti di quelle famiglie, militari per malavoglia che avevano studiato con istruttori tedeschi e libri francesi. Solo per mettere assieme quegli uomini e le loro ferraglie ci vollero dei mesi, perché le caserme erano disseminate per tutto il paese, distanti migliaia di chilometri l'una dall'altra e altre migliaia dalla capitale; guarnigioni sepolte nelle foreste del Maranhão e del Pará, rinsecchite nei deserti del Minas Gerais, dimenticate nelle praterie del Santa Catarina.

Li imbarcarono a Rio de Janeiro dicendo loro che sarebbero andati a liberare la Grecia, e che prima però si sarebbero fermati ad addestrarsi nella difficile impresa in territorio africano; là sarebbero stati anche armati a puntino. Invece li sbarcarono a Napoli e li tennero per quello che rimaneva dell'estate del '44 acquartierati in mezzo alla campagna casertana, in un grande frutteto di peschi e albicocchi. Li misero a fare flessioni e a marciare su e giù tra i filari, e riuscirono a mangiarsi tutta la frutta prima che il Comando Alleato mandasse un generale a due stelle a congratularsi con loro, vestirli e armarli a nuovo e caricarli sui camion con la consegna di andare a nord finché non avessero trovato il nemico.

Il nemico più vicino era qui da noi, e qui si fermarono. Lungo la strada fecero i primi morti. Ma non in combattimento, perlopiù in incidenti. Sulle strade, perché avevano dato loro dei mezzi che non sapevano guidare e non gli avevano spiegato come farlo; mentre provavano le nuove armi, perché ignoravano come funzionassero e non era stato spiegato loro neppure questo.

Il primo a morire per mano di una mitragliata di un commilitone si chiamava Antenor Chirlanda, era originario dello stato di San Paolo e durante la spedizione mio padre aveva fatto amicizia con lui. Non era stato un bel viaggiare per Antenor: lo prendevano tutti in giro e lo chiamavano Mussolini, in ragione di una stupefacente somiglianza con il dittatore italiano che stavano andando a combattere. Mio padre lo consolava e gli raccontava del vecchio Antenore suo omonimo, saggio e lungimirante troiano che odiava la guerra e che alla fine fu uno dei pochi a sopravvivere alla distruzione della loro città. Gli raccontava di come riuscì ad arrivare in Italia, proprio dalle parti dove loro stavano andando, vivendo abbastanza a lungo da fondare persino una nuova città, una città che avrebbero liberato da lì a poco e che forse portava ancora il suo nome, il nome di Antenore.

E questo non accadde, e Antenor Chirlanda si fermò ben prima di Padova, perché i Thompson semplificati che avevano dato loro per sconfiggere il dittatore Mussolini avevano la sicura difettosa. Del resto, Antenor si era arruolato volontario non per vedere il mondo, ma solo per non ammazzarsi di lavoro raccogliendo caffè. C'erano pochi volontari come lui nel contingente brasiliano; qualche piccolo delinquente che in questo modo aveva riscattato la pena, ma perlopiù ragazzi delle campagne che si volevano guadagnare onestamente una paga senza doversi mettere a schiavitù in un latifondo.

E poi, tra loro, c'era mio padre. Che non era né un delinquente né un campagnolo in senso stretto. Si può anzi ben dire che mio padre si sia arruolato per una ragione di natura poetica. E seppur orfano, confuso tra la moltitudine di orfani sparsi per tutto il continente brasiliano, non era neppure uno qualunque di loro.

Si ricorda di lui il grande attore e regista Orson Welles. Racconta di averlo incontrato e di avergli parlato. Riporta quell'incontro e la breve conversazione che ne è seguita nei quaderni tenuti durante i sopralluoghi che precedettero le riprese di una sua innovativa ma sfortunata opera cinematografica. L'opera si intitolava *It's all true*, un progetto molto ambizioso in cui il regista si sarebbe impegnato a mostrare solo la verità delle tante vicende umane e sociali che aveva incontrato in un lungo e approfondito viaggio attraverso il continente latinoamericano. Se la casa produttrice con cui si era impegnato non avesse poi rifiutato di realizzarlo, mio padre ne sarebbe diventato uno degli interpreti. Questa era l'intenzione del signor Welles. Allora lui era un promettente e acclamato genio in cerca di nuove suggestioni intellettuali, mio padre un ragazzino di tredici, quattordici anni che bighellonava nei pontili degli empori fluviali intorno a Santarém. Un mancato divo del cinema, a quanto pare, anche se il signor Welles non lo aveva messo a parte dei progetti che lo riguardavano.

Di questi progetti parla nei suoi diari e in una lunga intervista che ha rilasciato a una rete televisiva inglese quarant'anni dopo, ormai vecchio; riguardo a mio padre dice che l'incontro con quel ragazzino gli aveva fatto cambiare radicalmente opinione sul continente che aveva appena attraversato girando migliaia di inutili metri di pellicola, e lo aveva indotto a rivedere le sue intenzioni cinematografiche al riguardo. Aggiunge che si trattò di quel genere di imprevedibili incontri che servono a maturare una coscienza artistica, e che per quanto lo riguardava il breve colloquio con il giovane Chico valeva quanto la lettura del *Sogno di una notte di mezza estate*.

Dunque, ho appreso da Orson Welles che mio padre si chiamava Chico; come aveva tenuto a precisare il ragazzo, il suo nome era Domenico, conosciuto da tutti come Chico. La Duse non mi ha mai detto il suo nome, la Duse ha sempre e solo parlato di "tuo padre" e del "mio amore". Quelli della vallata che lo hanno conosciuto, semplicemente del "brasiliano". Non ho mai chiesto a nessuno come si chiamasse mio padre, ed è stato un bene, forse una premonizione: Chico è un nome per niente adatto a un padre leggendario, almeno per come suona qui nella vallata.

Ecco cosa dice Orson Welles di mio padre. Si trovava dunque lungo il Rio delle Amazzoni da diverso tempo con una piccola troupe con cui girava materiale inseguendo idee che gli venivano giorno per giorno, e spediva periodicamente negli Stati Uniti la pellicola per la stampa servendosi dei collegamenti dei battelli fluviali. Una sera stava aspettando il postale in un piccolo imbarcadero di cui non ricordava il nome, uno dei molti che aveva incontrato, con un pontile di legno, un emporio di assi, uno spiazzo di terra battuta, un albero di anacardio e un paio di manghi. In realtà non sapeva con precisione neppure se fosse sul Rio delle Amazzoni o sul Rio Tapajós, perché in quella zona il corso del più grande fiume del mondo e dei suoi affluenti è talmente contorto da risultare indecifrabile. Aspettava il battello e fumava un grosso sigaro: allora era ancora molto giovane e timido e fumare sigari gli serviva a dare un che di adulto alla figura di ragazzone; aveva bisogno di un contegno da uomo sicuro di sé perché era momentaneamente solo e doveva respingere l'assalto dei venditori di acqua di cocco e di succo di canna e di diverse specie di accattoni affamati.

Era un pomeriggio molto caldo, il cielo era pesante e grigio e in quel punto il fiume dava l'impressione di un immenso stagno immoto sulla cui superficie sobbolliva in larghe e lente spirali ogni sorta di materia in decomposizione; aveva avuto la pessima idea di cercare riparo dalla calura sotto uno dei manghi, e l'odore dei frutti maturi gli stava dando la nausea. Si era accorto di questo ragazzino che gli girava attorno da un pezzo, al modo dei cani affamati, disegnando una spirale sempre più stretta, lanciandogli ogni tanto sguardi obliqui e accorati. Non sembrava che avesse niente da vendere perché non aveva niente tra le mani, portava un paio di braghe corte e neppure una maglietta. Non era diverso da tutti gli altri ragazzi che aveva incontrato lungo il fiume, aveva lo stesso passo dinoccolato e sbieco, lo stesso sguardo intelligente e attento, sennonché i suoi capelli erano corti e ricci, di un colore castano scuro molto raro da quelle parti.

È stato per la curiosità di quei capelli che invece di continuare a fumare il suo sigaro ha fatto avvicinare il ragazzo. Si sono parlati in italiano perché Welles aveva dei problemi con il portoghese e Chico conosceva la lingua che il regista aveva imparato a masticare durante un suo viaggio in Italia. Ha chiesto al ragazzo se volesse qualcosa e lui ha risposto che voleva solo sapere se per caso fosse greco. Gli era sembrata una domanda affatto singolare, posta da un ragazzo seminudo in un'afosa sera su un molo marcito del Rio delle Amazzoni, o del Rio Tapajós che fosse. E così si informò. Il ragazzo desiderava conoscere un greco e gli pareva che lui potesse esserlo, perché era grande e barbuto come i greci. Nel caso fosse greco, aveva da fargli una domanda.

Il signor Welles disse la verità, ovvero che no, non era greco, ma aggiunse una bugia, ovvero che avrebbe potuto fare la sua domanda perché nonostante fosse americano conosceva molto bene la Grecia. Allora Chico si strofinò il naso con la mano e chiese che gli parlasse del mare della Grecia. Questo riferisce Welles all'intervistatore televisivo, e fu così stupito della richiesta che prese il ragazzo e si sedette con lui nella baracca che faceva da emporio, gli offrì un succo fresco e cominciò a intervistarlo.

Chico sognava da anni il mare della Grecia, da quando gli avevano letto una storia. Chico non era analfabeta come tanti lì intorno; Chico aveva fatto la scuola e imparato cose che gli sarebbero rimaste nel cuore tutta la vita. Questo diceva il suo maestro: che le avrebbe portate nel cuore per sempre; e per questa ragione il suo cuore sarebbe stato molto più grande del normale cuore di un analfabeta. Il suo maestro era un prete.

Era un prete molto vecchio e molto malato, ma aveva cominciato che era ancora giovane a insegnare agli orfani delle fazendas lungo il fiume. Viveva ormai da cento anni nella foresta e aveva visto e conosciuto ogni uomo e ogni donna da São Francisco a Urucará. Aveva persino conosciuto i suoi genitori. I suoi genitori lo avevano portato nella casa del prete quando era molto piccolo perché si era ammalato di una malattia che nella loro fazenda non si poteva curare. Il prete lo aveva guarito e gli aveva dato un'istruzione, e ora lui era forte e saggio e avrebbe potuto girare per il mondo senza alcun pericolo. Ed era quello che avrebbe fatto, al più presto possibile, appena avesse saputo la direzione da prendere e trovato il battello che ci andava. I genitori dei suoi genitori venivano dall'Italia; di loro non si ricordava perché era appunto troppo piccolo quando era andato a vivere dal prete. Anche il prete era venuto dall'Italia, ma in modo diverso.

Questo sta scritto nei quaderni del signor Welles, con un asterisco accanto alla parola *different* che rimanda a una nota: importante, verificare. In effetti sarebbe stata una buona storia da aggiungere alle altre che stava raccogliendo, ma probabilmente voleva essere sicuro che fosse anche quella *all true*, tutto vero, e non ne fa parola. La storia di come differentemente erano arrivati i suoi nonni, l'ha raccontata mio padre alla Duse e la Duse a me. E se il signor Welles fosse stato più pratico dell'Italia al tempo dei miei bisnonni da parte di padre, non si sarebbe fatto scrupolo a riportarla: era rigorosamente *all true*.

Quella gente, come altri prima di loro e dopo, si era presa una bella fregatura da una delle agenzie che al tempo delle grandi migrazioni per le Americhe organizzavano i viaggi e offriva il lavoro. Vendevano a pegno un passaggio sulla nave in cambio del ricavato dei primi due anni di lavoro, al netto del vitto e dell'alloggio. Lavoro da contadini: disboscare, zappare la terra, seminare e raccogliere in una terra così vergine e grassa da dare tre raccolti all'anno. Non era un cattivo affare, sembrava invece una mano santa per uomini che non riuscivano a salvare i figli dalla pellagra e la casa dagli affitti arretrati. Con questo sistema erano partiti in decine di migliaia per il Brasile e l'Argentina, e in pochi anni quei contratti avevano svuotato il Veneto. C'erano a Genova degli scagni che vendevano polizze di viaggio solo ai veneti; alla sera mandavano gli agenti in giro per le campagne a bussare alle cascine con le fotografie, le mappe catastali e i contratti già pronti.

Ne fu processato uno solo di quegli agenti, e disse che aveva lavorato con i veneti perché con loro era più facile: erano quelli che avevano più fame di tutti. C'era il trucco, ce n'erano diversi. Vendevano passaggi su navi che non erano iscritte in nessun registro navale; e allora c'erano stagioni che per le strade di Genova, sulle calate, nei piazzali, buttate sui loro stracci si accatastavano centinaia di famiglie che non sapevano come tornarsene a casa.

Ma il trucco migliore era vendere gli uomini. Li facevano partire e quando sbarcavano a Belém, a São Luís, a Fortaleza, venivano presi in consegna dai loro padroni e portati nella foresta a disboscare; a volte viaggiavano anche per un mese. Lì non erano liberi di niente e padroni di alcunché, nemmeno della vita dei loro figli, venduti anche loro. Tutto quello che potevano fare era lavorare e sperare che arrivasse il padrone con qualcosa da mangiare. Non potevano scappare, non sapevano neppure dove fossero, e in ogni caso erano a una, due settimane dall'insediamento più vicino. Se il padrone non trovava più redditizio quell'appezzamento di foresta, li lasciava lì dov'erano, perché gli sarebbe costato troppo portarli da qualche altra parte. Morivano in fretta di malattia, prima ancora che di fame e di trappole indie. E qualcuno rimaneva.

Mio padre ha raccontato alla Duse che i suoi erano di Vicenza, così gli aveva riferito il prete. E dei due o trecento che erano arrivati nella foresta dopo vent'anni ce n'erano ancora una dozzina, dimenticati dal loro padrone. E di questi qualcuno morì di vecchiaia dopo aver fatto dei figli. E i figli non morirono tutti, ma ce ne furono che si fecero abbastanza robusti da fare a loro volta dei figli, figli come Chico. Non vollero lasciare il loro pezzo di foresta; di certo non sapevano dove andare, anche se negli anni e nelle generazioni avevano imparato ad arrivare fino al Rio delle Amazzoni e avevano incontrato altra gente. Avrebbero potuto prendere un battello, ma non c'era nessun posto dove andare, ammesso che avessero avuto i soldi per pagarsi un passaggio da qualche parte.

Restarono a coltivare igname e patate dolci, comprarono semi di mais dagli indios e ritornarono a fare la polenta, e quel poco di caucciù che riuscivano a estrarre dall'albero della gomma serviva loro per barattarlo alla stazione di posta più vicina e immaginare che forse un giorno o l'altro avrebbero persino potuto arricchirsi. Con il tempo moltiplicarono le loro capanne e le fecero più robuste, recintarono gli orti con palizzate che tenevano lontani gli opossum e le scimmie meno svelte, coprirono una sorgente di acqua pulita e riuscirono così ad ammalarsi meno di dissenteria e di cecità; poi costruirono strade di terra e tracciarono sentieri ben fatti attraverso la foresta fino a raggiungere il fiume. Chiamarono le loro capanne Nuova Vicenza, perché sapevano che nella loro vecchia terra non ci avrebbero mai più messo piede, e continuarono a parlare l'unica lingua che conoscevano, la lingua con cui erano arrivati nella foresta. Ecco dunque che mio padre è figlio di schiavi affrancati, nativo di Nuova Vicenza, stato di Amazonas. *It's all true*, è tutto vero.

L'anno scorso, eravamo intorno a San Giovanni perché le avevo raccolto i primi fichi, la 'Nita mi ha regalato il ritaglio di un giornale americano, il "Los Angeles Times", uno di quei giornali che la postina mette in mano a lei personalmente il sabato come se dovesse consegnare ogni volta l'editto di Nantes alla firma del re di Francia. Era arrotolato e legato con un nastrino rosso; mi ha detto: questo è un regalo per te.

Il ritaglio riportava la notizia nuda e cruda e senza neppure una fotografia di una protesta piuttosto cruenta di una piccola comunità amazzonica per impedire l'attraversamento del loro territorio da parte della grande arteria stradale panamericana che da più di sessant'anni arrancava attraverso il continente latinoamericano cercando di arrivare a buon fine. Si trattava di barricate, di sabotaggio di mezzi meccanici e incendi di materiali; si trattava anche di fucili e machete e bombe artigianali, si trattava di parecchi feriti e forse qualche morto. La stravaganza della notizia che aveva scalfito il sussiego del giornale californiano non stava nei disordini in sé, ma nel fatto che erano opera di una piccola comunità di italiani che viveva nella zona da più di cent'anni in completo isolamento, tant'è che avevano mantenuto lingua e costumi originari, nomi propri e toponimi compresi. Il loro villaggio si chiama Nuova Vicenza. *It's all true*, e i miei cugini da parte di padre sono lì sotto i riflettori della stampa mondiale che stanno facendo la rivoluzione amazzonica. Un esempio per tutti noi qui nel distretto.

Non colleziono cimeli di mio padre, e quel ritaglio non so neppure più dove è andato a finire, ma mi ha fatto piacere venire a sapere anche in quella circostanza che è tutto vero. Che una vita straordinaria ha solo bisogno di verità.

È stato un bel regalo quello della 'Nita, e giustamente lo ha infiocchettato come si deve; del resto lei è specializzata in regali istruttivi, e ha una particolare predisposizione per le parole di verità. Lei che vive diritta sopportando il peso di una menzogna senza fondo che le hanno caricato sulle spalle da bambina, quando aveva la stessa età della Santarellina al tempo che la mandarono a lavorare alle selve e la canzonavano che sarebbe diventata gobba. Se ne sta eretta come un pioppo la 'Nita, da quando si sveglia a quando si corica, nella certezza di saper cogliere la verità già quando si profila all'orizzonte. Sta diritta anche adesso, che è gravida del peso di questa nostra nascitura. Ci morirà diritta, come la Santarellina, perché queste donne sono così fatte, che non c'è modo di farle secche, neanche a tentare di seppellirle sotto una valanga di tritolo, o mille tonnellate di castagne secche. La mia donna è arrivata fin qui essendo venuta alla luce dalla montagna di detriti di una stazione ferroviaria saltata in aria per mano di un portatore di valigie carico di tritolo e menzogne. La Santarellina è arrivata fino a Newcastle risalendo le strade TODT da un orfanotrofio di monache di montagna, e non c'era verità né nel luogo da cui è partita né in quelli per i quali è passata. È anche per questo che l'ho fatta rimanere, questa pazza proliferatrice di umanità: per mettere al sicuro in questa casa un po' di verità.

Ma ecco cosa ricorda il signor Welles circa la conversazione con il ragazzo conosciuto come Chico. Il ragazzo beve la sua bibita e racconta. Ci si stava bene nella casa del prete; i ragazzi guarivano, crescevano e poi se ne tornavano dalla famiglia se ce l'avevano, o se no potevano scegliere se andare per il mondo o restare a lavorare con il vecchio. Lui non sapeva bene se aveva ancora una famiglia: il prete non era stato chiaro in proposito, non sul fatto che sarebbero venuti a riprenderselo e nemmeno che lo stessero aspettando; era rimasto in attesa di partire per la Grecia.

Della Grecia sapeva tutto. La sera, quando i ragazzi erano sulle loro amache e ancora non avevano sonno, tutte le sere tranne il venerdì, che era il giorno in cui dovevano saltare la cena e fare silenzio, il vecchio apriva il suo libro e leggeva tre pagine. Il libro si chiamava *Iliade* perché raccontava in ogni minimo particolare di una antica città di nome Ilio e di tutto ciò che accadde prima che fosse distrutta dalla guerra. La guerra gliela avevano dichiarata i Greci che erano arrivati da cento città diverse per riprendersi Elena, la donna più bella del mondo che il re di Ilio aveva rapito. Sembrava una questione di donne, ma il vecchio aveva spiegato che c'era ben altro in ballo, nientedimeno che il potere su tutto il mondo di allora; e se anche fosse stato per una donna, quegli uomini avevano dato tutto quello che avevano, comprese le loro vite, in quella tragica guerra, e alla fine nessuno poté tornare a casa con qualcosa di buono, nemmeno i vincitori. Era una storia talmente bella e terribile che nessuno di quelli che l'avevano ascoltata se ne sarebbe mai potuto dimenticare. Lui no di certo.

Il ragazzo chiese se voleva che gliene raccontasse qualche pezzo, almeno i più belli, ma il signor Welles rispose che no, conosceva benissimo quella storia ed era d'accordo con Chico: la trovava senz'altro una delle storie più belle che fossero mai state raccontate. Chico ne rimase mortificato; era molto orgoglioso del fatto che la sapesse quasi tutta a memoria e, a parte i ragazzi della casa del prete, non aveva mai avuto occasione di raccontarla a qualcuno. Ora che aveva incontrato un vero greco, gli sarebbe piaciuto fare bella figura.

Orson Welles faticò non poco a convincere Chico che lui non era per niente greco, ma, come gli aveva già detto, solo un americano del Nord, e che il suo nome era Orson Welles, e nessun greco si sarebbe mai potuto chiamare a quel modo. Chico fece presente al signor Welles che nella storia c'erano molte belle immagini a colori e tra queste una che raffigurava l'eroe greco Aiace, e non c'erano dubbi che fossero uguali come due gocce d'acqua. Welles convenne che Aiace era stato un grande eroe e chiese a Chico cosa mai lo spingesse alla curiosità per il mare della Grecia.

Il ragazzo la prese alla larga. Raccontò che il vecchio prete si chiamava Olinto, che significava abitante dell'Olimpo. L'Olimpo era la montagna piantata in mezzo alla Grecia da dove gli antichi dèi pagani spadroneggiavano sugli uomini e le altre vicende del Creato, compresa la guerra di Ilio, il che faceva sentire il vecchio predestinato a essere di casa in quella storia dove gli dèi sacrilegamente guerreggiavano con gli uomini e peccaminosamente si coricavano con le loro donne. Era certo di aver avuto un antenato tra quegli dèi e di essere venuto al mondo a farsi prete per riscattare un po' dell'onore che quegli ingordi e vanesi avevano perduto. E ogni volta che cominciava a leggere le tre pagine della giornata, implorava i suoi ragazzi di comprendere come fosse per lui una pubblica penitenza e un atto di contrizione e supplica di perdono. Prostrato ai piedi di quegli innocenti che un giorno sarebbero emersi dal fondo della foresta per portare nel mondo giustizia e pietà, lui svergognava ogni sera i propri antenati e commiserava la debolezza dei loro.

A Chico sembrava che il vecchio fosse molto soddisfatto della sua penitenza, e quando un paio di anni prima era diventato così cieco da non riuscire più a leggere, solo con grande dispiacere aveva acconsentito che la penitenza fosse svolta da Chico stesso. Che non solo sapeva leggerla, ma poteva persino cantarla, se ne aveva voglia. E il signor Welles sottolinea due volte *sing it*.

Leggendola dunque tutte le sere, eccetto il venerdì del silenzio, aveva scoperto che la storia ora gli piaceva in modo diverso. Capiva altre cose e ne scopriva di nuove ogni volta, come se vedere una parola fosse una faccenda più grossa che starla a sentire. Così si era trovato a un certo punto davanti la parola "azzurro", perché il mare della Grecia è per l'appunto azzurro. Lo aveva già sentito tante volte dalla voce del vecchio, e forse non ci aveva fatto caso, perché ad avercelo lì davanti agli occhi quel colore aveva improvvisamente scoperto che non sapeva cosa fosse. Non sapeva di che colore fosse il mare azzurro, ed era certo che si trattasse di qualcosa di straordinario e raro. Lui non l'aveva mai visto e, soprattutto, non riusciva nemmeno a immaginare come potesse essere. La cosa più vicina all'idea del mare su cui potesse far conto era il fiume, e intorno al posto dove viveva, a nemmeno una giornata di piroga dalla confluenza del Rio Tapajós con il Rio delle Amazzoni, il fiume poteva sembrare un mare, ma la sua acqua non era mai stata nemmeno lontanamente azzurra. Era verde, era grigia, era marrone; a seconda della stagione era smeraldo e quasi nera, colore della foglia del platano e colore della scorza dell'albero del pane, ma non certo azzurra. Mai.

Aveva chiesto al vecchio di spiegarglielo, ma il vecchio non lo sapeva dire bene nemmeno lui. Gli aveva detto che a quel punto non riusciva più a ricordare con precisione l'azzurro: ormai era passato un secolo che aveva attraversato l'oceano, e se anche fosse stato tutto azzurro dall'inizio alla fine, non sapeva più come dirlo. Ma dubitava che l'oceano fosse azzurro come il mare di Grecia, perché aveva un certo qual ricordo di un grigio a volte più scuro e a volte meno scuro che gli aveva dato il voltastomaco e una noia tremenda. E non sapeva neppure come fargliello vedere l'azzurro, perché non riusciva a trovare nessun soggetto di quel colore tra le illustrazioni dei suoi libri, se non forse il manto della Madonna. Che però non poteva assicurare che fosse l'azzurro del mare e nemmeno un altro azzurro, perché come tutto il resto delle cose, il manto della Madonna si era sbiadito e aveva finito per prendere il colore dell'Amazzonia. Né c'era qualcuno che potesse dirglielo al posto del vecchio. Nella foresta e lungo il fiume non c'era mai stato il colore azzurro; nascevano tutti e crescevano e poi morivano senza aver mai visto quel colore. A volte il cielo poteva sembrarlo, per piccoli tratti e brevemente, dopo un acquazzone, ma anche in quel caso il vecchio aveva avanzato i suoi dubbi. Così che continuava a chiedere informazioni in giro, per vedere di riuscire a saperne di più prima di partire. E questa volta era stato proprio sicuro di aver trovato l'uomo giusto, il viaggiatore greco che lo avrebbe illuminato e portato con sé.

La sera delle grandi rivelazioni la Duse mi ha anche riferito di questa storia dell'azzurro mare di Grecia. E ha aggiunto al riguardo che mio padre sapeva raccontare le storie della sua vita come se fossero ancora più interessanti dell'*Iliade*. Mi parlò anche dell'*Iliade* e dei suoi eroi e andò a prendere nella credenza il libro per farmelo vedere. Disse che ogni cosa mio padre raccontasse di sé sembrava talmente vera che si era portati a credere che fosse successa lì, da qualche parte vicino al Ponte, e non in un paese così lontano che prima che lui venisse non si sapeva nemmeno che fosse in guerra.

Per inciso, esisteva davvero quell'attore Orson Welles, e

al cinema del paese stavano per dare un film con lui; forse mi ci avrebbe portato a vederlo, si lasciò scappare quella sera, ma non lo fece mai, nemmeno quando ce ne furono altri. E disse anche che quando mio padre raccontava lo faceva ridendo. Rideva di tutto quello che gli era capitato nella vita, persino del fatto che fosse arrivato lì a fare la guerra. La Duse mi ha detto che un uomo che sa ridere come sapeva fare mio padre è a suo modo un eroe, perché il riso è forza e coraggio. Mi ha rivelato anche che ci provava un gusto particolare nel ridere perché aveva denti bellissimi e gli piaceva farli vedere. Si vantava dei suoi denti anche se non erano la parte più bella che avesse: le sue cose più belle erano gli occhi, i capelli e le mani, che erano tutte cose delicate e innocenti. Forse i suoi denti non erano nemmeno tutti diritti, disse ancora la Duse, ma mio padre era convinto che fossero i più belli di tutto il corpo di spedizione brasiliano, visto che i suoi camerati erano perlopiù sdentati. E rideva anche di questo, del fatto che i medici militari non avessero guardato troppo per il sottile quando si trattò di arruolare giovanotti per andare a salvare l'Europa; e rideva di come appena sbarcati a Napoli i loro generali si fossero messi in fila davanti al Comando Alleato per chiedere fucili e cannoni mentre i soldati erano in coda alle sanità per chiedere dentisti e dentiere. Rise anche mentre le raccontava di non aver desiderato altro per tutta la sua vita che vedere come fosse l'azzurro mare della Grecia. Di come non gli fosse mai importato tornare dai suoi, né avesse mai sofferto perché nessuno era mai andato a cercarlo dal prete.

E così la Duse mi ha parlato di che cosa è il sogno di un uomo. Un uomo sogna quando è più grande di quello che fa, questo mi ha voluto insegnare. Il sogno di un uomo è tutto quello che potrà essere se riuscirà a non essere più schiavo delle circostanze. Secondo lei mio padre non è mai stato schiavo di qualcosa, neppure quando doveva obbedire agli ordini del suo comandante, che comunque doveva essere un brav'uomo, perché fino all'offensiva di Natale c'era latte con il cacao per la colazione di tutto il Ponte nelle cucine dei suoi furieri.

Secondo la Duse mio padre è stato schiavo soltanto del proprio sogno. E quella non si chiama schiavitù, si chiama passione. La passione era l'unica cosa per cui la mia anima le sembrava ancora troppo piccola per parlarmene; e avrebbe preferito non parlarmene mai, perché aveva sentito troppi uomini parlare della passione come di una sfortuna. Avrei dovuto arrangiarmi da solo con la passione, se mai fosse venuta a cercarmi.

È venuta, e me la sono cavata da solo; quando si è fatta viva non ho saputo distinguerla dalla schiavitù, e non sono nemmeno stato tempestivo nel riconoscerla come la creatura partorita dal mio sogno. Non sono un uomo passionale, non nel senso in cui lo fu mio padre. Se ho una passione l'ho addestrata a venirmi dietro e con il tempo ha imparato così bene che non mi occorre più usare il guinzaglio; se ho un sogno, vivo per quello invece che morirne. Il sogno di mio padre l'ha portato infine sulla Pania e gli ha dato le ali per sfracellarsi nell'azzurro mare della Versilia; e per arrivare fin lassù in tempo per avere ancora la forza di uno slancio, è dovuto andare spedito per tutta la vita, lasciando indietro ogni cosa adatta a rallentare il suo passo. Compresa la sua donna, comprese le sue donne, compreso il sottoscritto. Si sa che Alessandro il Macedone non si pentì mai di aver consumato un'intera generazione di valorosi soldati pur di congiungersi in tempo con il suo sogno, e si dice che morisse tenendo tra le mani l'*Iliade*. Non mi è difficile immaginare che mio padre se ne fosse portato una copia alla guerra, e, consumata quanto potesse essere, era ancora abbastanza buona quando le ha dato un'ultima scorsa, se l'è ficcata sotto la camicia e l'ha portata con sé giù dalla Pania. Forse era ancora quella che leggeva nella casa del prete sul Rio delle Amazzoni. O magari, l'*Iliade* amazzonica era nientemeno il libro che mi ha fatto vedere mia madre; non saprei, perché non l'ho neppure toccato, e tra i molti capolavori dell'umanità che la Duse mi ha obbligato a leggere, non c'è stata l'*Iliade*. Tra le sue cose non l'ho ancora trovato. Ne ho comprato una copia tempo fa, una di quelle traduzioni moderne che la fanno sembrare un romanzo, una versione che mio padre non sarebbe mai riuscito a cantare, come si era vantato con il famoso regista di poter fare. È lì da qualche parte che aspetta il suo momento: me la sono lasciata per quando capirò che non potrò leggere nient'altro ancora. La leggerò sul letto di morte, e così, almeno all'ultimo, almeno un po', assomiglierò a mio padre e ad Alessandro il Macedone.

9.
QUESTA MIA PATRIA VALLATA

Io non morirò di passione, morirò per la consunzione della carne. La mia anima, lungi dal destarmi alcun genere di preoccupazione, svolge serenamente il compito di consolare la mia carne, almeno adesso che può ancora farlo. Il mio sogno è talmente modesto che è persino bello da vedersi; mio padre ha visto l'azzurro mare di Grecia solo nell'estremo attimo in cui qualunque mare sarebbe stato di quell'azzurro che si era portato nel cuore tutta la vita, io il mio posso farlo vedere a chiunque. È un sogno da orfano, è per questo che manca di grandi ambizioni: noi orfani impariamo in fretta a non farci fregare una seconda volta dalla vita. È un sogno del tornare e poi tornare ancora: una passione alla portata di tutti.

In questi giorni che sopra le ripe sono fiorite le robinie e le amarene, e al primo filo di vento per tutte le coste della vallata piovono a dirotto i petali rosa, azzurri e bianchi, così vividi di dolcezza e leggeri nell'aria che, hanno ragione i vecchi, sembrano il pianto d'amore delle povere donne morte alle vigilie, mi viene la smania di prendere la 'Nita e portarla per le strade dei campi. E camminare finché c'è luce dentro questo meraviglioso dono di devozione. E fermarmi a ogni svolta e sposarla, e risposarmela a ogni cantone, a ogni fienile, a ogni maestà. Perché sento nella mia carne che l'universo intero è nella fioritura, e la fioritura è vigilia, e nella vigilia noi siamo vivi e fecondi, e pronti a tornare ancora una volta.

Ancora una volta come le robinie tornare a spandere pioggia di petali sopra questa mia patria vallata.

In questi giorni anche solo l'odore del pane nei forni di questa mia valle mi dà pace. Anche solo sfiorare con le dita la corteccia novella del noce sotto casa. Anche solo poggiare il mio sguardo sul torso vibrante di pelo gattino della 'Nita, il suo torso eretto e flessibile come un pennacchio di canna. Anche solo questo mi dà pace.

Allora salgo da qualche parte, ieri a Colle.

Salgo di primo mattino, con lei che ancora dorme; una tovaglia, un po' dei suoi biscotti e una tazza sul tavolo di cucina, il caffè pronto sulla stufa, per quando si sveglierà: non vado via, lei così lo capirà. E salgo. Tra le ultime bave dei fumi della notte si agitano svogliate le allodole, saltellano nelle conche ancora madide di guazza, incerte se allevare la prole che tra nemmeno un mese finiranno per covare nel solito prativo di sempre, due palmi più in là del sasso dell'anno passato. Attorno al sasso della Pania del Corfino, un falco risale la corrente intiepidita dal sole che gli è sorto dirimpetto; ha visto le allodole ma lascia correre: sa che in questi giorni farà meno fatica con le serpi ancora digiune dall'inverno. E salgo.

Nel campo del Sereni il farro è alto un braccio; nell'orto di casa sua madre è già dietro a zappare forte e gobba come un ramo di cerro. Lui è nella rimessa che traffica con il trattore, e insieme al motore scordato sento il rumore della radio che spiega qualcosa circa la crisi che attanaglia il mondo. E salgo.

C'è un susino sulla scorciatoia che taglia per la casa di Nazzareno; mi fermo solo per vedere se i fiori reggeranno e a luglio mangeremo le susine, ed è inutile, visto che tanto non ci indovino mai. Ma ho cominciato a faticare e a sudare, e il susino del Nazzareno è un vecchio e rugoso albero molto adatto a fare da poggiatoio; sento sulla mano che ha rovistato tra i fiori la concitazione di una formica che cerca di riprendere la sua strada. È un po' troppo presto per le formiche, e questo vuol dire che da qualche parte sta covando la malattia, e mi sa tanto che anche quest'anno non si mangeranno susine.

Ma Nazzareno non è solo questo suo susino; Nazzareno è un uomo che ha la passione degli acquerelli e ne ha la casa piena; acquerelli dappertutto, sciolti, a mucchi e affissi. È tornato anche lui; è tornato dalla Patagonia dove suo padre ha passato la vita a seminare patate nel vento della meseta del Rio Negro. È rimasto chiuso fino ai vent'anni in un podere di diecimila acri con in mezzo una baracca di lamiera e un albero di gunnera accanto alla baracca, e nient'altro fin dove riusciva a vedere. Da quando ha compiuto l'età per andare a scuola non ha fatto altro che girare la prateria a cavallo, raccattare agnelli e macellarli, finché non è diventato abbastanza ricco per prendere una corriera, spendere metà di quello che aveva, dice lui, negli alberghi di Buenos Aires, e poi montare su un aereo. È qui da cinque anni ormai, e tutto quello che fa è insegnare ai vicini ad arrostire capretti e dipingere acquerelli. I suoi acquerelli li dipinge con la stessa ragione per cui io sto parlando: perché nulla vada perduto di ciò che ancora resta. Perché ciò che è rimasto è troppo poco per perderne anche una sola foglia. E lui infatti dipinge le foglie. Non vivrà abbastanza per mettere da parte tutte quelle che gli sembra di dover conservare.

Raccatta foglie ovunque, di ogni albero e di ogni luce e stagione; invece che macellarle le tiene in casa e le immortala a una a una. Non c'era una gran varietà di fogliame nella meseta, e anche le pecore si assomigliavano tutte. Ora delle pecore non sa cosa farsene, ma è attratto dalle foglie come un bambino alle giostre, e pensa che nessuna creatura al mondo meriti di essere amata e ricordata più di loro; come la Marta dorme con i suoi agnelli, lui dorme con le sue foglie.

Una volta al mese salgo da lui a vedere qualche nuovo acquerello. A volte lo trovo in casa, ma altre volte capita che è in giro per le selve e ha lasciato la chiave appesa allo stipite della porta; anche se a lui farebbe piacere qualche chiacchiera, io preferisco così, prendere la chiave e mettermi da solo a frugare tra i mucchi di carta e trovare qualche foglia che non ho mai visto o che ho dimenticato. I suoi disegni sono bellissimi, molto accurati e leggeri, e i colori dati con discrezione e mano ferma. Sono acquerelli al modo antico, adatti a un compendio di botanica. Se ne trovano anche qui di quei mirabili volumi in quarto che hanno occupato la vita intera di uno dei non pochi arcipreti umanisti che il blando dominio estense di queste terre ci assegnava nei secoli passati come revisori dei conti terreni e celesti. Ce li mandavano perché, applicati com'erano nello studio della natura, non turbavano troppo la nostra suscettibilità, visto che non avevano tempo e voglia di ficcare il naso nelle nostre anime. Uno di quei volumi rilegati in pelle di capra nostrana che se cent'anni fa sarebbe apparso come frutto di grande scienza, oggi possiamo solo godercelo come un'amorevole raccolta di piccole, perfette poesie.

Non so dove abbia imparato Nazzareno, lui dice che suo padre aveva nella baracca un libro sulle piante e gli animali d'America con le figure fatte a quel modo. La famiglia di suo padre viene da Borsigliana, e secondo me Nazzareno è l'unico e irripetibile erede dell'arte del maestro di quel paese, *Magister Borsilianii*, anni 1430, 1480 circa.

A Borsigliana mi ci portava due settimane la Duse d'estate per prendere l'aria fina di quel paese e fortificarmi i polmoni: la Duse vedeva la tubercolosi dappertutto, segretamente operante per il male di suo figlio e di tutti i suoi alunni, la Duse vedeva nella tubercolosi l'agguato dell'ultima e definitiva guerra che avrebbe atterrato tutto ciò che era stato risparmiato dall'altra. Borsigliana aveva questa fama dell'aria fina perché ci stagionavano bene i formaggi e le quattro famiglie di pastori che ci vivevano erano piene di vecchi. La Duse si faceva dare la chiave della canonica dove il prete non si fermava più da prima della guerra e ci andavamo, lei con il suo zaino, io con il mio fagotto, prendendo la corriera fino a Giuncugnano e poi da lì a piedi per un paio d'ore: non c'erano corriere che andassero a Borsigliana, né automobili o camion per chiedere un passaggio, perché non c'era strada su cui potessero passare. Penso che oltre a noi due, l'unico essere umano che quelli di Borsigliana vedevano regolarmente era la postina, che una volta al mese andava a consegnare le cedole per le pensioni di guerra; ci andava a cavallo, il cavallo d'ordinanza dell'ufficio postale di Pieve, e ha continuato a fare a quel modo per quasi vent'anni ancora, quando hanno spianato un po' di strada e le Poste Italiane le hanno fatto prendere la patente e lei ha cominciato a scorrazzare per le strade alte con un furgoncino Cinquecento verdolino con lo stemma del servizio postale repubblicano.

Secondo me quei quindici giorni a Borsigliana erano peggio del sanatorio; e siccome la Duse mi ci portava per evitarlo e cominciava a spaventarmi con questo sanatorio una settimana prima di partire, mi auguravo tutti gli anni di prendermi la tubercolosi. Lassù non c'era assolutamente niente da fare e da vedere se non stare dietro la Duse a camminare nelle abetaie granducali e tornare alla canonica a ripassare la grammatica e l'aritmetica. L'unico fermo ricordo che ho di Borsigliana, è che la prima cosa che facevo appena mettevo piede nel paese era calpestare una merda di vacca e l'ultima prima di partire era calpestarne un'altra. Non c'erano che stalle di vacche a Borsigliana, e vacche nei prativi, e vacche per i selciati, e vacche anche sopra i tetti dei fienili. E da mangiare formaggio di vacca, latte di vacca e polenta di neccio con il formaggio o con il latte di vacca.

E poi non capivo come l'aria potesse essere così fina, visto che sapeva dappertutto di merda di vacca e fieno secco. Non credo di aver mai visto un ragazzino della mia età uscire da una di quelle quattro case; partivano per pascolare prima che mi svegliassi e tornavano che eravamo già rintanati nella canonica.

Ecco, in un posto così, intorno ai primi decenni del Quattrocento è nato un uomo che non si sa ancora come si chiamasse. Quell'uomo ha lasciato in tredici chiese del distretto tredici pale d'altare dipinte da lui, e ognuna porta la firma *Magister Borsilianii* nitidamente calligrafata tra i narcisi di un prato fiorito, accanto ai piedi nudi di un pastore in viaggio verso il Redentore, sotto la scodella colma di pappa che sta lappando un magrissimo botolo. Naturalmente anche la chiesa di Borsigliana aveva una pala del suo nativo maestro, e ricordo che la Duse me la fece vedere. Brillava tra le ombre di un altare disadorno, trapassava la cortina di polvere che si era alzata quando avevamo aperto la porta; a starle abbastanza vicino, allora ci avrei giurato, le figure cominciavano a muoversi, lentamente, e piano piano se ne andava l'odore di merda di vacca che era entrato con la porta aperta.

Non ho visto tutte e tredici le pale del maestro di Borsigliana, tanto per cominciare perché cinque sono state rubate prima, durante e dopo la guerra, dai vescovi, dagli antiquari e dai tedeschi, e tre se le è prese l'autorità con la scusa di studiarle e conservarle in luogo più sicuro. Ma ho visto e continuo ad andare a vedere le cinque che sono rimaste nelle loro chiese plebane, guardate dai legittimi proprietari, gli eredi dei piccoli popoli che si devono essere indebitati per diverse generazioni pur di potersi godere il miracolo di quelle figure splendenti nell'oscurità, più vive di come si sentissero vivi loro stessi; santi da amare perché rischiarano la notte e tengono la merda lontana.

E c'è un fatto: basta aver visto qualche figura in un'enciclopedia, averci in casa una raccolta di dispense di una storia popolare dell'arte, che nel guardare una qualunque delle tavole del maestro di Borsigliana non puoi che avere l'illusione di startene davanti a un dipinto di Giotto. Perché sono la stessa cosa, e bisogna far venire uno che ci capisce da Firenze e poi un altro da Roma perché, dopo averci girato intorno mezza giornata con luci e lentini, ti dica che non è lui e ti spieghi la differenza. Certo che non è lui, sono diversi le facce e le mani dei santi, gli occhi e i sorrisi delle madonne, e gli alberi e il profilo delle montagne oltre gli alberi. Sono anche diversi certi fiori dei giardini. Ma è come se fosse lui, come se Giotto avesse dormito cent'anni e più, e per finire il suo lavoro e far contenti della sua arte anche un po' di montanari, si fosse risvegliato in un merdoso mucchietto di case nel poggio più solingo e ventoso di questa vallata.

E se così non fosse, resterebbe pur sempre il mistero secondario delle pecore; perché le pecorelle di Giotto sono sempre le stesse e identiche pecore nella prima e nella sua seconda vita; non pecore senesi o romane, olivetane, umbre o massesi, ma senza alcuna ombra di dubbio le inconfondibili pecore di questa vallata; le nostre brutte pecore bigie di orribile lana e latte squisito, nate cresciute e mai espatriate da questo distretto.

Che il sommo Giotto, ancora giovinetto pastore e servo, fosse stato mandato a transumare qui da noi? Che, recatosi in Borsigliana, luogo di eccellente pastura a ragione dell'aria finissima, prima di sparire verso la sua gloria avesse finito per ingravidare una giovane del luogo? Un tenero ricordo della prima giovinezza a cui gli piacerà ritornare ogni volta che gli è necessaria una pecorella per ornare uno sfondo. Forse allora questa montanara, immune da tubercolosi, avrebbe potuto generare una stirpe così sana e resistente da protrarsi fino a un ragazzo meno versato dei suoi parenti alla pastorizia ma con qualcosa nelle mani che lo ha obbligato a trovare il modo di dipingere quelle tredici pale firmate *Magister Borsilianii.*

Non riesco a immaginare come possa esserci riuscito partendo da quel posto che ho visto io. Come abbia potuto imparare anche solo a tenere un pennello in mano, prepararsi i colori, scoprire di voler dipingere pale d'altare o qualunque altra cosa. Imparare a scrivere il proprio nome e forse anche a leggere. Come abbia potuto trovare la strada per andare dove vendevano terre colorate e pennelli, e attraversare l'Appennino fino ad Assisi, per ricongiungersi e riconoscersi con ciò che era stato fatto dalla mano che ora chiedeva di continuare. Portandosi dietro l'odore della merda di vacca che solo le trementine potevano far svaporare.

E se anche non ci fosse nessun mistero, c'è pur sempre quest'uomo che dipinge pale giottesche per la felicità del suo popolo, che ne ha avuto diritto come chiunque altro, anche se resterà analfabeta di lettere e arte per molti secoli a venire, e saprà solo di essere stato visitato da un miracolo. Almeno quello. E Nazzareno viene di lì e continua l'opera al modo che sa fare. E i suoi vicini vanno a casa sua, e se lui non c'è sanno dov'è la chiave, frugano nei mucchi e si portano a casa un acquerello o due, o tre. Gli lasciano delle uova perché lui le galline non le sa tenere, gli lasciano fasci di fiori perché a lui piacciono tanto e non disperano che prima o poi allarghi i suoi orizzonti vegetali, gli lasciano pani appena cotti e tornano a casa loro rigirandosi tra le mani acquerelli in stile tradizionale, così belli che paiono ai loro occhi dei miracoli. Li metteranno in orribili cornici comprate al mercato dei cinesi e se li tramanderanno generazione dopo generazione, finché non arriverà qualcuno da fuori a rubarli o glorificarli. E anche questo è tutto vero.

E ora che ho ripreso fiato, torno a salire. L'ultimo gradino per Colle. È una selva vecchia di trecento anni tenuta a giardino dall'uso comune del suo popolo. Come se quelli di Colle potessero permettersi di conservarla per pura bellezza. So che non è così, so che ogni famiglia fa conto sulla sua parte di legna e castagne, che farne senza sarebbe più povertà, ma quella gente si dedica alla sua selva come se l'antico decreto di proprietà comune la obbligasse alla suppletiva fatica di renderla un vanto.

Lo splendore di una selva pulita, lisciata e pettinata come se fosse una bambina di domenica mattina. La tenerezza che fa anche questi giorni che è appena germogliata e le rame sono nude sotto il sole, e il sole si incrudisce e si contorce nei cavi dei tronchi e sparge fuliggine sul letto di muschi che si stanno inverdendo. La dolcezza di queste creature mastodontiche e domestiche come uno zio di sangue, pietra vegetale e pane selvatico, fuoco, casa e zucchero. Vengono i turisti a vedere questa selva, vengono le scuole elementari, i botanici dell'autorità; quelli di Colle li lasciano fare, ma gli girano alla larga come se temessero ancora i travestimenti degli esattori del granduca. Gioiscono senza rumore delle acclamazioni che riscuotono i loro castagni, e si avvicinano solo se ci sono bambini. Allora offrono loro acqua da bere e, se è ancora la stagione, un paio per ciascuno di castagne dette del prete, quelle levate dal metato ancora morbiducce, da succhiare come caramelle. E se proprio si sentono commossi, qualche volta ai grandi offrono un bicchiere di striscino.

Ahimè. Perché questo popolo esemplare ha conservato nel giro di orti alla base del paese, come una corona di spine calcata sulla fronte del suo cocuzzo, gli arcigni vitigni ereditati dagli avi. E li coltivano con la rassegnazione e il puntiglio con cui sanno portare l'eredità di una malattia genetica, la condanna di un patrimonio in debito. E si ammazzano di gastrite nella convinzione di aver spremuto quell'uva insalubre secondo il comandamento biblico; e se quello che ne fanno uscire è fiele, in quel veleno risiede la volontà di Iddio. Così te lo offrono senza vergogna, spudoratamente pretendono che tu lo beva in fretta al modo loro e ringrazi; e pensano *sia fatta la volontà del Signore* guardandoti senza pietà mentre furtivamente ti premi una mano sullo stomaco strisciando via dal loro bicchiere.

Forse le cose cambieranno. L'autorità ha sguinzagliato nei vigneti del distretto i suoi enologi a predicare salute e rinnovamento; del rinascimento enologico del distretto l'Ulisse se ne fa una passione e va regalando barbatelli che potrebbero dare vero lustro alle nostre colline più grate, si secca la gola spiegando come le centenarie botti di famiglia altro non siano che indecenti lazzaretti dove allignano le più rivoltanti virulenze del cosiddetto striscino. Ma ci vorrà ancora qualche generazione; prima, questi popoli dovranno rassegnarsi a non considerare altamente onorevole morire di cirrosi, e poi rinunciare alla fermezza del loro cuore, rinnegando ciò che era stato stabilito per l'eterno. Anche per quanto concerne le loro miserabili vigne.

Ed ecco, sono alla prima cinta di case; la fatica che ho fatto è fatica buona, il sudore che ho versato sudore pulito, e ora questi muri di pietra che hanno lo stesso colore del fiume ingrossato dalla primavera, mi si parano davanti come una celebrazione.

Introibo ad altare dei.

Il Dio è custodito in una kaba poggiata sul massiccio delle fondamenta del paese, e ora si chiama San Martino, ma un tempo era San Mommé e prima ancora era il tempio di Ercole Viaggiatore. Dal Colle sono passati tutti, per andare e per tornare. E per il Colle sono poi ripartiti e ancora tornati: consoli vittoriosi e in rotta, santi perseguitati e vaticinanti, duchi e proscritti, schiavi e dominatori; e un papa, si dice, in svogliato cammino verso un umiliante sospeso con la sua padrona, marchesa e duchessa di Canossa. Tutti si sono fermati a questo tempio, e ognuno di loro si è seduto sulla balaustra di pietra serena che sporge sul ventre della vallata, il balcone duro e aereo che è stato il poggiatoio di San Martino e il pulpito di San Mommé, e forse addirittura il sedile dove Ercole Viaggiatore oziava in attesa di un nuovo ingaggio. Da questa balaustra i governatori estensi consideravano ai loro piedi i possedimenti che non sapevano come possedere, da qui il governatore Ludovico Ariosto traeva la conclusione che il suo incarico era una punizione sproporzionata alle sue miserabili colpe. E vedevano tutti quello che vedo io, seduto allo stesso modo sulla stessa pietra sotto la stessa luce. Lo stesso sacramento.

E ieri, come ogni altra volta, ho offerto questa mia vita

alla valle dei miei padri; e dal culmine di Colle, ancora una volta, il suo ventre agitato mi è parso colmo di gravidanza. E di canto, e di tersura, e di ben arrivato. E come un feto di me stesso ancora da essere maschio o femmina, vivo o da non vivere mai, mi ha preso un abbandono dolce e definitivo, una sazietà da fame e da amore, l'immobile certezza di essere posseduto. Perché c'è la pace da qualche parte.

E in quel momento, e solo in quel momento, io sento che mi manca mio padre. Perché non saprei con chi altro piangere. E solo con quell'uomo, arrivato dalle foreste dell'Amazzonia per stare dietro un sogno pazzo da orfano redento, restato in questa vallata il tempo bastante per ingravidare di me la ragazza più educata del paese, è solo con lui, il fuggitivo, che potrei essere, almeno in questa rara occasione, abbastanza figlio da piangere.

Non ho pianto mai una volta davanti alla Duse, e lei del resto non me lo avrebbe perdonato. Il fatto è che a lui non è mai passato per la testa che questo potesse accadere, che dalle parti della donna che lo amava ci fosse stato bisogno prima o poi di un padre; un vecchio uomo da portare al Colle, aiutarlo a sedere su una pietra che già diede sollievo al culo dell'Ariosto, e abbracciarlo mentre gli sussurri: ecco, padre, io sono rimasto a vegliare su tutto questo che ora vedi, e tutto questo è ancora qui che veglia su di me; per questo ora piango, per la commozione di questa vittoria. E lui non avrebbe capito; lui di un padre che fosse testimone della sua figliolanza, di un padre non ha mai avuto bisogno: gli è bastato un vecchio con un libro in mano. Perché la verità è che un buon padre è un padre assente, anche nell'estrema circostanza. Per questa ragione la nascitura vivrà fortunata. Se resterà, se tornerà, se sarà correttamente educata ai sacramenti, verrà anche lei a sedersi qui, come hanno fatto tutti, e guarderà il ventre turgido della sua patria vallata e vorrà piangere di commozione. Vorrà piangere stringendo il vecchio padre e ne sentirà la dolorosa mancanza. E il sottoscritto avrà finalmente avuto ragione di nascere e crescere e morire.

Il grande regista e attore Orson Welles non realizzò mai il suo film e Chico non divenne mai un divo del cinema, ma a quanto pare lui non ne rimase per niente deluso e tutto quello che fece fu di riderci su con la Duse. E le raccontò che nel lasciarlo sul pontile a bighellonare, il signor Welles gli promise che avrebbe fatto tutto quello che era in suo potere per tornare e portarlo in Grecia con sé. Gli disse che da lì, da quella baracca di lamiera sul Rio delle Amazzoni, se era poi vero che non fosse il Rio Tapajós, grazie a lui sarebbe nato un nuovo modo di concepire il cinema, e di questo gliene sarebbe stato sempre grato. Promise e partì, e tre anni dopo tornò. E si incontrarono ancora. Non più su un pontile, ma addirittura a Manaus, nel grande Teatro Amazonas, il teatro parigino della città, che è la più grande dello stato e dove il fiume è il più bello di tutto il Brasile. Anche se in quel punto si chiama Rio Negro, era sempre acqua figlia del Rio delle Amazzoni. C'erano manifesti con la faccia da Aiace del famoso attore e regista in tutti i caffè e barbieri e casini della città. Lo spettacolo era gratis. Chico ci sarebbe andato anche se avesse dovuto lavorare un mese per pagarselo. Allora aveva già diciassette anni e siccome era il più vecchio e il più esperto tra tutti loro, era diventato il prefetto degli orfani e l'insegnante supplente, oltre che il lettore unico e insostituibile del libro dell'*Iliade*. Ma era anche diventato forte abbastanza per lasciare la casa del prete e cominciare a cercare la sua strada per l'azzurro mare della Grecia.

Aveva lasciato la casa nonostante il vecchio lo avesse implorato di restare; almeno un altro po', almeno fin quando lui fosse ancora vissuto, per risparmiargli il dolore di vedere la sua casa sfasciarsi e i suoi ragazzi dissolversi nel nulla. Giurò che non sarebbe vissuto più di due o tre anni ancora. Ma Chico diede questo grande dolore al vecchio, e il vecchio ammise che la colpa era soltanto sua, della pazzia con cui lo aveva nutrito in tutti quegli anni; confessò che il suo blasfemo orgoglio di discendente degli dèi pagani dell'Olimpo l'aveva avuta vinta sui suoi propositi di redenzione, e che in fondo dunque si sentiva felice che Chico seguisse la sua aspirazione. Gli diede un paio di indirizzi nello stato in cui andare a chiedere lavoro e il fagotto con cui era arrivato nella sua casa poco più che lattante. Nel fagotto c'era un po' di pasta di zucchero per quando avesse avuto fame nel viaggio, e il libro che era stato la ragione di tutta la sua vita. Così ti risparmio di rubarmelo e di commettere peccato mortale, gli disse, e lo mandò via.

Chico arrivò alla capitale Manaus e si mise a lavorare in una raffineria di caucciù; dormiva sotto una tettoia di frasche di palma lungo il fiume poco fuori dalla città, assieme a una dozzina di suoi colleghi, e nessuno voleva avere a che fare con loro perché non smettevano mai di puzzare del loro lavoro. Quando seppe che il signor Welles aveva mantenuto la sua promessa, stette a mollo nel fiume un intero mattino, poi si presentò al teatro. Era il primo e dovette aspettare tutto il pomeriggio prima che aprissero le porte. Entrò, si mise seduto in prima fila e aspettò.

Quando la sala fu piena fecero buio e si aprì il sipario. Il sipario era così grande e di stoffa così fine che fece il rumore di un'onda di piena del fiume. Il signor Welles era in piedi, da solo, illuminato da una luce bianca che veniva dal soffitto. Era tale e quale come lo ricordava, solo ancora più grande della prima volta; la sua barba ora assomigliava a quella del dio Zeus. Il signor Welles guardò tutti i presenti a uno a uno, ed erano più di mille di sicuro. E guardò anche Chico, naturalmente, e lo riconobbe e gli sorrise. E cominciò a fare giochi di prestigio con carte da gioco e conigli e fazzoletti di ogni colore, e mentre tutto il teatro applaudiva, lui guardava Chico e sorrideva. Come se facesse quei giochi solo per il suo divertimento, e fosse tornato nell'Amazzonia solo per lui, per mantenere la sua promessa. Poi il signor Welles finì i suoi giochi e prese a parlare.

Aveva un'altra voce da come la ricordava; dall'alto del palcoscenico la sua voce ora tuonava nel teatro come se fosse il dio Zeus in persona a parlare ai mortali, e se mai avesse avuto l'occasione di ascoltare la voce di suo padre, avrebbe voluto che gli suonasse come quella del signor Welles. Parlava come un padre forte e giusto; tutto il teatro lo ascoltava in silenzio, ed erano quasi tutti uomini, perlopiù giovani sfaccendati che avevano appena perso il lavoro con la crisi del caucciù e avevano letto gli avvisi bighellonando per la città. Parlava con tono grave e sincero, e ascoltandolo nessuno poteva mettere in dubbio che le sue parole non fossero importanti verità. Parlava della libertà, del sacro diritto alla libertà di ogni uomo e di tutti i popoli, parlava della guerra mondiale scatenata da uomini che odiavano ogni forma di libertà. Descriveva nei minimi particolari come sarebbe stato il mondo se quegli uomini avessero vinto la guerra. E come sarebbe stata quella loro terra così meravigliosa e così piena di speranze. Parlava delle speranze di quegli uomini che lo stavano ascoltando a bocca aperta, come se li avesse conosciuti sin da bambini. Parlava della libertà che ancora non avevano, e che avrebbero finalmente potuto avere in un mondo veramente libero, come se vivesse con loro e con loro avesse manifestato per le strade di Rio contro il governo Vargas. Raccontava a quella gente com'era duro non poter avere un sindacato dei lavoratori, come se avesse lavorato una vita intera nelle piantagioni di caucciù. E mentre parlava, continuava a guardare negli occhi ciascuno di loro, e in particolare Chico, come per sincerarsi se avesse capito e se fosse d'accordo con ciò che gli stava dicendo. E Chico era d'accordo con il signor Welles parola per parola, soprattutto in tutto ciò che scopriva di non aver mai pensato prima. Come sono cresciuto stupido, pensava, in quanta ignoranza mi ha fatto vivere il vecchio. Quasi gli veniva da piangere, e sentiva di volerlo abbracciare per dirgli: padre, sono tuo figlio. Oh, se ci sapeva fare l'americano!

Finì il suo discorso invocando il pubblico affinché ciascuno dei convenuti sentisse in coscienza che quello era il momento per iniziare la marcia verso la libertà e la pace. Che solo loro, uomini sofferenti e bisognosi di giustizia, potevano pretendere e regalare al mondo. Per questo il presidente Roosevelt aveva convinto il pavido Vargas a entrare in guerra contro i dittatori, per questo dovevano sentirsi fieri del gesto di coraggio del loro paese, e proprio per questo, assieme alle loro speranze, dovevano dedicare alla causa della pace mondiale il loro coraggio.

E ci furono applausi che rimbombavano per la platea come se si fosse aperta una voragine, e quel giorno nel teatro parigino sembrò proprio che fosse nata una nuova gioventù, e assieme a lei la certezza che sarebbe nato un nuovo Brasile. Mentre il signor Welles si inchinava agli applausi, continuava a guardare e a sorridere a Chico, lì a un passo da lui, che aveva le lacrime agli occhi e tutto quello che voleva ora dal signor Welles era soltanto che non finisse mai di parlare, e siccome era chiaro che aveva deciso di non dire più nulla, pensò alla fine del discorso come a un tradimento.

E poi si chiuse il sipario e l'americano sparì tra la penombra delle sue pieghe, come un'apparizione che va scomparendo. Chico aspettò con pazienza che la gente cominciasse ad andarsene: sperava con tutto il cuore che quell'uomo non fosse venuto solo per scomparire, ma, come in uno dei suoi giochi così divertenti, riapparisse per lui, per dirgli ancora qualcosa. E infatti è quello che successe.

Quando ormai le luci erano quasi tutte spente, e il grande teatro parigino rimbombava degli ultimi frettolosi passi dei giovani brasiliani che si affrettavano a cambiare la loro vita e il loro paese, il signor Welles occhieggiò dal sipario, e in tutta la sua maestà scese i gradini del palcoscenico. A Chico parve che fosse il dio Zeus a calare nel mondo dei mortali, e si sentì immensamente felice di essere stato prescelto per quella visita. Il signor Welles lo abbracciò e gli parlò come farebbe un padre che inaspettatamente ritrova il suo figliolo in un luogo molto distante da casa. Volle sapere tutto ciò che gli era accaduto, volle che gli riconfermasse il suo progetto di visitare il mare della Grecia e fu soddisfatto di saperlo già in marcia. Gli chiese se gli erano piaciuti i suoi giochi di prestigio, perché, gli spiegò, in quella sua arte lui sentiva qualcosa di soprannaturale, come un dono degli dèi. Gli chiese se gli era davvero piaciuto il suo discorso, così come gli era sembrato guardandolo dal palcoscenico.

E tale e quale un padre premuroso, non aspettava le risposte di Chico, ma gliene faceva sempre di nuove, come se sapesse già tutti i suoi pensieri. E a Chico non restava che trattenere il respiro e fare di sì con il capo. Anche quando smise di fare domande e cominciò a parlare della guerra, di come lui avesse lasciato da parte tutti i suoi programmi per viaggiare in tutte le Americhe e parlare della grande tragedia della guerra e della grande opportunità che poteva nascerne. Opportunità per tutti gli oppressi, compreso lui medesimo; perché, Chico doveva sapere, anche lui era oppresso. No, certo, non come un lavoratore schiavo di una piantagione, ma oppresso nella sua fantasia e nella sua arte, servo di mercanti senza scrupoli che volevano trasformare in denaro tutto ciò che lo spirito sapeva creare. Aggiunse che non si era dimenticato del progetto che lo riguardava, che ci aveva molto pensato e aveva già un programma al riguardo; ma non era quello il suo tempo, ora ogni uomo con una coscienza non poteva che darsi anima e corpo alla causa della pace. Lui, con l'aiuto dei suoi giochi e delle sue parole, sperava di non sfigurare in questo intento.

Alla fine Chico parlò. Gli disse che aveva capito ognuna delle cose che aveva sentito, e con quelle aveva anche compreso che sarebbe stato disposto a fare la sua parte. Sarebbe partito volentieri a combattere contro gli schiavisti di tutto il mondo, se il signor Welles gli avesse detto come fare. L'americano non volle dirglielo. Lo strinse ancora tra le braccia e lo salutò, promettendogli che si sarebbero visti ancora, che non dimenticasse mai, nemmeno per un momento, che era l'azzurro mare della Grecia la sua ultima meta.

Il giorno dopo Chico andò all'ufficio che la Força Expedicionária Brasileira aveva aperto dirimpetto al teatro e chiese al sergente che stava leggendo il giornale allo sportello se la guerra aveva ridotto in schiavitù anche la Grecia. Naturalmente, rispose il sergente che non ricordava dove fosse la Grecia e pensava che la schiavitù i popoli perlopiù se la meritano. Chico chiese ancora se il sergente per caso sapeva se Vargas avesse istituito la Spedizione per andare a liberarla. Sicuro, sicuro, il presidente Vargas si era molto commosso quando era venuto a sapere della sorte dei greci, rispose il sergente; che non aveva la minima idea di dove sarebbe andata a combattere la Spedizione, ma vedeva davanti a sé il primo volontario da quando era stato aperto quello sportello. Così Chico fece domanda di arruolamento, e continuò a chiedere a tutti quelli che se lo passavano di mano, anche al medico che lo stava visitando battendogli le nocche sulle spalle, se fossero sicuri che la Spedizione sarebbe andata a liberare la Grecia. E tutti risposero: sicuro, sicuro.

Questo raccontò mio padre alla ragazza che lo amava. E, a quanto lei mi ha riferito, lo fece ridendo.

Non aveva finito i suoi racconti la notte di Santo Stefano, quando cominciarono a grandinare giù per la vallata i colpi degli 88 tedeschi, e lui e i suoi camerati della Spedizione dovettero mettersi in salvo sulla via per Porretta correndo nella notte con gli scarponi ancora slacciati, lasciando dietro di sé ai bordi della strada tutta la loro roba, perché qualcuno si era dimenticato di rifornire di gasolina i camion, e i loro ufficiali erano già spariti con le jeep cariche dei ricordi personali della gloriosa campagna d'oltreoceano. Lasciarono i mortai e le mitragliatrici troppo pesanti da caricarsi sulle spalle, togliendo via i percussori perché almeno non gli sparassero alla schiena con le loro stesse armi. Lasciarono le coperte e le stufe a petrolio, anche se il freddo dell'inverno li spaventava quasi quanto la brigata corazzata delle SS che, avendo fatto adeguato rifornimento di carburante, stava scendendo i tornanti della strada TODT per tagliargli la strada della ritirata. Lasciarono le casse dei rifornimenti alimentari, le cucine, i fornetti per la panificazione, lasciarono una montagna di prelibata frutta in conserva e caffè in polvere e latte condensato. Sui tavoli della loro mensa lasciarono le stoviglie impilate già pronte per la colazione del mattino dopo. Lasciarono cinquantaquattro morti e ventun feriti intrasportabili; ai feriti che ancora potevano usare una mano, lasciarono due siringhe di morfina ciascuno, di quelle a molla che foravano anche la divisa invernale. Lasciarono i loro amici e i loro amori; che tutti, indistintamente, si sarebbero presentati la mattina dopo alle sette in punto per la colazione offerta dalla Spedizione, anche per Santo Stefano come del resto ogni altro giorno: la Spedizione era l'unica sorgente di latte e caffè di tutto il Ponte. Li lasciarono nel buio senza un saluto e senza una promessa. Fecero solo in tempo a lasciare loro pronto l'occorrente per la colazione del mattino dopo. Lasciarono tutto il paese sveglio ad ascoltare, dalle finestre cieche delle cantine e dalle fessure in mezzo alle travi delle tane negli orti, lo stridore delle granate in picchiata, il colpo secco che smuoveva la terra un attimo dopo che erano esplose, gli urli di quelli che stavano per morire. A giorno fatto i superstiti della compagnia di mio padre erano attestati sulla nuova linea del fronte di Mozzano, la sera del giorno dopo a Porretta, a dieci chilometri in linea d'aria dal Ponte. Una distanza insormontabile, che nessuno poté mai valicare fino alla primavera inoltrata dell'anno dopo. Per l'esattezza, fino al 22 aprile del '45, quando infine tutti poterono andare dove volevano.

Intanto l'onda dell'offensiva passò veloce sopra il Ponte e a sera si era già schiantata schiumando nel fondovalle. La ragazza che si era innamorata restò sola, ma tutti erano rimasti soli. Soli nell'inverno.

La Duse mi ha raccontato dell'ultima volta che ha visto mio padre: è stata un'occasione molto particolare, come spesso vuole il destino che siano le ultime volte. Era la vigilia di Natale e volevano farsi gli auguri; la Duse aveva con sé un regalo e ne era molto orgogliosa: si era preparata tutta una settimana, giorno e notte, per suonare la fisarmonica al suo innamorato, solo per lui. Era una musica che le era piaciuta moltissimo quando studiava il pianoforte a Lucca; era difficile da suonare veramente bene, ma era il suo primo regalo di Natale, era la cosa più bella che avesse trovato per il suo amore, e molto adatta a una vigilia di Natale. Era una musica particolare, era una danza lenta e dolce scritta da un francese per ricordare un bambino che gli era caro ed era morto. Ma per niente triste, solo dolce e nostalgica; e lei l'aveva scelta perché pensava che era proprio quello che voleva dire al suo amore. Che ora il bambino cresciuto laggiù, nella casa di un prete, non c'era più; non c'era più il ragazzino che aspettava sui pontili qualcuno che gli indicasse la strada per l'azzurro mare di Grecia.

Voleva suonare per lui tutta la nostalgia che lei stessa provava per quel bambino, tutta la dolcezza che le aveva versato nel cuore; ma voleva che in quella musica lui sentisse anche l'amore che lei provava per l'uomo che aveva incontrato sul Ponte, l'uomo che era venuto con la guerra, la guerra che aveva portato via il bambino. Lo avrebbe preso, lo avrebbe portato in qualche posto lì sul greto del fiume, lo avrebbe messo a sedere su un bel masso, e lei gli si sarebbe messa davanti a suonare, a suonare finché non si fosse staccata le dita dalle mani.

Questo mi ha detto; e si era messa la fisarmonica a tracolla ed era andata al Ponte. E credo che quello che lei intendeva fosse un giuramento. Lui era là, e stava cominciando a nevicare. Era là e teneva le mani con le palme in su, ci faceva cadere sopra la neve e poi la soffiava via.

Quella vigilia di Natale del '44 mio padre aveva visto per la prima volta la neve. Che era arrivata tardiva, anche se poi non ha smesso più di venire giù a mucchi. Ma quella prima inaspettata era neve fina, cristallina, neve di gelo improvviso. Le disse che si era spaventato, che mentre era lì che aspettava, il cielo si era messo in penombra, una strana penombra come se fosse stata sparsa da qualcuno, come se avessero aperto una cassa di fumogeni intorno al sole. E poi era cominciata a cadere quella roba, di botto. Così, come se niente fosse.

Così non andarono a sedersi sul greto, ma presero a camminare, perché mio padre doveva ancora imparare come si faceva sulla neve. Risero molto di quanto fosse sprovveduto in proposito, risero di come quella neve puntuta sapesse trovare la strada per infilarsi dappertutto, e di come facesse solletico quando arrivava sulla pelle, quell'attimo prima che si sciogliesse e diventasse un fastidio tremendo. E solo alla fine, quando la neve si fece più spessa e pesante, la Duse convinse il suo innamorato a mettersi buono e accettare il regalo che gli aveva portato. Suonò per lui al riparo della tettoia del fontanino detto del Pascoli, all'angolo tra il viale che va al cancello della casa del poeta e il viotto che porta alla parte vecchia del cimitero. Quella fontana la conosco bene: ci ho giocato quando ero bambino, ci sono andato per anni a prendere l'acqua con la Santarellina e poi da solo, mi ci sono visto con i miei compagni quando ho imparato a fumare, ma non ci sono mai andato con una ragazza. Non mi è mai sembrato un luogo adatto. C'è una faccia di pietra a cui è stata posta tra i denti la canna dell'acqua; è stata scolpita dai nostri antichi padri, e di quei *testini* se ne trovano ancora qua e là, sepolti sotto le cantine delle case più vecchie, incastrati nei pilastri che tengono i volti dei borghi più alti. È un ovale di selce tornito con la pietra di porfido e scalpellato con pochi segni: due occhi allungati, un naso diritto e una bocca sottile. Li chiamano *testini*, perché hanno la dimensione della testa di un bambino piuttosto che di un uomo. Ma sono visi dallo sguardo fermo e duro, e ognuno di loro è un testimone severo e imbarazzante per chi non ha l'animo in pace con quello che sta facendo, o dicendo, o promettendo. Si sa che i nostri scolpivano quelle facce facendole sembianti ai loro avi, e le ponevano sotto il fuoco della casa; perché perpetuassero la loro arcigna sorveglianza, perché tutto filasse diritto, generazione dopo generazione. E fossero diritti gli animi, e implacabili nella loro dirittura. A questo punto della mia vita, penso che potrei serenamente darmi convegno con la 'Nita a quel fontanino, mettere la bocca sotto la canna e contraccambiare senza vergogna lo sguardo del *testino* che la governa. Ma solo ora. La Duse lo ha fatto a diciott'anni, la Duse ha giurato per il suo amore sapendo che il testimone dei padri la stava valutando e giudicando. E lo ha fatto senza vergogna e senza paura, nel Natale del '44. Lei me lo ha ricordato come un incontro pieno di commozione e allegria; mi disse che non avrebbe potuto desiderare niente di più, e che quella fu la più bella Vigilia che avesse mai avuto. Credo che sia stata anche la più bella da lì in poi, anche se ha sempre avuto il pudore di non fare bilanci in mia presenza, men che meno sotto Natale.

Non credo che mio padre fosse in grado di capire tutto questo. O forse aveva capito, ma non ha potuto farci niente. L'amore dei maschi ha sempre un difetto da qualche parte, finisce sempre per sfigurare. Quella Vigilia il regalo di mio padre alla Duse fu un fazzoletto di seta stampato con dei pappagallini, dentro c'era un gran pezzo di cioccolato. Quel fazzoletto, che mi fece vedere la sera delle rivelazioni, e che dieci anni dopo sapeva ancora di cioccolato, ch'io sappia la Duse non l'ha mai messo. Non so perché; non so se per lei fosse qualcosa di intoccabile, l'anello di una promessa di matrimonio mai mantenuta, oppure non ci si vedeva con dei pappagallini al collo. Del resto, chi mai avrebbe potuto vedere la Duse con dei pappagallini? Credo che sia ancora nel secondo cassetto del comò, dove gliel'ho visto riporre, e quando dovremo sgomberare la sua casa, bisognerà trovare dove metterlo.

È un problema capire cosa fare delle sue cose, che sono ingombranti, che sono il più delle volte incomprensibili e inutilizzabili. Anche a essere figli devoti, come si fa a voler bene al suo giardino tropicale, ai suoi libri di scuola foderati con la carta di giornale, ai faldoni infiocchettati zeppi di circolari ministeriali, alle posate e ai piatti che sono ancora quelli dell'osteria del Ponte e non ce n'è uno che non abbia una vena o uno sbrecco? Lei gli ha voluto bene a quel mucchio di roba, ma non sarà che ce ne venga fuori un sacrario. La nascitura avrà la fisarmonica, che è ancora dentro la sua custodia di pannolenci ed è perfetta, e se mai se la sentirà di allargare a sufficienza il petto e le braccia, potrà anche imparare a suonarla. E il fazzoletto dei pappagallini alla fine lo terrò per me, a parziale risarcimento di quello che non mi ha mai dato mio padre; e nel caso avessi ancora la forza di fare il gradasso, lo consegnerò sul letto di morte alla 'Nita, a parziale risarcimento di tutto quanto.

Per quanto riguarda mio padre, quello che si sa per certo è che la sua compagnia fu tra quelle che nel Capodanno del '45 cercarono di sfondare il fronte dando l'assalto a Monte Castello. Per due volte prima di riuscirci, e lui fu tra i pochi che non ci rimisero la pelle. Fu ferito e portato a Pistoia. Il resto poi sono discorsi della gente. Il fatto è che dal Ponte a Pistoia ci sono sì e no quaranta chilometri in linea d'aria, e quella distanza non è mai stata valicata. Non penso che la Duse abbia mai chiesto per sapere qualcosa; se ho conosciuto mia madre, sono certo di no. Io l'ho fatto, ma non per molto, non fino a dovermi umiliare a chiedere a chi non poteva capire, a chi non poteva sapere di come si erano incontrati quei due sul Ponte di Campia nel fatale autunno del '44. Più volte me ne hanno voluto parlare senza che io chiedessi, e perlopiù erano fantasie, tanto per far vedere di saperla lunga.

Quello che è probabile è che il tizio restato per trent'anni a fare la guardia al cimitero dei brasiliani fuori Pistoia, fosse lui. Uno sbandato, a quel che si diceva, che non ha mai parlato con nessuno, che non si sapeva di cosa vivesse e nemmeno con precisione dove andasse a dormire, ma che teneva quel cimitero come uno specchio. Un cimitero dove non è mai andato nessuno, finché alla fine degli anni settanta non si è presentato il presidente del Brasile in persona, e in pompa magna, per ritirare le spoglie mortali dei liberatori d'Europa e riportarle in patria. E allora risulta che quel tale abbia preso la strada per colmare finalmente i quaranta chilometri. Solo che, e anche questi sono solo discorsi, ha fatto il giro largo; o, con tutto il tempo che era passato, ha finito con il perdersi. E si è ritrovato sul dente della Pania della Croce. E di là ha visto quello che andava cercando da tutta la vita. Ha visto l'azzurro mare della Grecia e ci si è tuffato dentro.

Resterebbe però da capire, perché se ne sia stato per trent'anni a guardare un cimitero di soldati. Forse alla battaglia di Monte Castello ha battuto la testa e gli ci è voluto tutto quel tempo per riprendersi; forse quello che si è tuffato giù dalla Pania è un altro balordo, e lui adesso è ancora lì, appoggiato al cancello del cimitero dismesso. Metti invece che è da sessant'anni che sta nuotando nel suo mare di Grecia, e vive in una vecchia casa di tufo su un'isola al largo della Calcidica; e da lì può vedere, se ha ancora buona vista, il litorale su cui sbarcarono le navi degli Achei. Sarà senza dubbio confortato nei dolori della vecchiaia e nei brutti ricordi da numerosi figli e nipoti, amato dai vicini per il suo carattere allegro, rispettato dalle autorità per la sua profonda conoscenza del poema nazionale. Tutto questo può essere vero, ma niente di tutto ciò è di qualche importanza. Una verità che non serve più a niente.

10.

LA MALVOLENTE

Il 25 aprile è morta la Marta. In verità è morta già tre o quattro giorni prima, ma è stato il 25 aprile che l'hanno trovata. C'era anche la 'Nita. Sono salite alla sua stalla lei e le sue amiche con i fiori e l'hanno capito subito dall'odore. Un vecchio morto puzza più di qualunque animale vivo. E a dire il vero animali non ce n'erano più nella stalla, e nemmeno nei recinti, eccezion fatta per due agnelli mezzi morti di fame e di sete che avevano quasi finito di rosicchiarle le calze di lana grossa. Erano tutte ragazze, e si sono spaventate. Non era la prima volta che salivano in gruppo dalla Marta.

Era stata un'idea della 'Nita quella di andarla a trovare per il Venticinque Aprile e portarle dei fiori e una torta, e nonostante il suo carattere e l'antica decisione di non volerne più sapere niente di feste e ricorrenze, non le aveva mai rimandate indietro. Si vede che le erano venute a simpatia. Dice che andavano lì, cercavano qualcosa per metterci dentro i fiori, dei fiori comprati, delle rose, mettevano la tovaglia e si mangiavano la torta. La Marta non parlava mai, ma stava a sentire quello che dicevano le ragazze. E le ragazze, dice la 'Nita, discorrevano tra loro di quello che capitava. Sembrava che la Marta fosse contenta: mangiava la sua fetta di torta, poi ne accettava anche un'altra, e le stava a guardare, fissandole una per una con i suoi occhietti umidi di cataratta, come se si sforzasse di ricapitolare ogni volta chi fossero, da dove venivano, com'erano nate, chi le aveva fatte. Quando la torta era finita, prendevano e se ne andavano.

La 'Nita dice che lo facevano perché bisognava farlo. Che non era solo questione di voler bene a quella vecchia, ma di ricordarle anche quello che lei non voleva ricordare. Perché questo è il dovere dei figli sui padri: mantenere vivo tutto ciò che hanno avuto di vivo, anche quando ne farebbero volentieri a meno, specialmente quando tutto quello che sanno fare è lasciarsi morire. E lei dice pure che la Marta non si era dimenticata di niente, e non era così rimbambita da non vedere quelle rose e quella torta per ciò che erano. Solo che alla fine l'hanno trovata morta.

È scesa a chiamarmi e sono andato con l'Ulisse, il figlio dell'Aristo, che quel giorno era di turno con l'ambulanza della Misericordia. Non puzzava poi così tanto, non aveva molto da far marcire. Abbiamo portato subito via gli agnelli e li abbiamo abbeverati. Frignavano come se avessero sentito l'odore del macello, si divincolavano e cercavano di tornare dentro; volevano finire di mangiarsi le calze della Marta, speravano di tornare a letto con lei. Comunque non si capiva perché fossero ancora lì: la Marta doveva aver sentito che le stava succedendo qualcosa perché aveva aperto i recinti e disperso la mandria. Forse aveva voluto morire con un po' di compagnia, magari aveva pensato che avrebbero capito in fretta e se ne sarebbero andati; strano che non avesse pensato che a volte i figli sanno vegliare le loro madri fino a morirne. Ma lei di figli, di figli suoi, non ne sapeva niente.

Era riversa nell'andito che dalla stalla dava nella cucina. Sopra le calze spesse come gambali aveva delle ciabatte di feltro bucate nel punto dove la nocetta artritica si era fatta largo per cercare un po' di sollievo, portava addosso dei pantaloni militari chiusi alla caviglia come quelli dei paracadutisti, e sopra i pantaloni una sottana di cotonina nera; sopra la sottana un grembiale raccolto a fagotto, e sopra ancora la sua giacca a vento viola con la cerniera rotta. Era caduta di fianco e aveva steso un braccio per difendere la spalla con il palmo aperto della mano; era piegata sul ventre e teneva l'altra mano ancora chiusa sui lembi del fagotto, come se il suo ultimo pensiero fosse stato quello di non versarne il contenuto. Sicuro che è stato il suo ultimo pensiero. L'abbiamo presa così com'era, messa su un telo e portata all'ospedale, dall'autorità. Quando le hanno aperto il grembiule hanno visto che dentro c'erano cinque uova. Ancora intatte dopo tutto quel trambusto. Le hanno date a me, come un bottino che mi spettasse, come se la Marta fosse un relitto che avessi trovato vagante nel mare aperto e fossi andato dall'autorità a reclamare il mio diritto di saccheggio. Ho chiesto all'Ulisse se volesse fare a mezzo, ma l'Ulisse ha il colesterolo alto e le uova non le può nemmeno vedere. Così ho portato le uova della Marta a casa e le ho date alla 'Nita perché le dividesse con le amiche. Erano andate in cinque a trovare la Marta, e cinque erano le uova. Secondo me la Marta le aveva prese dalle cove per darle a loro. Se davvero aveva sentito che stava per andarsene, prima avrà voluto contraccambiare le rose e la torta con quello che aveva. Dare alle ragazze qualcosa di buono, quello che le era rimasto, perché capissero che ricordava. Che anche se non voleva, ricordava.

E c'è stato il problema di dove seppellirla. La Marta non aveva niente, figuriamoci se si fosse mai messa da parte una tomba. Tutto quello che aveva da darle l'autorità era una fossa pro tempore nel cimitero centrale, e sarebbe stata una cosa senza dignità. Si è fatto vivo don Gigliante, che ha offerto un buon posto, mallevato da ogni vincolo e servitù ad aeternum, nel cimitero che i suoi paesani si sono edificati in proprio, in flagrante opposizione all'editto napoleonico, appunto per garantirsi la certezza che nessuno mettesse becco nei loro affari post mortem. Sarebbe stata una cosa ben fatta, anche se quel posto è un po' troppo distante da tutto ciò che concerne la Marta dei suoi ultimi sessant'anni, ma era consonante per lui stesso, per quanto si sa che don Gigliante le avesse voluto bene al tempo della guerra, per tutte quelle volte che aveva lasciato che si nascondesse nei suoi cimiteri e in quelli degli altri, trovando sempre il modo di portarle qualcosa da mangiare, una coperta, e magari anche qualche cartuccia. Ma poi è venuto l'Omo Nudo.

E l'Omo Nudo ha messo giù il carico da novanta: la tomba che aveva ereditato dalla Melina. La tomba che quella donna caparbia aveva fatto fare per metterci dentro lei stessa e suo figlio e i figli di suo figlio. C'era posto persino per suo marito, sicura com'era che almeno da morto sarebbe arrivato prima o poi a fare i conti con lei, a testa china a chiedere perdono. La tomba della Melina era di maestà faraonica, era il compimento di un suo disegno di orgoglio sperperatore, l'impresa architettonica che aveva reso magnifica la sua disgrazia e lei grande al cospetto di tutti i defunti della vallata. Se non incontra il gusto nostro, gravata com'è da una certa qual pesantezza babilonese di tarda età, è pur sempre il posto dove bisognerebbe portare i turisti a contemplare l'arditezza stilistica dei nostri marmorini, il rocambolesco stile incisorio dei nostri scalpellini. Si sta così larghi là dentro, che ci si patisce il freddo anche da morti, "e io da solo con la Melina nun ci voglio andà", è stata la sua proposta. "Lei poi nun avrà che da starci poco o nulla a tené bona la Melina, che è questione di una stagione o due e io vado a mettermici di fianco", è stata la sua preghiera. E ora la Marta è là, e ha la sua lapide che dice a chi mai volesse saperlo che è stata staffetta, nutrice e pastora. È là perché l'Omo Nudo ha voluto ricordare anche lui quello che non voleva ricordare. Anche lui alla fine; peccato. E che è un peccato lui lo sa, e lo sapeva ancor prima che la Marta se ne andasse. Se è vero, e lo è senza il minimo dubbio, che c'era lui dentro l'Ignoto di quest'ultima Passione. E anche questa è una storia, bella ed edificante, concernente l'esotica e capricciosa anima nostra, la sua singolare educazione al bene e al sacro.

Per qualche ragione che gli stessi preti non se la sentono di spiegare, nel castro longobardo di Castiglione, votato or sono mille anni a san Michele, il popolo celebra già il giovedì la passione e morte di Nostro Signore. Con una contrazione di tempo e di spazio che non sembra di alcuna utilità pratica, immediatamente dopo il sacro lavacro dei piedi, il Cristo viene processato, fustigato, incoronato di spine, caricato della croce e portato al suo supplizio, tra lo scherno dei soldati di Roma e l'ostilità del popolo. Come se aver compiuto quel gesto di umile familiarità e amorevole cura, fosse da considerarsi talmente grave da meritare un'immediata punizione capitale. Come se umiliarsi ai piedi di chi si ama, fosse da considerarsi a tal punto abominevole, da non poter porre tempo in mezzo tra delitto e punizione.

Immagino che questa perversione ci venga dal maligno influsso dei longobardi, che nelle pertinenze di Castiglione hanno spadroneggiato finché hanno voluto, e non è certo un caso che il Cristo da suppliziare debba portare per tradizionale precetto una parrucca castano rossiccia, il colore del pelo longobardo. La parrucca, di antico e sempre ravvivato pelo umano, è proprietà della potente Confraternita della Santa Croce. La Confraternita è talmente potente che è proprietaria di ogni cosa concernente il giovedì della Passione. Sue le corazze, le fruste, le lance e le spade dei legionari di Roma, suo il pruno da cui si sfronda la corona di spine, suoi il legno e i chiodi della crocifissione, sua la tunica penitenziale del Cristo, suoi persino il bacile del lavacro e il prete celebrante, convocato dalla Confraternita a sua discrezione e pagato a soddisfazione della cerimonia in assoluto arbitrio.

E suo il Cristo. Che non è mai nominato per quello che è, ma per ciò che appare: l'Ignoto. È così che ci si presenta il Redentore, come un ignoto; una sagoma interamente nascosta dal saccone di penitenza da cui può spiare il suo destino solo attraverso un unico foro più o meno all'altezza di un suo occhio. La parrucca e la corona di spine conficcata nella parrucca sono poste sopra la tela, i piedi sono avvolti in pezze luride, perché niente, ma proprio niente possa rivelare l'identità dell'Ignoto.

L'Ignoto è sempre un uomo dei nostri. C'è una lunga lista di uomini in attesa di accedere a quello stato. Alla condizione di assoluta umiliazione che quello stato obbliga a patire. All'acerba e dolorosa punizione a cui saranno soggetti. La lista è conservata dal priore della Confraternita, ed è segreta e inviolabile. È un elenco di peccatori talmente gravidi dei loro peccati che non hanno altro strumento per sgravarsene se non quello estremo di accedere all'Ignoto, e da quella bassezza subire tutto ciò che il popolo deciderà di infliggergli a suo arbitrio e per suo incontestabile sollazzo. Questi uomini, vanno di notte a cercare la buca della Confraternita, infilano la loro postulazione e filano via. Poi verranno cercati, saranno interrogati dal priore in luoghi e tempi ben protetti, espongono i particolari della colpa, e dovranno essere molto precisi e convincenti, quindi giudicati e respinti o accettati. Da quando c'è memoria, non si è venuti a conoscenza di un solo nome di un penitente ignoto, se non per chiacchiere e sospetti, deduzioni e tirar di somme; ma pur non essendo possibile alcuna prova certa, nessuno ha mai avanzato anche solo il timore di una possibile usurpazione a causa di favore o raccomandazione. Credo che ci sarebbe più tollerabile sapere di un fratello ladro di tua moglie che di un priore della Confraternita venduto alla simonia. Dico noi, perché da tempo la Confraternita ha avuto la grazia di consentire agli uomini di tutto il distretto di domandare il supplizio. Dico noi non a caso, perché anch'io, a suo tempo, ho postulato. E sono stato respinto, visto che agli onorevoli Priori non è parsa un gran peccato la noncurante indolenza con cui ho lasciato che l'uomo che mi ha generato vagasse impunito e mortalmente solo nella terra del suo figliuolo, forse per le sue stesse strade.

Naturalmente il prescelto paga, e non pochi biglietti. Ma quest'anno chi fosse l'Ignoto è venuto a galla; e non è stata colpa di nessuno, a meno che non si voglia darne indiretta al sindaco di Castiglione, che continua a tenere nelle vie del suo paese l'antica rete fognaria, con i tombini siglati dallo stemma ducale, di rara bellezza e vetusta nobiltà, ma fusi nella ghisa morbida, ormai fradicia e pericolosamente instabile. Dicevo che, dopo essere stato piegato nel lavacro dei piedi a tutta la Confraternita, l'Ignoto viene processato, caricato della croce e portato al Golgota, in alto sulla rocca, attraverso le vie del paese, dove il popolo lo aspetta per fare la parte di peccaminosa ignoranza e laida ingratitudine che la storia gli ha assegnato.

Ci è stato subito chiaro che l'Ignoto di quest'anno, per la compostezza e il diniego con cui reggeva i colpi e gli insulti, fosse forte e indomito; ma in verità sono stati pochi nella storia gli uomini che abbiano accusato i colpi, che si siano difesi dalle ingiurie con gesti sgraziati. O, addirittura, ed è successo, che abbiano reagito brandendo la loro croce e menando colpi.

Il punto dolente è stato nella via della Guardia, la bella strada selciata che porta alla rocca stretta rasente le mura estensi. Lì, dove il popolo è solito agguattarsi nel buio degli anditi e negli anfratti delle vecchie mura, e i legionari, male illuminati dalle loro torce, sono costretti a sfilare a uno a uno ben al centro del selciato, perché sanno che il popolo è canaglia e traditore, e in un luogo così propizio è tentato di dismettere la parte deicida e intraprendere quella irredentista, lì, dove anche di giorno non è facile vedere dove si mettono i piedi, il lungo braccio della croce dell'Ignoto si è incastrato nella fessura di uno dei tombini della gloriosa amministrazione estense. E la processione si è sospesa. Non sono bastati a liberarlo ardimento e forza, pareva che si fosse fuso nella ghisa. Non sono serviti gli sproni delle lance e delle fruste legionarie, all'Ignoto gli facevano un baffo. Ingolfato nel saccone, orbato di gran parte della vista, l'Ignoto forzava come se con la leva della sua croce volesse divellere la strada, sradicare il paese intero e scagliarli nella notte. A quel punto c'era silenzio, quella tregua muta che il popolo instaura con la sua vittima quando partecipa di uno di quei gravi inciampi della storia che teme per se stesso e non riesce ad augurare a nessun altro. E nel silenzio, mentre la giallognola e indecisa luce delle torce gettava chiaroscuri intorno all'affanno di un estremo tentativo dell'Ignoto, dal saccone sale una orrenda, straziante, inequivoca bestemmia. Potente e sorgiva come se fosse stata la diga di Ponte a squarciarsi sotto l'urto di una piena da apocalisse. Complessa di una inaudita sequenza di aggettivi che non si saprebbe dove andare a scovarli tutti assieme in bocca umana. Definitiva nel suo giudizio, inappellabile nello spregio. Plastica nella sua rotonda chiarezza.

È così che abbiamo scoperto l'Omo Nudo nell'Ignoto. Era la sua voce, conosciuta in tutta la vallata; l'inconfondibile timbro con cui apostrofava l'autorità, l'insulto con cui la ricusava. Questo Giovedì Santo c'è stato un dibattito tra l'Omo Nudo e il suo Dio, e ci sono state delle conclusioni. Sono cresciuto allungato alla sua ombra e ancora non sapevo che avesse un Dio. Come non avrei mai immaginato che avesse una colpa da espiare nel modo truculento dell'Ignoto. In nessun modo, direi, perché l'Omo Nudo è innocente come l'acqua; così limpido nella sua innocenza da non aver nemmeno bisogno di un dio, secondo me. Eppure era lì, a scontare il massimo della pena. E fatalità ha voluto che la sua croce si impuntasse, come se avesse ritenuto non pertinente alla sua natura di accompagnarlo sul Golgota, come se si rifiutasse di eseguire gli ordini della giustizia, così come la intendevano l'Omo Nudo e la Confraternita che lo ha ritenuto degno del martirio. Dio stesso si è rifiutato di crocifiggere il Bresci, e ha cercato di spiegarglielo con le brutte. E il Bresci ha conteso con lui, e l'ha zittito. Perché poi c'è riuscito a sradicare la croce da quel tombino. E nel silenzio che non si riusciva a scompigliare nemmeno con l'aiuto dei bambini, e nel buio delle torce che l'aria della notte smorzava contro le pietre dei muri e i legionari non avevano voglia di rianimare, l'Omo Nudo è arrivato alla sommità della rocca e ha piantato la croce là dove era prescritto. Ma non si è fatto avanti nessuno tra i sacrestani per ficcargli sotto il saccone la spugna imbevuta d'aceto, né una sola vecchia per singhiozzare la sua pena. Niente è andato come doveva andare, e il popolo se n'è tornato a casa penosamente conscio di un fallimento che sarebbe stato ricordato nei secoli. E si sa che il priore della Confraternita piangesse, protetto dalla cortina delle antiche insegne purpuree che i suoi sgherri gli strascicavano attorno.

Il fatto che non siamo delle bestie ha preteso che l'indomani nessuno osasse tornare sulla faccenda, se non con certi sguardi bassi e qualche accorto gesto di diniego. L'Omo Nudo non s'è visto per un paio di settimane, ma questo era nelle sue consuetudini di ogni stagione; in ogni caso si era nei giorni di furore negli orti e di agitazione negli ovili, con il novellame da accudire e ogni cosa da seminare. Si è giusto rivisto in tempo per la Marta; con la sua sorprendente proposta, con la sua implicita confessione.

Solo la 'Nita è abbastanza in confidenza con lui per poter conoscere almeno una parte della verità intorno al peccato dell'Omo Nudo, ma lei, naturalmente, non ha ragione di chiacchierare intorno a queste cose. Anche se non parla poco, non con la parsimonia che noi abbiamo ereditato dai nostri padri e gelosamente coltiviamo, non è una chiacchierona, e non si concede alle lussurie del vento; come apprezza poeticamente don Gigliante, quando è in vena di complimenti e con l'esercizio del suo duro gomito contro il mio fianco prova a ricordarmi che una femmina di quel calibro andrebbe tolta dal peccato non veniale del concubinaggio e onorata di un matrimonio cristiano.

L'ultima volta che mi ha sgomitato è stato per l'appunto l'altro ieri, quando è passato per vedere a che punto è la fioritura delle rose. Ha delle rose in società con la 'Nita, che nel suo orto crescono meglio che nel giardino della canonica. Bisogna che le rose si aprano in tempo per la processione del Corpus Domini, perché, nella enfatica coreografia concepita dai barocchi rimordi delle beghine, dovranno essere il teatro floreale da cui occhieggia il Santissimo dal suo baldacchino, e dovranno profumarlo per tutto il tempo della processione. Sono rose damascene, rose antiche e rare, fragili e austere, che la 'Nita ha portato in questa vallata dai suoi viaggi in terra straniera, e fino a che non verrà alla luce la nascitura, solo lei ha la vocazione di saper curare. Queste rose piacciono alle mie vecchie, ma secondo me disturbano la casta pace di Nostro Signore, ha considerato don Gigliante, mentre ne odorava un boccio che aveva reciso con un soffio della punta del suo pennato. Don Gigliante porta il pennato a una cintura di cuoio intarsiato allacciata sopra la tonaca, e pare che se lo tolga solo quando si veste per dire messa. Sono rose che dovrebbero portare all'altare una sposa, ha precisato. E guardava me, ed era il mio il costato in cui stava calcando il gomito, e la sua voce mi soffiava dentro il colletto della camicia, di modo che la 'Nita non la sentisse. Perché neppure lui, con tutta la sua ferocia di predicatore di montagna, osa parlare di queste cose con lei. Con lei traffica in rose damascene e fagioli giallorini e genzianelle dal petalo viola, non in redenzione, e altre secondarie minuzie.

A questo proposito, anche il Bresci ha più volte, seppur cautamente, manifestato la sua aspettativa per un matrimonio, anche se le sue ragioni sono, per così dire, di carattere estetico: perché mi farebbe tanto piacere vedere una bimba bella a quel modo vestita a festa. E credo che si immagini una fantasmagoria che ha visto in qualche film della sua sepolta pubertà, o addirittura qualcosa che non ha mai visto.

Mi ha informato che a suo parere ci si dovrebbe sposare non prima del grande viaggio alla tomba del suo amico William Grover-Williams, così da non doverlo imbarazzare caricandolo dell'impudenza di un'impresa di così grande importanza compiuta assieme a una donna sposata. Anche lui parla tenendosi alla larga dalla 'Nita, anche lui nella convinzione che sia io la parte di mura più friabile, la serratura più vulnerabile. Eppure mi conoscono. E nonostante ciò nutrono, ciascuno nel suo pazzo modo di concepire una cosa che non conosce, l'idea che io sia la parte delicata di un essere che amano e vogliono proteggere. Come se non lo volessi anch'io. Come se non lo volesse la 'Nita. Solo che a me mi hanno visto crescere, e lei l'hanno vista solo arrivare. Ed è arrivata facendosi strada nella polvere di un'antica esplosione, così antica che la polvere si è fatta ormai talmente sottile da restare sospesa, leggera come nuvola. E lei stessa, nel suo palesarsi, non poteva che apparire nuvola, vapore del miracolo nell'apparizione della scampata.

E invece lei si è fermata qui da noi portando con sé materia, generando consolidamento; ingombrando gli spazi con le sue masserizie, preoccupando il libraio-cartolaio con straordinarie richieste, producendo capitale con il suo lavoro e lavoro con il capitale, ingravidandosi infine di colui che per portare rispetto al destino aveva tenuto sterili i suoi campi. Ma il mistero che ha portato con sé incute timore in coloro che si sono ridotti a credere che il tempo delle eccezioni sia passato. Come don Gigliante, come il Bresci; loro sono così carichi dell'eccezionale che li ha portati vivi fin qui, da essere tentati a trovare sollievo nella contemplazione estatica del miracolo. Li guardo mentre cincischiano con lei di rose e di eroi, e considero come li sovrasti quel suo essere così ben piantata per terra, il suo declinare il discorso volgendo lo spirito in materia, e la materia nella sua ragione. Non smette mai di meravigliare neppure me per la determinazione con cui affronta le insolubili questioni che le pone la natura dell'universo, e la pratica disinvoltura con cui le dispone nell'orizzonte di questa nostra vita. Ma come potrebbe non vivere ben ancorata al suolo, lei che ha visto saltare in aria la sua famiglia, lei che per puro caso del sopravvivere non è volata via con loro e con tutta una stazione ferroviaria?

Io so che la 'Nita non è un miracolo, allo stesso modo per cui non fu a suo tempo una miracolata: per come la vedo io, lei è solo l'effetto della fisica proprietà di questa vallata a trovare la strada per tornare ancora una volta, tutte le volte, al principio delle cose. Il principio delle cose è che bisogna tirare avanti, e ricominciare, come se niente fosse. E comunque, io non sposerò lei e lei non sposerà me, perché non è in quel modo che abbiamo bisogno di essere protetti. E questo accadrà con la benedizione della Santarellina, che con la 'Nita non ha timore di parlare di nulla. La Santarellina non vede di buon occhio un matrimonio tra le due persone a cui tiene di più al mondo, ora che la Duse se n'è andata. La Santarellina lo ha precisato senza un gran giro di parole alla 'Nita, proprio mentre ce ne tornavamo dal cimitero, dopo averci lasciato la Duse. Ormai questo vestito ha visto troppi funerali, le ha detto, perché possa andar bene per un altro matrimonio. E di sciantung così non ne fanno più, ha considerato lisciandosi con la sua piccola mano contorta dall'artrite le pieghe di quel suo favoloso tailleur londinese. E non ci riuscirei ad andare a un matrimonio tra voi con qualcosa da poco addosso. Se mai vi passerà per il capo di farlo, fatelo quando me ne sarò andata anch'io. E la Santarellina è eterna.

A Natale io e la 'Nita andiamo a Careggine; tanto per restare in argomento, quello è il nostro viaggio di nozze, e, da quando ho deciso che rimanesse, lo ripetiamo ogni anno con rinnovato ardore. In quei giorni Careggine è piena di inglesi, tutte le dinastie degli espatriati che tornano almeno per il sacramento natalizio degli ossetti. Parcheggiano nel modo più invadente possibile le Vauxhall e le Rover con cui hanno attraversato la Manica sugli stessi ferry della notte di quelli che erano partiti, e accendono i fuochi nelle case degli avi. Per una settimana dalle finestre aperte di quelle nere stanze in cui sono nati, o anche solo hanno dormito quando sono venuti a farsi cresimare, si spende per il paese l'odore unico e non proprio piacevole che hanno i maglioni di lana irlandese. Li portano a dozzine per regalarli ai nipoti, ai cugini, alle spose e alle amanti. Li tengono a prendere aria perché tutto il paese ammiri i nuovi disegni e gli esclusivi mélange dell'ultima stagione di saldi.

Qui da noi non li porta più nessuno quei maglioni, che finiscono a mucchi nelle sagrestie dove si raccoglie vestiario per i bambini delle missioni, o addosso ai parenti alla lontana dei bielorussi e dei georgiani che accettano ancora volentieri tutto quello che gli si dà, ma loro non lo sanno. Loro hanno ancora bisogno di credere di essere stati fortunati e di aver imparato a essere prodighi. Per questo nella settimana che restano non fanno che sciamare per le strade e fermare la gente, informarsi di chi sono e cosa fanno, se hanno parenti in comune, e ne hanno sempre in qualche lontano modo: per poter parlare di se stessi nella lingua che si inorgogliscono a non dimenticare, per raccontare le storie di Glasgow e Chelsea, le favole che li hanno tenuti in piedi e li faranno campare senza doversi sentire in vergogna con quelli che sono rimasti. Ma ai cani che si portano dietro per sommo sfoggio, gli inetti terrier e i fragili pointer che qui da noi non passerebbero vivi una settimana prima di essere divorati dai cinghiali, a quei cani che si tengono accucciati al fianco quando si fermano al bar, sussurrano sciocchezze in inglese. Inglese passabilmente corretto e ben pronunciato.

Vogliamo bene a quella gente, forse più di quanto loro non osino sperare; sopportiamo la spilorceria, la supponenza e gli altri vizi che hanno imparato all'estero, e ce li teniamo quei pochi giorni tra noi come se ci crepasse il cuore a lasciarli ripartire. Perché non tornano da parassiti dei ricordi, ma da riparatori. Non ce n'è uno che non abbia versato tutto quello che ha messo assieme nella tutela della sacra casa del padre, nella sua minuziosa conservazione, nella fedele ricostruzione. Come se si trattasse di espiare un peccato di massa, e la penitenza fosse la dedizione eterna ai sassi di un presepe da cui hanno lasciato che fosse trafugato il Bambin Gesù. E così sono legati a queste case da un voto, e non saranno mai lasciate morire, mai finché nutriranno questo loro sogno infantile di riportare prima o poi il bambinello nella greppia.

Il distretto è disseminato di queste case votive, e Careggine è tutta così; ed è una bellezza che non ha pari, non contaminata da malefiche ambizioni di ampliamento e da stupide tentazioni di modernità. È nel sarcofago sordo delle cantine di queste case che al loro arrivo trovano squartato, salato, insaccato, il maiale che hanno fatto ingrassare dai loro fidati corrispondenti locali per i diciotto mesi canonici. È in vista della vigilia di Natale che nelle grasse cucine di quelle case preparano per due lunghi, estenuanti giorni il brodo degli ossetti; e alla Vigilia, a nutrirsene come nella confermazione di un battesimo, raccolgono tutti i rami dinastici maggiori e minori, fin dove gli è possibile, fino al terzo e quarto grado. Tanto hanno comunque nella cucina un tavolo sempre bastante, e sedie che se non bastano possono chiederle al bar.

È in una di queste case che io vado ospite con la 'Nita; e non è la casa di un inglese, ma dell'Aristo, e della sua erede, la Malva, detta Malvina. Se il figlio dell'Aristo, l'Ulisse, erediterà il pennato più nobile e bello del distretto, sua nipote Malvina avrà la casa di Careggine. Perché l'Ulisse non la vuole e non la vuole nessun altro se non la Malvina, e se non ci fosse lei a volerla, sarebbe da molti anni disabitata e dirotta.

La Malvina ha ormai trent'anni, e se non si sapesse che qualche volta si vede con il Nazzareno, se non li si incontrasse per le selve in certe giornate fuori stagione, si penserebbe che è fatta per essere bambina finché camperà. A guardarla. Per quel suo corpo sparuto e liscio, e la faccina paffutella, per quei tre ciuffi dritti del colore scuro del miele di robinia che come il miele si schiariscono appena ci casca la luce. Per le gambette che saettano qua e là e non la fanno star ferma mai, per le mani grandi il palmo di una foglia di alloro. Per quei suoi occhi da gattina novella, che sono sempre lì a domandare e dicono sempre di no. A vederla, dico; perché di sentirla non c'è modo. Di certo troverà il modo di parlare con suo nonno, forse si dice qualcosa anche con il padre e con il Nazzareno, ma con questo ha esaurito le sue necessità di eloquio. Dice sì o no, e per questo generalmente le basta un cenno, un soffio in là o in giù dei ciuffi; sorride, e lo fa in quel modo così riservato e così elegante che hanno di sorridere all'ombra delle maestà certe antiche madonnine scolpite dai migliori maestri versiliesi. E si rabbuia, e per farlo non le serve nulla, solo la fissità del suo silenzio.

Questo è quanto. E io posso dire di aver parlato con lei, e di averlo fatto ogni volta che ci siamo incontrati nella casa dell'Aristo, solo perché ci si guarda tra noi. Di lei e della 'Nita non so; quando si è tutti insieme capita che si appartino un po', ma probabilmente lo fanno solo per guardarsi con comodo, e in questo modo parlare tra loro. Si sa che l'Ulisse l'ha mandata a studiare all'estero e che nel suo ramo è diventata più che dottore. Di quello che ha imparato però non se ne fa nulla, visto che quello che si sa è che è esperta in meccanica celeste. Si dice così solo perché è tornata a casa con un grosso libro che ha fatto vedere a suo padre perché non pensasse di aver buttato via i suoi soldi. Sulla copertina c'è il suo nome di Malva e un titolo troppo lungo perché suo padre potesse capire cosa significhi, o anche solo impararlo a memoria per intero. L'abbiamo visto tutti quel libro, e se n'è chiacchierato con passione, perché l'Ulisse gli ha fatto fare il giro del distretto, finché la Malvina non se l'è ripreso e non l'ha fatto sparire. In effetti le due parole a caratteri più grandi sono: *Celestial Mechanics*. Meccanica celeste, dunque.

Il fatto è che quella bambinella affetta dalla vocazione al mutismo, alta sì e no un metro e cinquanta, è una scienziata astrofisica. Ma che la sua scienza l'abbia portata a perlustrare i misteri della gravitazione universale, e l'evenienza che potesse aver risolto anche una piccola parte del sommo mistero dell'equilibrio che ci governa al di sopra di tutti i governi, non ha turbato nessuno. E non per ignoranza, o grettezza d'animo, ma perché ci appare fin troppo ovvio che la Malvina sia più grande di noi, e naturalmente non può che esserlo dove noi non possiamo vedere. Solo ad aver potuto leggere e comprendere il suo libro, saremmo stati partecipi della sua grandezza, ma anche questo non è così importante. Pochi tra noi sanno spingersi fin dove inizia la contemplazione della radiazione primordiale, e anche tra loro, c'è da giurarci che nessuno è veramente disposto a gingillarsi con quell'impalpabile fossile di cui la Malvina stessa non potrà godere che la pura astrazione numerica. È guardandola sgambettare per le vie del paese o sfrecciare con la sua bici giù dai tornanti di Brica, intuendola frusciare tra le ramaglie delle selve, osservandola mentre fa un breve inchino da damigella prima di entrare nella casa di suo nonno, che la conosciamo e siamo sazi della sua grandezza.

È tornata dunque dall'estero e non ha fatto passare tre mesi che si è messa a lavorare come selezionatrice in una coltivazione di fiori, su verso Metello. Non c'è molto da dover discutere per fare quel lavoro, e dicono che sia brava; dicono che l'azienda ha fatto passi avanti da quando c'è lei, e che è a lei che devono una nuova fresia di una bellezza quasi imbarazzante per le vecchie fresie. Se ci fossero più spose, dicono, se ce ne fossero ancora che gradiscono inebriarsi nel profumo di un bouquet di fresie, potrebbero essere miliardari.

Va a lavorare in bicicletta, estate e inverno, e sono in pochi la mattina a vederla passare, perché le ci vogliono quasi due ore da casa sua e se ne parte poco dopo le cinque. Ha una bicicletta grande come quella di un ragazzino, che si è portata dall'estero; dicono che sia fatta con i materiali di risulta di un'astronave e che vale una fortuna. A vedere la sua architettura così poco consueta anche per i malati del circolo Jacques Anquetil, parrebbe che sia proprio vero; ma in ogni caso è una bicicletta che va ancora a pedali, e non si riesce a immaginare quanta polenta di neccio abbia bisogno di buttar giù la Malvina a colazione per trovare la forza per tutta quella strada. Né dove riesca a metterla, tutta quella polenta.

Quando ha finito di lavorare, quando non si incontra col Nazzareno, quando si fa buio, entra nella casa di suo nonno Aristo e vive con lui. Ha voluto lei che le cose andassero così. L'Ulisse avrebbe voluto tenerla in casa, "e se proprio non vole stare con me e nun le garba di leticà con quella rompicoglioni di su' madre", si era rotto la schiena per prepararle un quartierino nella casa accanto. Ma la Malvina ha scelto Aristo e la sua casa, e pare che tutti e tre si intendano alla perfezione. Non è bello che i giovani passino troppo tempo con i vecchi, soprattutto se hanno ancora da crescere, e ci si augura che la Malvina ne abbia da crescere almeno un po', ma loro tre sono una cosa distinta e unica: lei, l'Aristo, la casa. L'Aristo è un vecchio così dolce che anche lui sembra un po' un bambino. Lo conosco da quando ero bambino io ed è sempre stato così. Piaceva alla Duse per questo, e per l'eleganza dei suoi modi, ed era contenta quando mi fermavo all'officina da lui.

L'Aristo è un nobile e il suo nome non gli viene da una malposta ambizione. In una stanza della casa avita di Roggio, dove è nato suo padre, ci ha dormito il papa mentre consumava le schiene degli asini pontifici per attraversare gli Appennini e chiedere la grazia di una protezione alla regina Matilda. E dopo del papa ci hanno dormito i vescovi che secolo dopo secolo si sono avventurati a compiere il loro dovere di visitatori pastorali sopportando l'inimicizia di queste plebi. La sua famiglia dei Borgioni, ha avuto signoria su rocche e poderi tutt'intorno a Careggine, a suo tempo ha avuto soldati e notai, non solo contadini e fattori. Con la Rivoluzione, quando si cominciarono anche nel distretto a piantare querce davanti ai palazzi signorili e sotto la modesta ombra di quelle querce novelle, a reclamare e pretendere, i Borgioni rinunciarono di loro volontà ai due terzi dei possedimenti infeudati, fecero dei loro contadini dei cittadini e diedero le loro guardie perché difendessero gli usi comuni e la prospera tranquillità che ne derivava. Tennero nelle loro case gli ufficiali di Napoleone e gli fecero sposare un paio di figlie e nipoti; da quei matrimoni hanno preso l'avvio quei floridi rami secondari francofoni che ancora oggi danno il nome a vene marmifere, strade e officine che loro stessi hanno progettato e costruito, e si sono dedicati a sfruttare prima, durante e dopo Sant'Elena. Perché quello che ha lasciato Napoleone Buonaparte in questo distretto, siano stati uomini, imprese o anche solo querce, nessuno ha mai osato intaccare oltre le immediate apparenze.

Infatti, quando si restaurarono i ducali, la famiglia dei Borgioni rimase quella che era; e nella piazza della rocca di Roggio, sotto la quercia che ormai verdeggiava con adulta imponenza, il capofamiglia di allora, l'Ariodante che aveva conosciuto di persona Girolamo Buonaparte e Gioacchino Murat, continuava a presenziare alle pubbliche richieste di giustizia e libertà, con l'unico accorgimento di un accompagnamento musicale bandistico e di una qualche ricorrenza del calendario gregoriano. Quando, per la festa di San Rocco, protettore dei liberi artieri, i fabbri gli donarono il pennato più bello che avessero mai forgiato, lui prese a portarlo allo stesso modo con cui suo padre e suo nonno avevano portato la sciabola da commendatore. Tutto questo è scritto e attestato.

Poi venne l'Unità. Il Regno avocò a sé le guardie civiche e le ridusse a guardie regie, con sommo spregio del popolo e disgusto delle guardie per se stesse; confiscò le rocche che i Borgioni avevano donato all'uso civico, con la scusa che non c'era da guardare più nessun confine, e se le presero per due lire i notai romani, quelli che avevano ricevuto l'incarico di bandire le aste per assegnarle al miglior offerente. Arrivarono questi romani e ci vollero quintali di mina e una paziente dedizione del popolo alla giusta misura per fargli capire che non era in queste vallate che avrebbero potuto coronare il loro sogno di magnificenza borghese. Se ne andarono e lasciarono macerie che siamo dietro a rappezzare ancora oggi, ma in tutta questa storia i Borgioni non misero mai bocca. Si consolidò il Regno e loro non si trovarono bene né con il re, né con lo statuto: nessuno della famiglia si candidò al parlamento nazionale, e nessuno fu chiamato dai Savoia al senato del Regno.

E alla fine i Borgioni decaddero; lo fecero, si dice, senza le solite scene dei nobili, senza gli scandali e le buffonerie degli altri: senza dover ricorrere a puttane e gioco d'azzardo. Si sciolsero, come se, semplicemente, non ne avessero più voglia di essere quelli che erano stati. Vendettero, regalarono, e si sparsero per l'Europa, dove avevano interessi e conoscenti un po' dappertutto. Rimasero solo il ramo dei francesi e il nonno di Aristo, Menotti, che volle restare a tenere in ordine i documenti della famiglia e a studiare quello che aveva cominciato.

Quel Menotti è diventato famoso in tutto il mondo perché è andato a cercare antiche civiltà dimenticate a ridosso dell'Eufrate e le ha trovate. Se la Malvina ha preso da qualcuno della famiglia, ha preso da lui. Il Menotti ha scritto decine di libri e lei uno solo, almeno per quel che si sa, ma nelle fotografie gli assomiglia molto: una faccia da gatto che occhieggia da un casco coloniale e un corpicino da scoiattolo infagottato dentro la divisa degli esploratori di quel tempo. Non si capisce con che forza sia riuscito a trovare quello che cercava, se non si guarda la Malvina, e viceversa. Ogni cosa che aveva da scrivere e da conservare, il Menotti l'ha sempre portata nella casa della famiglia, che ha allungato e allargato seguendo senza ritegno il suo ghiribizzo mesopotamico; quella bizzarra rocca divenuta villa e da villa travestita in alambra, sarebbe diventata un gran museo, e Roggio avrebbe avuto la sua gloria mondiale, se poi non fosse successo quello che è successo. Essendo molto meticoloso nelle sue cose, il Menotti non ha tralasciato di sposarcisi in quella casa, e di farci un figlio. Quel figlio aveva nome Serse, ed è stato il padre dell'Aristo. Né lui né sua madre hanno fatto una gran bella vita. Se ne stavano lì, in quella casa capricciosa, dove se non si era il Menotti era difficile imparare anche in che stanza si doveva andare per pisciare. La moglie ad aspettare che il Menotti tornasse da qualche parte dell'Oriente, il figlio a covare fantasie senza neppure un cagnolo da potergliele raccontare. Così un bel giorno la moglie si buttò nella gora e non si trovò più, e il figlio fu reclamato da certi parenti di Lione prima ancora che il Menotti tornasse e potesse decidere per conto suo.

Quando tornò, si pentì tutto d'un colpo di aver lasciato che le cose della sua casa prendessero la piega che avevano preso; smise di scavare nell'Oriente, si rintanò nell'alambra di Roggio e si diede a mettere mano alla sua opera omnia. Una volta alla settimana si faceva preparare qualcosa da mangiare, se lo metteva nel suo sacco da esploratore e di buon mattino andava a piedi fino all'eremo di San Viano; faceva colazione davanti al santo dei vaglini, il santo delle occasioni sprecate, e se ne tornava a casa. Due volte al mese lo venivano a prendere e lo portavano nella città di Siena, dove teneva lezione all'università; pare che per assistere alle sue lezioni venissero studenti da ogni parte d'Italia. Tutto lì, finché non morì. Fino ad allora non chiese mai una volta di suo figlio Serse, ma sua moglie continuò a farla cercare per anni, anche se era universalmente risaputo che dalla gora dove s'era buttata si finiva al fiume e dal fiume al mare in meno di una settimana nella stagione in cui ci aveva viaggiato lei.

Alla morte del Menotti vennero da Parigi i suoi curatori testamentari, che sigillarono tutti i suoi averi. L'alambra fu chiusa e mai più riaperta fino al '44, quando la requisirono i tedeschi e divenne il loro quartier generale. Era così grande e complicata che ci fu anche posto per farci la loro prigione, con le camere di tortura e tutto il resto. A quel tempo era chiamata Gli Urli. Del Serse qui non si seppe mai niente, se non che era un ragazzo timido e ombroso, che le poche volte che sua madre lo portava fuori di casa, si attaccava ai cani per la strada e strillava per poter restare con loro. Non tornò mai da là dov'era in Francia, ma a un certo punto arrivò suo figlio, l'Aristo.

Venne subito dopo la guerra; arrivò con sua moglie su una motocicletta. Erano due ragazzi molto belli, lui parlava a malapena l'italiano, figurarci la lingua del distretto. Mi diceva la Duse che quando si sono presentati in paese, pareva che fossero arrivati due attori del cinema, da tanto che insieme alla bellezza erano eleganti e garbati. Lui si era presentato per riprendersi il suo, ma quando gli dissero che alla casa di Roggio c'erano da fare dei lavori, perché era servita a quello che era servita, lui non volle nemmeno andarla a vedere. Fu ripulita dai questurini e sigillata, e ora è un rudere con porte e finestre inchiodate con le stesse assi del dopoguerra; prima o poi verrà l'ordine di abbatterla a cagione della pubblica sicurezza, e sarà un sollievo per tutti; sarebbe stata forse la seconda occasione per farci un museo, ma va bene così. Con questa sua moglie francese andarono a vivere in una bella casa che la sua famiglia aveva nella collina a ridosso del Ponte, lì dove poi anch'io li ho conosciuti. Erano così belli e così stranieri che mi faceva meraviglia che mi salutassero per la strada, che fossero soli o a braccetto l'uno all'altra.

Quello che principalmente facevano, era prendere la moto e partire. Si vestivano con delle tute di pelle, si calcavano sui ricci un casco di cuoio, e filavano via. Stavano fuori anche settimane intere; a quel tempo l'Aristo aveva una motocicletta enorme, di sicuro un residuato di guerra, e potevano legarci sopra anche due valigie. Partivano e tornavano, e ogni volta che tornavano, a noi ragazzetti ci sembravano sempre più magnifici e stranieri. A un certo punto, smisero di viaggiare e l'Aristo aprì al Ponte una specie di officina. Ci mise dentro la sua motocicletta e poi un'altra e un'altra ancora, e si diede a trafficare con quelle; finché cominciarono a venire da fuori motociclette mai viste, portate da centauri o caricate sui cassoni dei camion.

Erano motociclette da corsa, che avevano appena vinto una gara o che dovevano vincerla da lì a poco. E lui trafficava venti ore per giorno, e spesso andava con lui all'officina anche la sua moglie francese, si metteva una tuta e trafficava con lui. Era la prima volta che nel distretto si vedeva una donna dietro ai motori in un'officina; la cosa allibiva perché quella donna rimaneva pur sempre elegante e compita, e diceva qualunque cosa con dolcezza, e aveva persino portato dalla Francia la pianta della forsizia, che fioriva nel suo giardino quando tutt'intorno non c'erano che neve e stecchi neri. Continuò a lavorare in officina anche quando rimase incinta del suo figliolo, e si vedevano quei due il mattino andare all'officina abbracciati come fossero ancora fidanzati, e alla sera tornare a casa con le tute nere di grasso, le mani allacciate e lucide di benzina. Quando fu avanti nella gravidanza lei si fece cucire una tuta apposita, e la cosa fece enorme scalpore nella vallata, perché anche quella era una delle cose che non si erano mai viste.

Era l'anno 1954, la Duse saliva ancora a insegnare alla scuola della Capria, io ormai ero per la quarta elementare, e una motocicletta su cui l'Aristo aveva trafficato arrivò seconda ai campionati mondiali, classe 500. Era una Guzzi a otto cilindri, lunga come un treno e pesante tale e quale, ma a saperla portare lasciava tutte le altre motociclette un giro indietro; c'era solo un corridore che poteva portarla senza spiaccicarsi sulla pista prima di finire il giro; quel corridore era italiano e si chiamava Biasotti, e viveva a Milano. Io l'ho conosciuto, perché veniva all'officina dell'Aristo e si fermava a salutare noi ragazzi che stavamo ad aspettare fuori nella via che accendessero il motore. Era la fine del mondo.

Il giorno che Biasotti venne con una Lancia coupé a portare la bottiglia di champagne per festeggiare con l'Aristo, all'ospedale di Lucca sua moglie partorì Ulisse, il loro figliolo, cosicché andarono tutti all'ospedale a far bere la puerpera. E anche questo fece scalpore, perché l'Aristo prestò le sue motociclette a tutti quelli che volevano andare a Lucca in corteo e non ne avessero una, e alla bottiglia di champagne aggiunsero anche diverse damigiane legate sui manubri.

Quel giorno io ero lì a vederli partire, uomini e donne abbracciati ai ferri delle più belle motociclette del distretto, con i motori al minimo che sbraitavano come streghi e poi si lanciavano sullo stradone nel fumo e nella polvere; e anche quella pareva la fine del mondo. L'Ulisse è cresciuto nell'officina, e a noi ci pareva il ragazzo che avesse avuto più fortuna nel nascere. Per le motociclette che poteva star lì a veder trafficare quanto voleva, per la madre che era sempre dolce nel parlare e nel muoversi, per l'Aristo che si era comprato un'Aprilia e ci caricava su la moglie e il figlio, e partivano per una, due settimane a vedere il mondo.

Non c'erano più stati campionati del mondo con lo champagne e tutto il resto, ma i centauri non cessavano di andare in pellegrinaggio all'officina; continuavano a venire da tutta Italia con l'aria di aver bisogno di un miracolo urgente. E quelli del distretto si vergognavano delle loro motociclette da poco, e avevano una gran soggezione dell'Aristo, anche se lui era sempre lì a dire: non vedi che è da regolare, non senti che batte in testa, vieni che te la guardo e per un mazzo di fiori alla Francese te la porti a casa nuova. Anche l'Aristo quando parlava di sua moglie la chiamava sempre "la Francese". Poi la Francese è morta, ed è finito tutto, corse, officina, giri del mondo. Se n'è andata via in un mese; un giorno non si è più vista e dopo qualche settimana era morta. Nessuno ha mai saputo il perché, l'Aristo non ne ha mai voluto parlare con nessuno. Dicono che fosse per i fumi della benzina, per i grassi tossici; la Santarellina dice che le francesi sono come le inglesi: qui da noi attecchiscono male e si spengono in fretta. Perché hanno la pelle troppo delicata e gli organi interni si consumano perché non digeriscono il nostro mangiare. Dice che sarebbe successa la stessa cosa a lei a Newcastle, se non se ne fosse accorta in tempo. Sarebbe morta come la Francese senza aver nemmeno compiuto i cinquant'anni, perché l'olio dove friggeva era lo stesso delle motociclette, e le patate e i pesciolini le facevano lo stesso effetto mortale che aveva fatto la polenta di neccio alla Francese.

Eppure le forsizie della moglie dell'Aristo avevano attecchito, e nel suo giardino fioriscono ancora alla fine di febbraio, quando non c'è neppure un croco che abbia ancora osato uscir fuori dalla neve. Neppure in questi anni che in quella casa ci sta l'Ulisse con la sua moglie, che è donna che non saprebbe far fiorire neppure una camomilla selvatica, neppure un amareno. No, non ha avuto una gran fortuna l'Ulisse: nella sua vita, sua madre la Francese è stata l'unica donna che valesse la pena conoscere, e l'unica con cui è stato visto felice. Questa moglie poi, l'ha mandato da solo a battezzare sua figlia, solo perché non voleva che fosse chiamata Malva, che era il nome della sua trisavola, la moglie dell'Ariodante che aveva avuto in casa il Murat. Per essere l'ultimo maschio della famiglia dei Borgioni, l'Ulisse non fa una gran figura, e ha l'aria di essere il compimento del disfacimento familiare; ma è un uomo buono e gentile, che alza la voce solo quando viene al consorzio a predicare lo sterminio delle antiche vigne e l'avvento di un mondo nuovo, dove il popolo del distretto si abbevererà a vitigni di straordinaria dolcezza. Quelli che lui sta selezionando e innestando da quando è tornato dagli studi. Infatti ha un suo vigneto che dà un vino rosso assai raro, che io ho bevuto e mi è parso un po' troppo sottile e signorile per il gusto corrente. Lo spedisce in cartoni numerati non si capisce dove, e lo chiama La Malvasola. E vista così, sembrerebbe una faccenda in spregio a sua moglie e in onore della figlia; ma la malvasola è anche il nome che diamo alla malva che cresce ai bordi delle nostre strade e fiorisce primaticcia assieme ai crochi, subito dopo le forsizie di sua madre. Con tutto l'amore e l'orgoglio che porta per sua figlia, quando li si vede assieme si ha l'impressione che ne abbia del timore: per come l'osserva, per come se ne tiene sempre un po' indietro. E nonostante abbia preso dalla parte massiccia della famiglia, dà la brutta impressione di esserle minore, come un fratello appena più piccolo. Della Malvina, che è alta quello che è.

Ma questo è certamente perché un bel po' dell'animo dell'Ulisse si è spento con sua madre. Così come si è spento suo padre. Che, morta la moglie, chiuse per prima cosa l'officina e si mise a crescere il figlio; lo mandò a studiare in Francia, lo fece tornare e gli chiese quel che avesse voluto del suo. L'Ulisse prese il vigneto e la casa dov'era cresciuto, e si vide come fu un grande sollievo per il padre. Perché altrimenti nel suo pensiero quella casa sarebbe andata a sfarsi come quella di Roggio, quasi che come in quell'altra fossero stati commessi delitti innominabili. Lui si prese la casa di Careggine, la casa dove ora la nipote Malvina vive con lui, e dove io e la 'Nita andiamo per Natale. Si è tenuto qualche attrezzo dell'officina e nient'altro. Il resto di ciò che è rimasto degli averi della famiglia dei Borgioni, adesso è tutto in accomodato alla gente di qui.

Quella casa è grande, antica e bella, ma è anche quella che non ha mai voluto nessuno, e quando si venne a sapere che se la voleva riprendere l'Aristo, andarono in diversi tra quelli che gli volevano bene a cercare di convincerlo a lasciarla perdere. Ci sono case che a un certo punto non vogliono più nessuno attorno. Fortunatamente sono rare, ma se ne contano diverse nel distretto. Io so di quella detta del Bestio, fuori di Corfino, della cascina dei Fratti a Sassi, che per fortuna ormai è rasa alle cantine, e di quella di Careggine. La Santarellina dice che a suo tempo hanno chiuso l'orfanotrofio dov'era cresciuta per la stessa ragione: non perché fossero mancati all'improvviso gli orfani da metterci, ma perché quel casone non ne voleva più vedere; né di orfani, né di monache.

Quelle case sono dette "le malvolenti", e non c'è modo di

prenderle diversamente da come sono diventate. All'inizio sono come tutte le altre, e possono durare così precoci anni o molte generazioni, poi, per nessun motivo che si venga a sapere, iniziano a far capire a chi ci abita che sarebbe venuto il momento di sloggiare. C'è una finestra che non si chiude più, una porta che invece non si apre, il camino che prende a buttar cenere, la rete di un letto che arrugginisce, il solaio che si apre alla neve, le cantine che buttano fango dagli angolari scelti tra le più sane pietre del fiume. E così via. Finché si finisce che non gira più la chiave nella toppa della porta di strada; oppure invece gira, scatta la cricca, ma la porta ti sbatte in faccia. E se non hai pensato prima a portar via le cose, se hai pensato che l'avrai vinta tu, puoi dire addio a tutto quanto, perché lì dentro non ci metti più piede. Questo finché non arriva qualcuno che la malvolente gradisce, e allora è come se non fosse successo niente. Sempre che prima o poi si faccia avanti qualcuno.

Prima che arrivasse lui, la casa dell'Aristo è stata chiusa per più di cinquant'anni; gli ultimi a viverci erano stati i figli del fattore, diventati ragionieri e contabili quando lui è rimbambito. Mangiasughi finiti a professare a Lucca o Firenze, dove, dato l'ambiente propizio, hanno generato altri mangiasughi, e altri ne genereranno, fino alla fine dei tempi. La casa li ha buttati fuori, ma non per quello che erano: altre volte sono state mandate via delle buone famiglie, perché la malvolente ragiona a suo modo, ed è un modo imperscrutabile. Hanno cercato più volte di venderla, ma nessuno, alla fine, ha mai voluto comprarla.

Quando ero ragazzo si presentò un inglese molto ben intenzionato; gli aprirono la porta e vide che quella casa non aveva nulla che non andava, ed era ben conservata e faceva al caso suo. Andò in trattativa e prima di firmare volle darci l'ultima occhiata. Così andò con il notaio e al notaio gli cadde un serramento sul collo. Questo, già contento di essere rimasto vivo, si rese indisponibile a firmare qualunque atto inerente quella casa. L'inglese se ne fece una questione di principio e chiese al prete di Fabbriche di benedirgli l'acquisto. Quel prete lo chiamavano il Bazzone, perché pesava più di un quintale e metà del peso gli andava nella bazza, una bazza spessa e vibrante, che lo faceva assomigliare a un torello. Don Bazzone non aveva paura di niente, andava nelle osterie a cercare i mariti sbandati e li riportava a casa per gli orecchi, e aveva l'autorizzazione del vescovo a praticare gli esorcismi. Si fece dare la chiave e andò con il chierichetto a benedire chiave, porta e casa. Dietro avevano tutto il paese. Ci si piazzò davanti, disse le sue giaculatorie, asperse l'acqua benedetta e infilò la chiave nella toppa. Ma non fece neppure in tempo a darle un giro, perché la toppa gli risputò la chiave addosso. Lo fece con un colpo così secco che lo sentirono tutti quanti e pensarono a una pistolettata: sapevano che don Bazzone era capace di andare a benedire con una pistola nella tonaca. Invece era la chiave della malvolente che lo prese dritta nello stomaco e lo fece persino star male. E tutto questo è vero e documentato.

Poi venne l'Aristo e la casa non gli fece storie. Ci entrò senza chiamare preti e notai, la mise a posto da solo, come se quello di sistemare case centenarie e malvolenti fosse stato sempre il suo passatempo, e nella rimessa piazzò una nuova officina; che non era più quella di una volta, ma un localino con pochi attrezzi dove tiene un paio di motociclette sue e dove, adesso che non si vedono più nei pressi campioni del mondo, vanno i ragazzi di qui a farsi mettere a posto le motorette. E poi è arrivata la Malvina, e la casa ha preso anche lei. Dio sa quanto ha detto e fatto l'Ulisse per tenersela vicina e lontana da quella casa; ma lei è lì, che ogni sera posa la sua bicicletta spaziale nella rimessa, fa l'inchino al portone di quercia che dopo tanti secoli ha il colore dell'arenaria, apre il battente che l'Aristo lascia con la chiave nella toppa, e va a preparare la cena e a ripensare alla inconoscibile legge che regola tutte le leggi, mentre l'Aristo è ancora nella rimessa a maneggiare le sue cose, e così, forse, le sembrerà di ascoltare il remoto ma persistente ticchettio delle *Celestial Mechanics*.

E io e la 'Nita entriamo in quella casa la vigilia di Natale, e la casa che è stata per così tanto tempo malvolente, prende anche noi. Voglio bene all'Aristo e lui ne vuole a me, ma l'invito per gli ossetti non è una cosa tra noi, ma tra le due donne. Gli ossetti sono sempre una questione delle femmine. È la tradizione, che vuole che gli ossetti siano tutto quello che del maiale tocca alle femmine. Gli uomini possono tutto il resto: allevarlo, scannarlo, macellarlo, insaccarlo, venderlo e comprarlo; ma non possono vantare diritti sugli ossetti. Che sono quello che sono: la miseria, il fondo del fondo, ciò che resta quando non c'è più niente. Quando non c'è più niente.

Qui nel distretto ogni famiglia ha un mastio, e il mastio se l'è fatto con il tronco di un castagno della sua selva; un bel castagno che fosse stato spesso almeno otto braccia, così che, scavato nella polpa, ne abbiano potuto fare una cuna grande quanto un tavolo. Quella cuna è custodita nel posto più riparato della cantina, ci sta generazione dopo generazione, e più va invecchiando, più è adatta. Nella cuna la famiglia matura e conserva il maiale che ha macellato; strato su strato, il lardo, le pancette, i biroldi, le coppe, i salami, i presciutti. Salati, pepati, speziati. E in fondo a tutto questo patrimonio, sul letto della cuna, la famiglia mette gli ossi meno volgari, quelli delle giunture, dove, dopo la spolpatura, è rimasta un po' di cartilagine, qualche filo di grasso. Gli ossetti se ne stanno lì per un anno, a covare sotto il bendidio che man mano che passano i mesi si matura e va a farsi mangiare. Dalla famiglia, se può, da quelli che lo comprano, se la famiglia non ha altro da vendersi che il suo maiale. I nostri padri avevano una somma riluttanza a nutrirsi di coppe e presciutti, che gli parevano un'indebita e insana opulenza, inadatta e spregevole agli occhi di Dio; si tenevano un po' di grasso, un paio di coppe e di biroldi per le probabili cerimonie di un battesimo o di un fidanzamento, e metà del sangue, che va mangiato in piedi, ancora tiepido, fritto nel grasso appena macellato, perché la famiglia si conforti e si irrobustisca con il sacrificio compiuto. E in fondo, naturalmente, si tenevano gli ossetti, madidi del sale, e del gemizio del grasso che ha gocciato per tutto l'anno, macerato nel pepe e nell'erba buona. Gli ossetti per l'inverno a venire, quando non ci sarebbe rimasto più niente, se non un altro maiale da scannare, avendo voluto Iddio. Così come è ancora adesso, anche se siamo meno austeri e più propensi al lascivo obnubilamento dei sensi; e siamo anche più ricchi, ragion per cui prima degli ossetti ci siamo mangiati anche tutto il resto.

Comunque sia, a un certo punto deve venire la Vigilia, e la Vigilia è vuota di tutto, scarnita fino all'osso, affrancata da ogni di più. Così deve essere, se davvero ci auguriamo qualcosa; così è sempre, quando è venuto il momento che si faccia un repulisti per fare un po' di posto casomai dovesse giungerci qualche buona notizia. Allora, e l'inverno ha già cominciato a graffiare le cuciture dei giacconi e a sfrigolare sulla punta delle scarpe da città, le donne scendono al mastio e gli portano via gli ossetti, badando di raschiare anche un po' della morchia che si è cagliata sul legno. E nella stufa della cantina accendono un fuoco, e sopra la stufa mettono la marmitta di rame zincato; vanno a prendere l'acqua a una fontana che si sappia che la prende da una buona polla e non dall'acquedotto, riempiono la marmitta, mandano a bollire e poi buttano gli ossetti.

Tutto questo è un introibo, e durerà due giorni e due notti. Le donne scendono a turno a mantenere il fuoco, tengono il sobbollore, aggiungono acqua, scolmano la panta di sale che ci galleggia, mestano, scoprono, coprono, e aggiungono legna, e smorzano il tiraggio. Introibo al sacramento della Vigilia. A questa celebrazione, dove ci preme ricordare il corpo del maiale che ha tenuto in vita la famiglia, lo spirito di Nostro Signore che ha dato origine al maiale e a ogni altra cosa della vita, il sangue di questa stessa famiglia che si è versato nelle servitù della vita e nel riscatto. E ci nutriamo del niente, perché è nel niente che siamo rimasti e nel niente che ci santifichiamo. E tutto ciò è nella potestà delle femmine della casa, perché i nostri padri saranno stati anche dei selvaggi, ma non era sfuggito loro che solo dalle femmine ci si poteva aspettare la forza e la cura necessarie a rendere santo il niente. Che nella specie di una minestra di ossa e brodo che risulterebbe indigeribile a chiunque tranne che a noi, le donne versano sopra la polenta di neccio nei piatti che porgono ai loro uomini. Senza augurare loro niente, come è comandato, ma segnando ciascuno di loro con il pollice che disegna sulla fronte il monogramma di Cristo. Così, a ogni vigilia di Natale, riconfermiamo di essere un popolo di segnati e di bestemmiatori.

Dunque è tutto qui quello che succede quando io e la 'Nita andiamo alla casa dell'Aristo e di sua nipote Malvina, con qualche conforto di secondaria importanza. E succede dappertutto, in ogni casa di Careggine; e ovunque nelle case del distretto ci siano ancora almeno due donne che intendono ricordare, attenersi a una fede, e vegliare due giorni e due notti una marmitta di brodo di ossa. O due donne che stringano un'alleanza che sia così ferma da fare in modo che nei giorni della Vigilia ci sia una casa dove si possa celebrare.

Per quello che ne so, è stata la Malvina a chiedere alla 'Nita di preparare con lei la Vigilia, ed è stata lei a iniziarla alla sua fatica. Si parlano da tempo, si sono incontrate, come è logico che si incontrino, là dove sono andate a posarsi, le persone che vengono da luoghi molto lontani e diversi. Sono amiche, immagino, ma la natura della loro amicizia è riservata ed esclusiva. So che non potrei comprenderla nei dettagli, perché nei dettagli non comprendo nessuna di loro due. E quando le vedo assieme l'incomprensione assume un aspetto plastico, la forma di una scultura vivente. Le vedo, le poche volte che riesco a sorprenderle, parlare tra loro appoggiate al nostro noce, le vedo guardare nella stessa direzione qualcosa che non riesco a intravedere. Le vedo la sera dell'antivigilia camminare fianco a fianco per la via Fonda, ciascuna con un fardello di lino con la misura di farina di neccio, e spandere silenzio di donne in quella strada e in quell'ora già piena di silenzio degli uomini. Le vedo, la sera dopo, arrivare dalla cantina trascinando la marmitta dove potrebbero cuocere anche loro, e posarla sul pavimento di mattoni della cucina malvolente, e nel farlo sfiorarmi osservandomi senza guardarmi, allo stesso modo che hanno gli animali, e gli stranieri. Ovunque io le veda non sono altro che in casa mia, nella mia terra, nella mia patria. E sono straniere, e sono cresciute camminando altrove, guardando dove qui nessuno ha mai guardato, pensando diversamente, in un tempo diverso. E sono qui a fare proprio quello che altrimenti non si sarebbe potuto fare in casa mia, non nella casa di chi amano. E vedo che sono due. E capisco che se fosse una sola, se fosse anche solo la 'Nita, potrei pensare di aver capito male, frainteso per eccesso di aspettative. Ma se sono due, visto che sono almeno due, non possono che essere un fatto. C'è vita su questo pianeta, c'è ordine nella sua orbita, e c'è ragione di sperare che questa vallata non sia solo il sogno che mi fa star sveglio pure quando vorrei dormire, ma anche una buona ragione pratica.

È per questo che sono orgoglioso di non conoscere nei particolari chi è la 'Nita, e spero di lasciarla in pace molto prima che cominci a credermi nella necessità di saperlo. Sono orgoglioso di me, che ho saputo dirle di rimanere, sono orgoglioso di lei, che è più grande della mia volontà e del mio sapere. Non conosco nemmeno la Malvina, e so che qua e là nel distretto c'è altra gente che non riesco a conoscere. E vedo in tutta questa mia ignoranza una buona notizia, di certo la migliore da quando sono cominciati a tornare i nostri dispersi. Se non fosse così, mettersi lì la vigilia di Natale a bollire ossa di maiale e a cerimoniarci su, sarebbe solo una faccenda idiota.

11.

DI QUELLI CHE SONO SALTATI IN ARIA

La 'Nita pensa che sgraverà per Ferragosto o giù di lì. Intanto il suo ventre è tondo e teso come un fico settembrino, di quelli che appena li tocchi per staccarli dal ramo ti si aprono tra le dita e ti spandono sul palmo quel loro zucchero così dolce da legarti i denti solo a sentirne l'odore. Intanto al mattino le sue poppe sono così gonfie e lisce che ho paura di sgualcirle anche solo a sfiorarle; così ho imparato a tenerle come si tengono i pulcini appena nati: con la mano a coppa ma le dita aperte, perché la carne tenerina si plasmi e respiri. La nascitura si occupa di sua madre per quasi tutta la notte, e le sento discorrere tra loro. E qualche volta escono, e se ne vanno nel buio, e c'è da chiedersi chi delle due sta insegnando all'altra a muoversi quando le luci sono spente, e fuori, con la luna nuova di giugno, c'è solo Giove che fa un filo di strada.

Capita in queste notti che si portino fin sotto il noce; per capirlo non serve neppure che mi svegli, mi basta sentire nel sonno il rumore sottile e tenace delle foglie che ho raccolto sotto il tronco, smosse dal peso del culo della 'Nita. E se per caso mi sveglio, allora le vedo dalla finestra, la schiena appoggiata alla scorza chiara e lucente anche nel buio, e sento che parlano alle streghe. La nascitura dovrà mettersi d'accordo con loro; e anche in questo caso, non so se è la madre a insegnarle il mestiere di farlo, o la nascitura a spiegarle come far meglio.

Sgraverà per l'Assunta, dice la 'Nita, e intanto sta prendendo gli ultimi accordi con l'Omo Nudo sul bagaglio da portare in viaggio per Valençay. Farà quel viaggio anche se dovesse partorire sua figlia per la strada, e magari è quello che succederà: andranno come stabilito al sacrario dell'amico William Grover-Williams, ma magari all'Omo Nudo già che c'è gli piacerà visitare l'Europa in coupé, e lei gliela farà vedere.

Abbiamo parlato di questo io e lei. Lei pensa che se è venuta al mondo per qualche ragione, non è certo per fare figli come le pare e piace. Pensa che l'Omo Nudo abbia maturato un credito molto elevato nei confronti dei sistemi di trasporto continentali, e che sia giunto il momento di aiutarlo a cominciare a riscuoterlo. Anche perché ormai ha i suoi anni, e difficilmente la vita gli metterà ancora a disposizione una Karmann caffellatte e un pilota. Lei pensa che i debiti vadano estinti, o perlomeno ripianati, sempre, in un modo o nell'altro. Pensa che il Bresci debba poterle chiedere di farsi scarrozzare in coupé per tutta la strada che gli farà piacere di fare, visto che l'unico viaggio che il continente gli ha offerto glielo ha fatto fare in un carro bestiame. Lei pensa di poter correggere la cattiva opinione che il Bresci si è fatto dell'Europa, vista come l'ha vista lui. E pensa di potersi sobbarcare parte almeno del suo debito, dato il suo largheggiare di mezzi. E pensa che sia provvidenziale il fatto che ora il Bresci possa fare il suo viaggio a bordo di un'automobile fabbricata in una città a un passo dai geli di Sachsenhausen, una fabbrica nata per il volere del massimo responsabile della cattiva opinione che il Bresci si era fatto dell'Europa; secondo le intenzioni di quell'uomo su quelle macchine doveva scorrazzarci per tutto il continente il suo popolo, appena terminato di riempire Sachsenhausen di tutti gli altri popoli. Lei pensa che sia una bella immagine da mostrare a tutti i debitori del Bresci, soprattutto per quelli che non hanno intenzione di pagare. Infine, pensa che il ritratto di Oscar Wilde che le ha promesso l'Omo Nudo, valga molto di più della sua Karmann. A lei quel famoso ritratto è stato fatto vedere.

È accaduto durante l'ispezione che lei ha compiuto nel suo guardaroba; vestire appropriatamente l'Omo Nudo per un viaggio nel cuore dell'Europa è la responsabilità più gravosa che si è accollata. Dunque, l'Omo Nudo ha un paio di valigie di vestiti che tiene nell'armadio che già fu della Melina sua madre. In dette valigie, secondo la testimonianza della 'Nita, sono conservati indumenti maschili di diversa foggia e consistenza, tutti ben riposti, sparsi di naftalina e separati tra loro con fogli di carta velina. Sono abiti di suo padre Otello, di suo nonno Amanteo e dello stesso Omo Nudo. Questi ultimi risalgono al tempo che lui era ancora il giovane Bresci, prima che fosse instradato ai geli di Sachsenhausen. Dati i mutamenti nella corporatura intercorsi da quell'epoca, l'Omo Nudo potrà scegliere se viaggiare sotto le spoglie del padre o del nonno, ma non di se stesso, essendo escluso che lui si pieghi alla futilità di acquistarne di nuovi. Viaggerà con le sembianze di Amanteo, perché, messo alla prova, ha giudicato i suoi vestiti più consoni ed eleganti.

Dalla valigia dell'Amanteo, l'Omo Nudo ha cavato fuori il ritratto e l'ha mostrato alla 'Nita, affinché non ci fosse equivoco tra loro sull'esistenza e l'entità della ricompensa. Non è il solito ritratto, almeno non quello più diffuso nei risvolti di copertina e nelle enciclopedie. In quella fotografia lo scrittore è seduto al tavolino di un caffè, all'aperto, e sullo sfondo, sfocate, ci sono delle persone che passeggiano lungo un viale. Secondo la 'Nita, quello è un paesaggio italiano, forse Napoli, e Oscar Wilde, una volta tanto, non ha quella faccia cerata e quello sguardo insinuante e sussiegoso con cui amava essere visto. In quella foto la sua posa non è composta come dovrebbe, e lui guarda verso il fotografo scocciato e stanco, come se la faccenda fosse durata troppo a lungo. Sul bordo di cartoncino c'è la sua dedica, in inglese: *Lascio la verità al mio saggio, caro camerata Amanteo.*

La 'Nita ha tradotto la dedica all'Omo Nudo e lo ha pregato di pensarci bene prima di lasciarglielo: suo nonno era stato destinatario di un pensiero così personale e importante che secondo lei doveva rimanere lì dove era stato destinato. Il Bresci le ha messo la fotografia tra le mani e le ha detto che poteva portarsela via anche in quel momento, perché a quel punto dov'era a lui la verità ormai non gli faceva più né caldo né freddo. E se c'era ancora della verità da lasciare a qualcuno, allora quella doveva andà alla su' bimba. E siccome temeva di metterci ancora del tempo a morire, al loro ritorno le avrebbe regalato anche i libri della verità nascosta, quelli che l'Amanteo aveva lasciato ai suoi eredi, quelli che in altri tempi pensava di lasciare a sua volta in eredità a qualcuno. Se c'è davvero ancora della verità, allora è meglio sbrigarsi, le ha detto, meglio venirlo a sapere prima che la creatura della su' bimba rischiasse di crescere senza.

L'Omo Nudo è parecchio cambiato in questi ultimi tempi, forse si è stancato di qualcosa, forse la sua dura penitenza lo ha prostrato, oppure pensa davvero di morire in un paio di stagioni. La Santarellina dice che è così. Che gli ricorda lei medesima, quando vedeva la morte accomodata ai piedi del suo letto all'ospedale e non le veniva da dirle niente, solo di stare lì a guardarla per vedere che avrebbe fatto; quei giorni la morte seduta nel letto le pareva tale e quale una cagna gialla che aveva tanti anni prima, quando teneva le bestie in montagna. Ma allora c'era la Duse che dava uno scossone alla cagna e si metteva lei seduta al suo posto, con il lapis e il quaderno a insistere che la Santarellina le dettasse i suoi romanzi; ma l'Omo Nudo non aveva voluto nessuna Duse intorno con il lapis, e comunque si stava scordando i suoi romanzi. E a quel punto aveva preso a voler bene alla cagna gialla, che gli stava a pisolare tra le gambe come a casa sua. La Santarellina ha detto anche che sono gli uomini quelli che si adattano meglio alla morte, e che lei e la Duse ne avevano visti a centinaia con i medesimi occhi che ha l'Omo Nudo in questi giorni, con lo stesso suo dire, e la medesima cagna attorno. E avevano dai vent'anni in su, forti nel corpo come buoi e franti nel cuore come verze minate dalla bica.

Erano tra quelli rimasti vivi dopo la guerra, tra loro quelli rimasti attaccati a cosa s'era visto, e non c'era modo di levarli di lì. Mi ha raccontato la Santarellina del tempo che la Duse s'era guadagnata il pane con la fisarmonica, e di come li avesse incontrati andando con lei. Ecco che era stato subito dopo la guerra che la Duse dovette ingegnarsi a trovarsi pane e companatico; quando era tornata a Lucca per diplomarsi maestra, e io ero nato e allattavo per metà da lei e per metà dalla capra della Marta. E crescevo, dice la Santarellina, allegro come un fringuello e grasso come un lombrico del letamaio. La sera mi lasciavano all'osteria del Ponte dove serviva una ragazza che sapeva come badarmi, e partivano, la Duse con la fisarmonica a tracolla e la Santarellina con il pennato dentro al fagotto che si legava sulle spalle. Andavano in tutte le cascine dove c'era una veglia, e questo accadeva anche nelle cascine più alte e isolate, perché la gente voleva fare festa e ballare il più possibile. C'era una frenesia del ballo che non s'è vista mai più. E andava bene un matrimonio e la sgranatura del formentone, la novena del patrono, un ritorno dalla Russia, il Lunedì dell'Angelo e anche solo un fidanzamento. Vegliavano e ballavano da quando si faceva buio a volte fino alla mattina, tutti dopo aver lavorato anche di domenica. E così avevano bisogno della musica, di musica buona per invogliare al ballo, che in quei tempi era rara come oro. E la Duse andava alla perfezione: lei era l'unica musicante che non avesse mai smesso di suonare per tutto il tempo della guerra. L'avevano sentita e i suoi tanghi se li passavano a voce, così che era tutto un chiamarla qua e là. La diceria era che lei suonava i tanghi in un modo che le ragazze si confondevano e gli uomini si incaponivano; le ragazze si mettevano a piangere e i cavalieri potevano strizzare qua e là senza doversi prendere dei manrovesci.

In quei giorni la gioventù era contenta di commuoversi e di strizzarsi. Eppure ce n'erano, ed erano quasi sempre maschi, che restavano appoggiati ai muri, seduti in fondo all'aia, a tenersi in mano un bicchiere per tutta la sera, a darsi l'aria di sapere cosa fare e non fare niente; e parlare di vacche a quelli che volevano parlare dell'amore, e mettersi a sentire la musica e intanto guardare dall'altra parte, verso il buio. Quelli, dice la Santarellina, se ne andavano in giro con la loro cagna attaccata al culo, e neanche la fisarmonica della Duse li faceva ricredere. E stavano con gli altri, e facevano ogni cosa come si doveva; ma intanto si stavano consumando, come se avessero avuto in corpo una vampata di quelle bombe al fosforo, che allignano dentro senza darlo a vedere, finché tutto quello che rimane non è che un tizzone nero.

Dunque, dice la Santarellina, la Duse andava in giro a far ballare la gente, quella con l'argento vivo addosso e quella con il fosforo dentro. Se ne partivano verso sera per le strade ancora disfatte, approfittando della TODT dove era ancora buona e sicura dalle mine, riprendendo le mulattiere che la guerra aveva salvato, e quando non c'erano né strade né viotti, prendevano per i prati e le selve, dove la Santarellina sapeva trovare una via anche nel buio fitto. E mai nessuno per la strada, mai un lume finché non arrivavano a una casa. Ogni tanto un lampo che sbiancava da qualche parte lungo i crinali, certe volte un urlo che scivolava giù dai canaloni. E loro al passo svelto senza esitare, senza star lì a chiedersi cosa era successo, cosa stava per succedere. Avevano paura, ma sapevano che erano tutti ad aver paura, perché anche se la guerra era finita le paure della guerra erano rimaste.

Da Corfino in poi evitavano la strada maestra anche se era ben messa, perché da quelle parti si appostavano i banditi che facevano la posta a quelli che valicavano la Pradarena. Erano quasi tutti ragazzi, mezzi partigiani e mezzi repubblichini, che dopo il Venticinque Aprile si erano rintanati nelle grotte intorno al passo e si erano dati alla rapina. Li conoscevano tutti, anche se tra loro i caporioni erano anziani venuti dall'altro versante; ed erano sbandati e incattiviti, e avevano le loro paure anche loro. Ed era meglio non trovarseli davanti, dover discutere con loro, soprattutto quando si è due ragazze nella notte, con una fisarmonica che vale pure qualcosa e un solo falcetto per tutte e due.

Il peggio era tornare, sempre dopo la mezzanotte, e se non era mai successo niente, era perché la Santarellina aveva imparato da bimba a contendere con gli streghi della notte. E la Duse imparava da lei: strade che non aveva mai fatto, rumori che non aveva mai sentito, furbizie che non le erano mai servite. Dice la Santarellina che avrebbe potuto anche andare da sola, che la forza e il coraggio non le erano mai mancati, ma che di quell'andare per feste si sarebbe consumata. Si sarebbe consumata nella solitudine, dice, e non per i banditi, o i lampi, o il buio; si sarebbe consumata come quelli che vedeva nelle aie, quelli del fosforo.

E andavano assieme per questo, e tutto quello che le aveva dovuto insegnare era la furbizia di non sgomentarsi a essere sola, e a non credere che a trovare per strada una cagna che ti vuol venire dietro potesse servire a fare compagnia. Arrivavano all'osteria in tempo perché la Duse potesse darmi la poppata della notte. Questo quando ero già nato, ma la Duse si era messa a suonare nelle aie già nel maggio, e allora era gravida di me al settimo mese. E smise quando dovevo compiere i due anni e lei si era ormai fatta maestra e di lì a poco sarebbe stata chiamata dal provveditore per andare alla scuola della Capria.

Come dicevo, tutto questo me lo ha raccontato la Santarellina; la Duse, invece, non me ne ha mai fatto parola. Mia madre mi ha delucidato in ogni dettaglio sul conto di come sono stato concepito e infine partorito, ma neanche una sillaba di quello che è successo dopo, di tutto ciò che è accaduto finché non ho cominciato a ricordare per conto mio. No, la Duse non mi ha mai parlato di sé, e nemmeno di noi; mi ha raccontato a lungo di cosa faceva la maestra Duse nella sua scuola della Capria, e lo ha fatto nello stesso modo con cui il sabato mi parlava della storia d'Italia e la domenica mi spiegava come fare i compiti. Era una maestra che viveva con il suo figliolo, e mi parlava per le buone ragioni di una maestra che vuole portare il suo alunno prediletto all'esame di quinta ben preparato. E agli altri esami di dopo.

La 'Nita dice che è stata una scelta molto accorta la sua. Lei sostiene che tutto quello che devono fare i genitori per un figlio è concepirlo, farlo nel modo migliore, e dilungarsi nel farlo; e in particolare la madre deve anche partorirlo, se può. Poi, un figlio deve poter crescere con una brava maestra, o un bravo maestro; tutori volenterosi e capaci, e dunque restii al narcisismo delle favole famigliari, riservati e molto cauti nell'esposizione del proprio corpo e della propria anima. La 'Nita sostiene che vanno generati uomini liberi. E solo da liberi gli uomini possono tornare il giorno che vorranno là dove sono stati concepiti, per amare il loro padre, per amare la loro madre, se vorranno. Potranno farlo di amarli anche se detesteranno i loro tutori; liberamente potranno guardare i loro corpi e indovinare le loro anime, ascoltare le favole della famiglia e raccontarne di loro. Amandoli da uomini liberi, ameranno la leggenda che li ha concepiti, e la alimenteranno. Questo afferma con il suo dito piantato nell'aria davanti ai suoi occhi, e aggiunge che è proprio quello che la Duse ha fatto di me.

Forse è così. Ma io sono stato molte cose prima di essere quello che lei vede, l'uomo che le ha detto di restare in questa casa, e a uno a uno è andato a cercare i suoi padri e le sue madri, i suoi fratelli e le sue sorelle, i cugini e i nipoti fino al quarto grado, e li ha radunati perché lei potesse conoscerli e, volendo, amarli, come io li sto amando di libera dedizione. Miracolosamente ricambiato. Sono stato anche uno di quei ragazzi che la Santarellina vedeva appoggiati al muro con il bicchiere in mano e la cagna gialla tra i piedi; ho avuto anch'io il mio spezzone di fosforo che mi consumava. E la Duse non ha suonato abbastanza per me perché potesse risparmiarmelo. Ma questo non importa, e ho ragione di sperare che la Duse se ne sia andata senza mai essere toccata dal sospetto che il suo alunno preferito abbia potuto anche solo assomigliare a uno di quegli uomini perduti alle gioiose opere.

E poi, in questo momento, quello che davvero conta è che domattina andrò al fiume dal Vittorio per farmi scegliere qualche bell'angolare. Ed è ragione di orgoglio che questo importante atto della mia operosa mascolinità mi sia stato chiesto dalla 'Nita. Vorrei vederla posare prima di mettere in moto e partire. Ma posata posata, ha ingiunto, con quella sua mania di rafforzare ripetendo. È un fatto che a giorni sarò padre; un fatto fatto, come lei puntigliosamente precisa. E il limitato pro tempore non giustifica alcuna remissione dai doveri che ne conseguono. Questo lo so, ma il fatto che la 'Nita intenda comunque impormelo, ha una sua speciale bellezza: lei dunque sa cosa va fatto, conosce le competenze, accetta l'ineluttabilità. Non solo conosce, ma forse ama ciò che va fatto: ha imparato a vivere qui, e non disprezza la banalità delle cose che qui si impongono. Un padre dev'essere capace di avviare la casa di suo figlio. La nascitura avrà una casa, è anche per questo che è stata generata: perché la casa che le ha dato la luce prosperi con lei. Tocca a suo padre farle trovare per quando nascerà il seme della casa che lei farà crescere e guardare che non appassisca. Sono cose d'altri tempi, sono rogne, sono fatiche, ma è così. Qui da noi a volte le cose sono solo stolidamente così, e basta.

Comunque sia, dalla parte della stanza di sotto che dà sull'orto non c'è muro maestro perché a suo tempo è stata murata una volta che dava su un ovile. Lì la casa si potrà espandere di una stanza nuova, grande come piacerà all'autorità preposta e ai muri che la devono accompagnare al resto della casa. Ci vorrà del tempo, ma per quando la nascitura potrà entrarci sulle sue gambe, sarà pronta. Posate le angolari, pianteremo i picchetti e stenderemo il filo, e non ci sarà molto altro da fare, solo far faticare un bravo picchettino, un bravo muratore e un bravo manovale. Io sarò il bravo manovale, il Vittorio il picchettino, e Vlad il muratore; da quando ha rinunciato all'idea di mettersi a costruire tipiche case moldave, Vlad si è fatto il miglior muratore del distretto.

Ma come dicevo, il punto critico sono le pietre angolari; che mi occorrono di fiume, perché anche le migliori pietre di cava non hanno la loro stabilità geologica e l'asciuttezza, e mi servono uniche, perché unico è il verso della vena adatto a sostenere il carico della nuova stanza e a guidarlo all'armonia con le primitive angolari che da due secoli sostengono il resto. Per questo vanno scelte con la cura e la conoscenza che io non ho, che qui non ha nessuno al di fuori del Vittorio.

Quando si dice posare la prima pietra non è tanto per dire. Vittorio ha ormai settant'anni e tra non molto dovremo inventarci un altro modo di sostenere le nostre case. Non che siamo così animali da non essere venuti a conoscenza della micropalificazione in cemento armato e del suo corretto utilizzo, ma è sempre la solita storia di questa nostra ottusità che ci costringe a non cambiare, se solo possiamo; e le nostre case restano come sono. Per inveterata pigrizia e puro amore del lusso. E il Vittorio ci serve, e lui potrebbe chiedere qualunque prezzo, perché opera in ferreo regime di monopolio. Ringraziando Iddio non è disumano, e ha sempre chiesto quanto gli serviva per far studiare le sue figliole e mangiare e bere a sazietà; la qual cosa, data la natura del suo lavoro, gli costa più delle figliole dottoresse specialiste.

Alla sua età, il Vittorio è ancora alto più di un metro e ottanta e pesa un quintale. Fa lo spaccapietre da quando aveva nove anni, e deve ancora ringraziare Benito Mussolini per la licenza che concesse a suo padre sulle pietre di questo fiume. Non esiste una licenza uguale che sia attiva in nessun altro fiume per nessun altro spaccapietre, e l'autorità dice che, morto lui, non potrà più essere ceduta. Il Vittorio può ancora lavorare, dice l'autorità, perché lui e la sua mazza sono l'animale più raro che ci sia al mondo, e, vista l'età, non andrà avanti abbastanza per danneggiare troppo il fiume; ma i fiumi vanno lasciati in pace, il loro letto custodito e protetto da manomissioni e saccheggi di pietre. E non è che qui l'autorità abbia tutti i torti, anche se è certissimo che il Vittorio non abbia mai deviato il corso del fiume né procurato inondazioni. Di questo sospetto di turbativa e saccheggio il Vittorio ne patisce da crepacuore; e in special modo soffre di non aver potuto insegnare il mestiere alle figlie, almeno alla Marinella, che era quella che più prometteva.

Conosco la Marinella e so che avrebbe potuto fare la spaccapietre. Da bimbetta l'ho sempre vista attaccata a suo padre; fare i compiti con la cartella di scuola appoggiata su un sasso mentre lui si arrovellava a spaccar pietre, e li vedevo la sera girellare mano nella mano tra le frasche a cercare i nidi delle folaghe, o stare immobili in equilibrio su una conca con in mano una grossa foglia di zucca ciascuno a cercare di prendere il cavedano con quel sistema da saltimbanchi. E poi anche crescendo è rimasta nel fiume, e nel fiume ce l'ho trovata in qualunque stagione, a ogni orario. Precisa come avesse preso l'indole dell'alcione, pesca solo dove il salmerino abbocca, prende il sole sull'ultimo scoglio che lo tiene caldo, cova i suoi innamorati solo sugli scogli da dove non possono scappare. L'ho vista tuffarsi nella pozza detta Siberia a luglio e febbraio, nuotare controcorrente per mezzo chilometro dal Ponte alla diga di Fosciandora. È professoressa in belle lettere e dottoressa in archivistica, e il suo mestiere è quello di fare la guardia a tutto quello che di scritto ha lasciato il poeta Pascoli nella sua casa.

Quando non è al fiume è là, ma sporgendosi dal parapetto del giardino, da quella casa si può vedere anche il fiume. Guarda le carte del poeta, le gira e le rigira; si parla con i grandi studiosi del ramo e scrive in certi libretti che il Vittorio, anche a sforzarsi, non riesce a capire. E questa oscurità della Marinella, è per lui cagione di grande rammarico. Perché il suo nonno, più rozzo del pane nero, era della brigata che beveva con il poeta all'osteria del Ponte, e discorreva con lui di ogni argomento, e ascoltava le poesie che gli andava a leggere, e le capiva così bene che le ripeteva alla famiglia; ragion per cui non si capacita di come la sua figliola debba fare così la complicata da non far capire quello che si capiva benissimo cent'anni addietro.

L'altra figliola, la minore, la Miranda, è la cardiologa che cura tutti gli anginosi del distretto, ed è così bella che li fa contenti anche in punto di lasciarci la pelle. È bella e saggia e comunista, e in ragione di queste virtù oggi è anche il sindaco del loro paese di Freddona; ma lei con il fiume non ha la confidenza della Marinella, e quando la si vede andare, è sempre dietro alla sorella.

Detto questo, la Marinella avrebbe mai potuto portare la mazza, e l'avrebbe saputa menare? La mazza sono dieci chili di ferro dolce e un manico di castagno lungo un metro e venti, ed è l'unico attrezzo che serve al lavoro dello spaccapietre di fiume. Per usarla non serve solo l'intelligenza, occorre anche la forza. Il Vittorio dice che con l'esperienza la forza serve sempre meno e l'intelligenza sempre di più, ma quando lo vedi menare il colpo, non può sfuggirti, anche sotto la sua tutaccia, il movimento potente e preciso di ogni muscolo, la misura dello sforzo della macchina che mette in moto. Quando alza la mazza sopra la testa, senti con le tue orecchie pompare il suo cuore, glielo vedi che sfibra le cuciture e quasi strappa la stoffa della camicia. Poi sì, quando la mazza tocca la pietra, non c'è quasi più forza, e la apre nelle parti prefissate con misurata dolcezza; a quel punto è solo un carezzare di martelletto da orefice, perché tutta la forza va a consumarsi nel congetturare l'esatta traiettoria, nell'applicazione della giusta angolatura e della precisa potenza.

Siamo in confidenza io e il Vittorio, e quando lo trovo che

sta lavorando nel greto in cerca della pietra che gli serve, lascia che mi accompagni un po' con lui. Vuole solo che ci sia silenzio, perché la parte principale del suo lavoro è quella di stare a sentire cosa hanno da dirgli le pietre che incontra. Le ascolta, le saggia passandoci sopra le mani, le ripulisce, e gli parla. Parla ai sassi come l'Omo Nudo parla ai suoi maiali, la Marta parlava alle sue giovenche, la Malvina al portone della casa dell'Aristo: discorsi tra loro, che gli altri non serve che capiscano; infatti io non capisco una parola di quello che si dicono il Vittorio e le pietre; e lui mi strizza l'occhio e mi sorride, e non so se è per farmi partecipe, o per l'imbarazzo di passare per strano. Quando ha finito i suoi discorsi, se è no, va per la sua strada, se è sì, tira un bello sputo nel palmo delle mani, alza la mazza, la tiene un secondo sospesa mentre compie i suoi calcoli trigonometrici, e poi mena.

Domattina farà tutto questo per la mia casa. È venuto a vedere e sa cosa ci vuole; ragion per cui penso che per mezzodì avremo già caricato. Ha un'Ape e un paranchetto, e tutto quello che spetta di fare a me è non intralciare; l'Ape è uno degli ultimi capolavori motoristici dell'Aristo: ha l'assale rinforzato e due motori in parallelo, può portare fin su a casa mia una tonnellata e mezzo di angolari, oltre a lui stesso. Vlad ha già piantato i picchetti e teso il filo, al Vittorio non toccherà che preparargli il letto e posarle. Allora la 'Nita potrà dire se le piacciono, se pensa che la nascitura non troverà niente da dire su quello che ne verrà fuori. Sa già che è un giudizio che dovrà dare in coscienza, ma sa anche che non potrà fare troppo la difficile; altrimenti bisognerà cominciare tutto da capo, la qual cosa sarà piuttosto dispendiosa, oltreché offensiva per la sensibilità del Vittorio, che ritiene di non aver mai sbagliato un angolare. Non dubito del suo buonsenso: sa cos'è il lavoro e la sua azienda è diventata famosa in tutto il distretto grazie alle sue doti di ottimizzatrice delle risorse. Se tutto andrà come deve andare, allora metteremo qualcosa nel letto sotto l'angolare che è rivolta a levante; qualcosa a cui valga la pena di rinunciare perché vada a covare nelle fondamenta. Ma su questo non abbiamo ancora deciso, e si vedrà domani.

In questi giorni leggiamo meno e parliamo di più. La 'Nita comincia a fare un po' di fatica a trovare la posizione giusta per le sue lunghe e animate letture. Gira per la casa con un paio di libri, si cerca un posto, e poi un altro, e poi finisce per andare di sopra e mettersi a letto. Per un po', dopodiché esce. Si mette sotto il noce dove la notte si è fermata a parlare con la nascitura, riprende i suoi libri, ma presto lascia perdere. Allora mi chiama. Sono giorni, questi, che mi trovo sempre nei paraggi quando lei è in casa. Mi chiama e andiamo a fare due passi. Sono giornate lunghe e calde, tempo di prima estate; il farro è ancora verde, il formentone appena germogliato, le albicocche un filo ancora troppo acerbe. Dai rami alti i merli berciano strozzandosi con i frutti, presi dalla frenesia dei loro accoppiamenti adulterini. Niente è troppo in questi giorni: il caldo non sfinisce, la luce non acceca, il fango non affonda, l'ortica non pizzica, la nipitella non nausea. Abbiamo persino votato in questi giorni, ma nessuno che abbia vinto più del necessario, né perso troppo; non qui. Sul Pisanino non è ancora montata la foschia torrida delle spiagge, e sulla sua guglia di ghiaccio fruscia lento e mielato il cirro della sera, il velo che proteggerà nella notte ancora fresca la principessa che non ha mai smesso di piangere il suo fallimento d'amore.

Facciamo due passi, e senza farci fretta nel pomeriggio arriviamo ai meli in alto, dove il primo fieno è stato già tagliato e i contadini lasciano che a sera vengano i cervi a brucare e a concimare per il prossimo taglio. Senza fretta proviamo a fare l'amore dove l'avena selvatica è già cresciuta abbastanza per non pungere. Proviamo con calma, e a volte viene bene e a volte no. Ma non importa, è più che altro una curiosità, un venire a sapere come siamo diventati, un esperimento da ragazzi. E intanto parliamo, senza fretta cerchiamo di dire qualcosa che ci è venuto in mente tante volte e non ci siamo mai detti. Già, non ci capitava prima, non così: c'erano più che altro vividi e saggi silenzi. In questi giorni, su ai meli, cercando di non inciampare nei vestiti tirati un po' su o un po' giù, con calma dico alla 'Nita qualcosa di quello che sono stato, e lei mi dice quello che è. Non se n'era mai sentito il bisogno, non se n'era mai presentata la necessità: ci sono state cautele tra me e lei che erano solidi patti. Ora sembriamo due ragazzi che si stanno facendo l'idea di innamorarsi, due vecchi soci che si sono messi a dettarsi un testamento reciproco. Ripeto, si fa tutto quanto con calma, aspettando che imbrunisca per ritornare a casa.

Sono venuto a sapere da lei quello che già sapevo sul suo conto, e altro che sentivo per la prima volta. Mi ha detto tutto quanto in modo piano, dolce, come se avesse premura di spiegarmi qualcosa che avrei fatto fatica a ricordare. Mi ha detto di aver avuto un padre, una madre e una sorella più grande, che l'ultima volta che li aveva visti stavano tutti quanti litigando con lei che voleva a ogni costo un ghiacciolo all'amarena proprio mentre l'altoparlante della stazione diceva che stava per arrivare il loro treno. Mi ha detto che l'ultima cosa che sua madre le ha detto è stata: smettila, per favore. E lei l'avrebbe smessa comunque, perché non aveva mai visto sua madre così esasperata, e sudata. Andavano al mare dalla zia, in un posto che le piaceva moltissimo, a Cesenatico, sul Mare Adriatico; un posto così bello che lei era sicura di voler bene più a sua zia che a sua madre. Mi ha detto che si ricorda di suo padre voltato di spalle, imbronciato con lei che era la sua preferita; era così alto che se voleva fare la pace con lui doveva ancora arrampicarcisi su per le gambe, e poi aggrapparsi alla sua cinta, e poi ancora su per un metro, prima di arrivare a strofinarsi contro la sua guancia spinosa di barba.

Mi ha anche raccontato che all'ospedale non piangeva mai, anche se non sentiva altro che piangere: bambini come lei e pure più grandi; che veniva una dottoressa a dirle di piangere, e poi sua zia, sempre per la stessa cosa. Ma lei non aveva mai pianto; neanche per il ghiacciolo aveva pianto, neanche per il braccio rotto in due all'asilo. Questa storia che doveva piangere la metteva in agitazione, e per anni e anni è sempre stata lì, a scuola, in palestra, in casa dalla zia Edda, alla spiaggia, a sentirsi di dover piangere senza riuscire a spiegare perché non le veniva. Mi ha detto che alla fine ci è riuscita ad accontentare gli amanti del piagnisteo. Ma nel frattempo erano passati molti anni, ed erano stati anni belli, con sua zia Edda che la lasciava nella spiaggia estate e inverno quanto voleva, che le comprava i ghiaccioli del colore che preferiva; una zia che non aveva mai avuto un marito, ma che aveva una stanza piena zeppa di scaffali di libri e cataste altre due metri di riviste di ogni tipo. A lei è sempre piaciuto leggere, anche quando non lo sapeva ancora fare a scuola, ancor prima che fosse saltata in aria con tutta la sua famiglia, e sua zia Edda le lasciava prendere tutti i libri che voleva. Sua zia le spiegò, quando ormai era abbastanza grande da poter affrontare una conversazione che considerava molto intima, di aver preso la mania della lettura perché si sentiva una donna troppo passionale per la vita che faceva. Aveva lavorato per trent'anni all'ufficio visure del catasto di Cesena, e per tutto quel tempo non era riuscita a trovare nelle molte migliaia di facce che aveva visto di là dallo sportello, una sola ragione per emozionarsi. E quando arrivava alla spiaggia era talmente stanca e annoiata da non riuscire a distinguere un uomo da un bombolone.

La spiaggia era l'altra mania della zia Edda; aveva comprato un appartamento a ridosso dello stabilimento dove aveva in abbonamento la sdraio e l'ombrellone da quando era ragazza, e da maggio a ottobre passava su quella sdraio tutto il tempo libero che aveva. Non sapeva nuotare, se ne stava lì sotto l'ombrellone a leggere libri e mangiare bomboloni. Disse a sua nipote che non aveva mai letto un libro abbastanza stupido da farle rimpiangere di non essersi accontentata di quello che passava dallo sportello delle visure; e quando parlava di libri, non intendeva semplicemente romanzi, visto che leggeva con uguale passione tutto quello che l'umanità aveva messo nero su bianco.

Se proprio doveva dirlo, allora confessava alla nipote che l'uomo più eccitante che avesse mai conosciuto, era stato senza alcun dubbio l'esploratore Livingstone: così signorile e così appassionato, così innamorato dell'Africa nera e così rispettoso delle regine di indicibile bellezza che gli si erano gettate ai piedi mentre era immerso nelle tenebrose profondità del Congo.

Il linguaggio della zia Edda aveva lo stesso compìto disincanto delle riviste di moda di una certa classe, quelle che conservava a mucchi. Quando la nipote si sentiva male, per prima cosa andava a prendere l'enciclopedia medica per le famiglie, per vedere cosa si poteva fare; cercava qua e là e intanto si perdeva a guardare le illustrazioni di malattie esotiche e orripilanti. Gliele faceva vedere e la nipote si sentiva subito meglio. A otto anni aveva già letto il suo primo libro tutto intero, e quel libro era intitolato *Pippi Calzelunghe*; nel programma che davano alla televisione non le pareva di assomigliare a quella ragazzina, ma leggendo si sentiva tale e quale. A dodici i libri se li scambiava già con sua zia; che era abbonata a un club, e prima di fare l'ordine del mese chiedeva a lei se ne volesse qualcuno in particolare. Andavano assieme alla spiaggia portandosene una borsa piena, così, tanto per non rimanere senza; mangiavano tutte e due i bomboloni caldi che la baracchina del bagno friggeva a metà mattina e a metà pomeriggio, e tutte e due ungevano allo stesso modo di olio zuccherato quelli che stavano leggendo.

Era cresciuta bene con sua zia; è stata felice in quel paese di vacanze, dove tutti i giorni sembrava domenica tranne qualche domenica di gennaio e febbraio, grigia come il mercoledì delle ceneri. Era cresciuta con i suoi amici del bagno, che per inciso si chiamava Bagno Casadei, come praticamente ogni cosa da quelle parti. Loro le avevano insegnato tutto quello che la zia Edda non conosceva e non sapeva fare, per prima cosa a nuotare. E poi a ridere: la zia Edda rideva solo qualche volta, leggendo. E poi a giocare, e a farsi corteggiare, e a baciare, e tutto il resto che sua zia le diceva di andarsi a guardare nei libri. Le disse persino che tra quelli del suo club ce n'era uno che le avrebbe ordinato a suo tempo, quando fosse stata abbastanza istruita per capirlo pienamente, e quel libro le avrebbe spiegato, meglio di ogni discorso che avrebbe potuto farle lei, tutto quello che era successo il giorno del ghiacciolo alla stazione di Bologna.

Questo accadde quando compì dieci anni, e la dottoressa che veniva una volta alla settimana a parlare con lei, disse che non si sarebbero più viste, almeno per un po'. Era la dottoressa che aveva cominciato a stare con lei già nei giorni dell'ospedale, quella che le diceva: ti va mica di piangere un po'? A quel punto era quasi un'altra zia. All'inizio non facevano altro che giocare assieme con dei giochi che la dottoressa portava nella sua borsa; poi, messo in chiaro che di piangere non se ne parlava neppure, presero a chiacchierare, e lo fecero per quasi cinque anni.

È stata la sua cura, e dice che ha funzionato. Quando a diciott'anni è andata a studiare a Bologna, non le ha dato nessun particolare fastidio passare ogni mattina e ogni sera dalla sala dove a cinque anni aveva litigato per il colore di un ghiacciolo un attimo prima di perdere la sua famiglia. E per avere una prova irrefutabile della bontà della cura, è restata a vivere con la zia Edda per tutto il tempo dell'università, viaggiando in treno, come tanti dei suoi amici del mare. Lei calcola di essere passata dalla sala del ghiacciolo non meno di mille e duecento volte, senza mai provare qualcosa di speciale. Solo, ogni volta, si fermava un attimo davanti alla targa di pietra dove sono scritti i nomi di suo padre, di sua madre e di sua sorella. E già che c'era dava una scorsa a tutti gli altri nomi. Così che li ha imparati a memoria. E questa è la parte della cura che ha deciso di intraprendere di sua iniziativa.

La tranquillizza molto conoscere uno per uno tutti quelli che erano lì quella mattina mentre lei faceva i capricci. Le dà l'idea che fossero lì tutti assieme, una grande famiglia che se ne andava a fare i bagni a Cesenatico dalla zia signorina. La mette a suo agio l'idea di poterli chiamare ciascuno con il proprio nome e ricordarsi di loro a quel modo tutte le volte che gliene viene voglia. Preferisce così: sapere di essere orfana di tutti quanti e ottantacinque; preferisce non fare preferenze.

Mi ha detto dell'unica volta che ha pianto, e pianto a dirotto, e non è stato né per la cura della dottoressa, né per la sua personale. E non è stato un pianto di dolore, o di malinconia, o di nostalgia, ma un piangere di pura, irrefrenabile rabbia. Aveva quattordici anni e a farla piangere è stato colui che tra tutti i ragazzi del bagno Casadei aveva scelto come l'uomo della sua vita. Aveva la sua età, ma sembrava un vero uomo, e baciarlo era stata la cosa più importante che avesse fatto fino ad allora, l'avvenimento del secolo. Si erano baciati alla piattaforma dei tuffi, e avevano continuato a farlo sempre e solo lì, in mezzo al mare, nel posto più romantico di tutta Cesenatico. Da vero uomo aveva dato uno schiaffo a un ragazzetto del bagno vicino per una questione d'onore che la riguardava. Sarebbe stato bello se fosse stato solo uno schiaffo, ma lo aveva anche preso per i capelli e gli aveva sbraitato nell'orecchio: lo sai, cretino, che lei è una di quelli della stazione, lo sai che è viva per miracolo? Si era sentito benissimo quello che gli aveva detto, tutti nella spiaggia intorno avevano sentito, e lei si era messa a piangere lì, senza riuscire a darsi un freno: livida e impotente, sciagurata e sola. Perché di tutta la faccenda, questa è la cosa veramente insopportabile, mi ha detto: dover vivere come se tutto quello che sei è essere una vittima; anzi, peggio ancora, vivere come la reliquia di vittime illustri. A quattordici anni aveva già letto forse cento libri, e in nessuno, mai in una sola storia, aveva trovato una vittima ancora in vita di cui avere davvero pietà e simpatia. A quattordici anni aveva capito già da un pezzo che non c'era niente di cui piangere in quello che le era successo, a meno che non volesse farlo di rabbia e impotenza; e quel genere di pianto secca tutto quello che annaffia.

A diciotto anni aveva preso la patente. Il giorno che è andata a ritirarla, la zia Edda l'ha portata in un garage di Cesena e le ha dato le chiavi dell'unico sbaglio della sua vita, quando, per un attimo, si era illusa che potesse esserci qualcosa oltre ai libri adatto a placare la sua ardente passione. E la Karmann, mi ha detto, è l'unica cosa che mi sono portata via con me della mia famiglia, l'unica cosa per cui vale la pena di pagare una tassa sulla proprietà, l'unico sbaglio che mi va di fare. Mi ha portato fin qui come lo *Spirit of Saint Louis* ha portato Lindbergh a Parigi, contro ogni previsione. E a sedici anni avevo già letto la sua storia. E non c'è altro, mi ha detto ancora, niente da dire che serva a qualcosa. A parte il fatto che, anche se non te ne sei accorto, sono arrivata fin qui vergine. E ti ho voluto, ha concluso quest'ultima volta che siamo saliti ai meli; e nel dirlo parlava ancora più lentamente, come se fosse la Duse lì a insegnarmi a scrivere una parola. E ti voglio sempre, e sempre, e sempre. Continuerei a volerti anche se tu mi avessi cacciata da qui. Verrei a bussarti di notte, se di giorno ti fossi messo a fare la guardia per mandarmi via, e ci verrei anche se fossi morta nel frattempo; ti voglio perché non assomigli a nessuno di quelli che ho visto piangere di rabbia, perché non assomigli a nessuno degli uomini della mia vita, perché non ci sono ghiaccioli nel posto dove mi fai vivere.

12.
L'ATTIMO DELLA BELÙA

In questi giorni di luce duratura, in quest'ora tra la sera e la notte, arriva un momento tra l'ultimo chiaro e il primo scuro che quando ero bambino si chiamava l'attimo della belùa. In altri paesi la belùa è solo un gatto selvatico appena più feroce di una faina, ma in questo distretto è l'incantatore che confonde i bambini per portarseli via e mangiarseli. Lo strego che si traveste da bestia per infierire a tradimento sugli innocenti che vagano senza una casa.

La belùa esce dalla tana in quel suo momento e si mette in cerca, e dove trova piglia. Io non l'ho mai vista, ma da bambino l'ho sentita tante volte, e ogni tanto la sento ancora, perché la belùa è una delle cose che rimangono in giro tutta la vita. È un momento strano il suo. Il giorno è stato lungo, la luce alta del solstizio se n'è andata scemando lenta e flessuosa, fino a che, tra meridione e levante, montano le prime bave viola della notte che è lì per venire. Ma ancora un po' dappertutto, appiccicata ai germogli delle selve, riflessa sui costoni dei bacini marmiferi, sbarluccicante sulle filacce della corrente del fiume, la luce permane in schegge e pezzuole gialle e rosate, come se fosse in agguato, pronta a riprendere, a non finire mai. È questione di un attimo, lo sai, poi verrà a farsi buio; eppure speri sempre che duri qualcosa di più. Perché questi giorni sono magnifici, perché l'inverno non è stato ancora smaltito del tutto, e resta sempre qualcosa da fare in giro, qualcosa da constatare che all'ultimo momento hai solo intravisto; perché la casa è laggiù, dove è sempre stata, tiepida e certa, che aspetta senza metterti fretta. È il momento cruciale, che hai la belùa alle spalle e resisti ad allungare il passo, tirando la corda del destino. Perché basta che la tua casa sia solo un passo più in là di quanto sei sicuro di ricordare, basta che l'ombra della belùa si allunghi fino ai tuoi piedi, e tu sei preso nella notte, e non ritorni più.

Dio, quante volte l'ho sentita stirarsi sulla mia scia, fiatarmi sugli stinchi, chiamarmi con il soffio della sua lingua ferina. Dio, quante volte mi sono buttato giù dalla ripa sopra la strada, e quante mi sono sbucciato i ginocchi e graffiato le mani per salvarmi negli ultimi cinquanta metri, tra l'ontano e la fontana da dove già si vedeva la luce di casa mia. E la Duse sulla porta che mi chiamava: di corsa bimbo che s'è fatto buio. E la sua voce metteva angoscia alla belùa, teneva la notte un palmo più in là del mio fiatone; e la facevo franca. Quanti scapaccioni ho preso per essermi rovinato i calzonetti e sfondato le scarpe solo per esser voluto restare un momento di più sull'orlo di uno di questi giorni, magari solo per vedere un serpe verdone far la corte a un rospo sul bordo di una gora.

E adesso io e la 'Nita continuiamo a tirare la corda del destino, e così aspettiamo il momento viola della belùa per tornarcene a casa. Non è un gioco, come a ripensarci forse non lo era neppure quando ero un bambino; adesso è una necessità che ci viene di non cercare troppo presto riparo, la smania di provare a trovare familiarità con l'ombra della ferinità. No, non è che sfidiamo il destino, ma cerchiamo di mettere pace tra noi e l'ora incerta, questo momento strano. Ognuno per conto suo, penso che non si potrebbe. E poi c'è sempre una parola ancora da dire, qualcosa che vorremmo si sapesse tra noi che in casa non avremmo voglia di sapere; perché ci sono parole che non vanno bene quando si dicono al riparo. Meglio approfittare dell'equivoco dell'ultima luce; buttarle lì, sbadatamente magari, mentre scendiamo. E c'è un sussulto incognito tra la malvarosa che fa rizzare il pelo da tanto che è vicino, e un ultimo lampo saetta sul vetro giallo del rosone della chiesa di Colle. E la notte che scivola quatta alle nostre spalle.

Parole tra sposi, direi. Burbero lo sposo, incoraggiante la sposa; tra i due non c'è più solo il silenzio a consolidare la promessa.

Avrà bisogno di un nome, un bel nome con cui farsi forza. Incoraggia la sposa.

Avrà bisogno della Marta e non ci sarà, avrà bisogno del Bresci, e non ci sarà nemmeno lui. Constata severo lo sposo.

Avrà bisogno di te.

E a un certo punto nemmeno io ci sarò; dovrai raccontarle un mucchio di storie.

Non credo che mi verranno bene, ho letto troppi libri.

Non devi che imparare.

Però ci sarà bisogno di trovare un nome prima di tutto.

Prendilo dal tuo elenco.

No, quei nomi sono già passati, lei deve averne uno suo, uno che nasca quando nasce lei.

Lo si troverà.

Sì, ci penseremo.

O ci penserà lei.

Sì, penserà a tutto lei. Ma tu amami per favore, amami abbastanza da farmi coraggio.

Io non so quanto amore ho, non so se ne ho abbastanza.

Non devi che imparare, c'è ancora del tempo.

Sì, c'è ancora tempo, c'è sempre tempo. C'è più tempo che vita; e se pensi che non hai più tempo, è perché hai capito male. Solo a Dio può capitare di non aver più tempo e di doverne fare dell'altro perché ha lasciato in giro della vita, che da qualche parte gliene avanza sempre. Io ho poca vita e molto tempo.

Ma questo lo sposo se lo dice tra sé.

Adesso tra noi si è accampato il silenzio degli sposi satolli, appagati dalla bontà dei loro dubbi e delle loro certezze. Scendendo adocchiamo tra le ombre, ma non c'è più niente da cui guardarsi; del resto non ci si vede più niente ormai, e camminiamo a memoria. E allo sposo gli piace tenere una mano sul filo della schiena della sposa; leggera, senza premere, per guidarla solo con il pensiero, come guida un ballerino di tango la sua dama. E così si potrebbe andare da qualunque parte, ma siamo quasi a casa, e nella macchia di frassini sopra l'orto la belùa si agita e soffia impotente. Ormai non ce la può fare. E in ogni caso lasciamo sempre una luce, una lampadina da dieci candele in un abat-jour all'antica, acceso sotto la finestra della cucina. E anche così debole com'è, da quel punto della strada è l'unica luce che si vede in tutta la vallata.

In questi momenti anch'io le ho detto qualcosa che le può servire. Niente di che, perché non c'è molto da sapere. Lei sa da un pezzo che mestiere faccio; secondo me lo sapeva già quando l'ho toccata la prima volta. E l'ho toccata, per inciso, senza premeditare alcun passo ulteriore, solo perché mi era stata sospinta davanti, e mezzo distretto era lì a chiedermi di ballare con lei.

Era per l'Assunta di cinque, sei anni fa, alla festa nella piazza della Querciola, la festa grande, e nel modo così poco delicato tipicamente nostro, le volevano dimostrare che tutto sommato era la benvenuta. Che poteva restare in questa vallata riottosa e maldisposta, lei, la sua azienda e il suo modo di far lavorare la gente. Che quello che faceva non era spregevole, e quello che era non sembrava brutto da vedersi. E allora che gradisse il meglio di quello che avevamo: il ballo sul selciato liscio come l'olio sotto le querce vecchie dei duecento anni della Rivoluzione, il valzer alla viennese eseguito dal concerto sinfonico Giuseppe Garibaldi forte di centodieci elementi, e per compagno il primo ballerino del distretto. Io questo so fare bene oltre al mio mestiere. Lei non era un granché come ballerina, nemmeno quella volta; ma sapeva come fare, sapeva che l'importante era lasciarsi portare. Si faceva portare senza mai sbirciarsi i piedi, senza mai smettere di guardare me; e anche questo è importante: imbellisce qualunque donna, il suo sguardo mentre si fa portare. Dopo, l'avrei lasciata andare per la sua strada se non mi avesse fermato lei, chiesto di ballare ancora una volta. È migliorata, anche se era un valzer alla francese, più veloce e più facile, più semplice da accompagnare; ma si vedeva che aveva una predisposizione, che sapeva dedicarsi e farsi prendere. E non ha smesso di guardarmi; e questa volta lo faceva in modo impertinente, perché mi puntava dritto negli occhi. Ed era anche più bella, perché quei suoi occhi scuri come la torba luccicavano quasi fossero d'acqua di polla, e ridevano, e ridevano con loro quelle sue cosce dure di ciclista contro le mie, e rideva la sua mano sulla mia spalla, e anche quell'altra rideva, quella che teneva nella mia mano. E l'avrei lasciata andare per la sua strada anche quest'altra volta, e me la sarei dimenticata senza ragione alcuna di rimpianto, se non fosse tornata alla prima occasione, e alla seconda, e alla terza, a brillarmi davanti, a sorridermi in faccia.

Mi ha voluto con una ostinazione che sarebbe bastata da sola a cambiare le sorti di un pianeta; in cambio ha avuto solo la mia sorte. In ogni caso, già allora sapeva benissimo chi ero. Come avrebbe potuto non saperlo? Tutti sanno chi sono. Io sono il figlio della Duse e l'unico artificiere del distretto. Non bastasse essere l'unico frutto del seno della vergine maestra della montagna, sono anche l'unico uomo patentato a minare tutto ciò che può essere dirotto, divelto, abbattuto, frantumato a maggior gloria e profitto degli uomini. A norma di legge, e a regola d'arte. È in mia facoltà abbattere montagne, deviare letti di fiume, triturare fabbriche e palazzi per centinaia, migliaia di tonnellate di acciaio, pietra, cemento e terra. Per ragioni di pudicizia e pigrizia, mi limito perlopiù a operare nel settore estrattivo nelle cave di queste vallate, e sono assai ricercato per aprire, delicatamente, le vie alle ultime vene di bianco statuario che l'Alpe conserva ancora, casomai venisse alla luce in qualche parte del mondo un Michelangelo Buonarroti, o anche solo un Auguste Rodin che si meriti quella pietra rara e fragile. Ma se volessi, potrei lavorare in tutto il mondo, e non conosco un mestiere più rispettato e meglio retribuito del mio. Dico mestiere, e il mio mestiere consiste essenzialmente nella dedizione micrometrica al senso della misura.

Ho studiato con un eccellente professore di chimica al Rutherford College di Newcastle, e al Caius mi sono perfezionato in fisica degli agglomerati caotici con Allison, ma più di loro mi ha formato la Santarellina, che mi ha insegnato a ballare al suo modo. A ballare i tanghi che ci suonava la Duse certi sabati quando tornava dalla scuola della Capria con qualcosa di storto che si portava dietro, e allora si toglieva gli scarponi e per prima cosa andava a prendere la fisarmonica. E faceva ballare suo figlio con la sua amica del cuore per constatare che almeno lì andava tutto bene, e poteva darsi una mezz'ora di tregua prima di ritornare maestra. E noi due, i suoi amori, i suoi protetti che altro non facevano che occuparsi di lei, ci eravamo allenati con la radio durante tutta la settimana per non sfigurare, perché la Duse potesse essere sicura che eravamo una coppia affiatata, e non dovesse temere nulla né per noi due, né per lei.

In fatto di tanghi, non poteva certo temere per me e la Santarellina, che eravamo diventati bravi come due grandi divi della pista. È stato allora che ho imparato l'insito senso della misura. Ed era quella particolare sensibilità che mi formicolava tra le dita delle mani e le palme dei piedi, e che, senza alcuno sforzo della volontà, imponeva un equilibrio duraturo alla perenne instabilità di due corpi agitati dalla musica. Il corpo di un ragazzino e di una nanerottola, messi assieme in modo così difforme da essere buffi e ridicoli in qualunque altra circostanza che non fosse uno dei loro appassionati balli.

Ma prima che fossi io a portare la Santarellina, è stata lei a portare me; lei ad avvisarmi del formicolio che avrei sentito quando fosse stato il momento di cambiare di ruolo, e fossi diventato adatto a farmi cavaliere. Questo la 'Nita non lo sapeva, e gliel'ho detto; perché è bene che sappia che tutto quello che ora c'è tra noi, la nuova arrendevolezza che ci porta a costruire case e sfidare streghe, altro non è che il nostro ballo appassionato, la sua perfetta misura. Altro non è che il mio mestiere.

Anche questo le ho detto: di non essere nato con la vocazione del dinamitardo, ma con il bisogno di avere un mestiere. E se anche la Duse non aveva certo in testa quello quando si è venduta l'eredità che le era stata lasciata dall'osteria per mandarmi a studiare, io non ho mai pensato ad altro che al mio mestiere. E quello sono andato a cercare. Non è stato difficile, le ho spiegato: è venuto per esclusione.

Le ho raccontato di come la Duse mi avesse spedito a Newcastle scegliendo una scuola che costava un'osteria a semestre, ingiungendomi di cavarmela da solo per tutto quello che eccedeva le sue risorse. La sua idea era che là c'era la Santarellina, là c'erano un centinaio di conterranei e forse più; nessuno di loro era partito ben fornito come sarei partito io, nessuno per andare a fare cose rilassanti come studiare in un collegio di signori; ma nessuno, nessuno mai aveva avuto bisogno, per ottenere ciò per cui era partito, di qualcosa che non potesse fare con le sue mani. Aveva ragione, e io mi sono attenuto alla regola.

Quando sono partito la Santarellina era là già da un paio di anni a friggere patate e pesciolini, ma sono andato a trovarla solo per qualche festa; lei non se ne aveva a male: sapeva anche lei che non mi avrebbe fatto bene, che avrei dovuto fare come se non ci fosse nessuno a cui parlare di tutto quello che c'era stato prima del collegio dei signori di Rutherford. Avevo un bravo insegnante di chimica. Si chiamava Gallup, come la famosa società di sondaggi e il porridge che ci davano a colazione. Secondo lui ero nato per la chimica e il rugby.

Secondo lui il rugby e la chimica erano parenti stretti, e tutti e due bastavano per capire qualunque altra cosa della vita. È solo una questione di legami forti e legami deboli, ogni cosa viene da lì, dai legami e dagli scambi. Questo lo capivo, e riuscivo meglio di chiunque nella mia classe a costruire e rompere molecole.

Ho raccontato anche questo alla 'Nita perché è bene che sappia di cosa sono convinto: che il senso della misura ci capita di applicarlo quasi sempre a forze agitate da contrasti che là per là ci risultano incomprensibili. Sempre, come nel tango, come in quello che siamo. Al Caius mi sono laureato in tempo per il campionato di rugby, e sono tornato a Newcastle da giocatore professionista. Mi hanno ingaggiato come mediano, ma alla fine del campionato avevo la maglia numero 3 del pilone destro. Alla Duse scrivevo solo che mi ero laureato prima del tempo e che adesso mi sarei dato da fare; lei non mi chiedeva di tornare, né mi consigliava qualcosa in particolare, se non di ripassare ogni tanto i nomi dei cento capoluoghi d'Italia; così, tanto per tenere allenata la memoria. Il mestiere del rugby è durato due stagioni, il tempo per capire che non sarei mai riuscito a prenderlo abbastanza sul serio per giustificare alla lunga il mio stipendio. I tifosi della squadra mi volevano bene perché sulla linea di mischia ero forte e avevo fantasia, ma temevano il mio oscuro mutismo, i dirigenti erano saggiamente incerti sulla lungimiranza del loro investimento; e così me ne andai tra gli applausi e il sollievo di tutti.

Quando non doveva friggere pesciolini e patate, la Santarellina veniva a vedermi giocare; alla fine della partita la portavo a mangiare in un locale di lusso, e lei passava tutto il tempo a toccarmi per vedere dove mi ero rotto. Era sicura che mentissi, quando le dicevo che era tutto a posto: i giovanotti forti come te si rompono e non se ne accorgono. Le credevo; in effetti da qualche parte mi stavo rompendo, vallo a sapere dove. Ero forte, sapevo far bene quello che dovevo fare, e a vent'anni ero già un inglese d'alto bordo, un vanto per tutto il distretto, qualora si fosse venuto a sapere; ma, in verità, stavo prendendo ad assomigliare ai giovanotti arrembati ai muri delle cascine, quelli che stavano a sentire la fisarmonica della Duse senza riuscire a farsi venire la voglia di ballare.

In quelle cene da cinquanta sterline a testa, la Santarellina aveva schifo di tutto, si metteva in bocca qualcosina, e se la rimuginava un bel po', mentre continuava a guardarmi; alla fine si puliva la bocca sul tovagliolo di batista e mi passava una mano sugli occhi per informarmi che non ridevo. E non ridevo perché avevo preso la paura; o c'era stato qualcuno che me l'aveva mandata. Di questo ne era sicura, e voleva che mi facessi vedere da una tale di Giuncugliano che lavorava con lei ed era capace di toglierla. Io non so più dire con precisione cosa mi rodesse in quegli anni, ma qualunque cosa fosse non poteva essere roba di casa mia; non la paura che ti butta sugli occhi uno strego invidioso, non la paura cascata dal ramo di un noce secco. Ero un inglese allora, ero un chimico che aveva imparato la fisica al Caius College di Cambridge. E Newcastle mi voleva così, e avevo persino delle donne che mi volevano così. Anche questo ho detto alla 'Nita.

Io mi volevo diverso, e così ho finito per andare a fare il buttafuori in un club del West End, un magazzino in mezzo alle fabbriche di cannoni. In quella baracca si suonava la miglior musica del Regno Unito; io dovevo tener fuori la gente quando dentro non ci si respirava più, e stare attento che a qualche sberonzone non venisse in mente di rovinare la festa.

Infine l'ho edotta di come sono giunto alla coscienza del mio mestiere. Che avvenne per causa del mio amico Thomas, un mediano di spinta che aveva fatto qualche anno al Rutherford con me, prima di lasciar perdere e mettersi a fare l'operaio alla Whincker's. Ci eravamo persi di vista negli anni del Caius, ma veniva al club tutti i venerdì, si prendeva due bottiglie di birra e si trovava un posto da dove ogni tanto poteva attaccare discorso con me. Era una persona molto discreta e cercava di non disturbarmi nel mio lavoro; aveva solo voglia di scambiare due occhiate, due parole: era solo, come tutti lì dentro, del resto. La nostra amicizia consisteva nell'evitare di parlare di rugby, di cricket, e di tutto quanto era da considerarsi trascorso negli anni del liceo. Mi ricordavo che veniva dalle Cinque Contee, ma non era il tipo da cincischiarsi con le nostalgie, e non sapevo neppure se era cattolico o lealista. Parlavamo di musica, perlopiù; ma a dire il vero, più che altro ci scambiavamo cenni in mezzo alla musica. Ci vedevamo al club il venerdì sera, e solo lì, e a nessuno dei due è mai venuto in mente di proporre un appuntamento altrove, perché gli amici del club in qualunque altra parte del mondo fuori di lì si ritrovino, risultano inevitabilmente male assortiti.

Dunque è stato al club, un venerdì sera, che Thomas mi ha chiesto il favore di tenergli un pacchetto, un paio di giorni al massimo. E io gli ho detto che sì, che andava bene, e ho messo via il pacchetto perché non puzzava di nessuna droga conosciuta. E il pacchetto è restato lì dov'era fino a due venerdì dopo. Quella sera aveva appena finito di suonare un qualcuno in sostituzione di un qualcun altro, e il mio amico Thomas mi ha messo una birra tra le mani e, non avendo niente da dire sulla musica che se n'era andata com'era venuta, mi ha chiesto se avevo per caso voglia di dargli una mano per delle cosette che faceva extra dal lavoro di fabbrica. Visto che ero bravo con la chimica, ero quello che cercavano i tizi per i quali lavorava. Gli ho risposto di no, gli ho detto che mi dispiaceva ma stavo per tornarmene da dove ero venuto. E, visto che mi era tornato in mente, lo pregavo di riprendersi il suo pacchetto. Mi ha chiesto il favore di tenerglielo ancora qualche giorno, sarebbe tornato per il venerdì dopo. Non c'era nessun pericolo in quel pacchetto, mi ha voluto precisare, era solo roba per quel lavoro che mi stava dicendo. Se magari ci ripensavo, se mi veniva voglia di partire più in là, con un po' di soldi in più, allora non valeva nemmeno la pena che se la riprendesse.

Non era ancora passata la settimana, che ero qui, a spolverare le strade del distretto cercando una casa e un lavoro. Ci sono voluti dei mesi, prima che andassi a salutare la Duse; il tempo che mi è servito a trovare qualcosa da dirle su di me, su quello che avevo fatto e quello che ero diventato nei migliori collegi d'Inghilterra. Lei mi è stata a sentire, ma vedevo bene che non era contenta di me; e non lo è mai più stata. Immagino che avrei dovuto dirle le cose che non le ho detto, provare a spiegarle come fossi sbagliato per quei posti, e come avrei potuto annegarci dentro; come avrei potuto annegare dentro gli anni che lei guardava dalla casa del Ponte sicura che fossero i miei migliori. Avrei dovuto dirle che di tutto quello che si era premurata di darmi non c'era niente che mi fosse servito a mettermi al riparo dal dolore di sapere le cose, di saperle in quel modo straniero in cui le avevo imparate. Avrei dovuto dirle che la chimica fa male al cuore, e la fisica ancora di più; farle capire che dà un'infinita tristezza conoscere la complessa natura delle forze e dei legami e non avere le mani per farci qualcosa di buono. Io non ce le avevo, perché quello che avrei dovuto fare da inglese era cercare il mio mestiere, e invece avevo trovato solo conoscenza, rugby, musica e tristezza. E io non ero adatto a quelle cose, non così tutte assieme: ero nato per essere qualcos'altro di più semplice. E avrei dovuto confessarle che in tutto il Regno Unito ero stato capace di conoscere un'unica persona che mi avesse offerto un lavoro serio, consono a quello che ero venuto a sapere, adatto a darmi delle buone mani; sennonché tutto quello che aveva da propormi quella brava persona era di sprofondare ancora di più nella tristezza, spiaccicarmi contro il muro di quelli con il bicchiere mezzo pieno in mano. Avrei dovuto persino dirle di come avrei potuto appagarmi di tristezza, e raccontarle di quanto fosse facile, dal bancone di un bar del West End di Newcastle, scambiarla per l'intima verità del mondo.

Ecco, madre, avrei dovuto alla fine annunciarle, c'è questa buona notizia: tuo figlio è tornato scampato da morte sicura, tuo figlio ora farà qualcosa di buono di quello che è. Rallegrati di lui, perché si è trovato un buon mestiere in questa sua patria vallata. Ma come avrei potuto dire queste cose alla donna che ha passato i suoi, di anni migliori, caricandosi di uno zaino nella notte per salire a una montagna piena di spiriti? Alla donna che ha creduto tutta la sua vita, ardentemente, all'immacolata concezione del suo figliolo?

Chi era quel tale del pacchetto, mi ha chiesto la 'Nita, cosa voleva? Non lo so, le ho risposto, non me lo ha detto. È la verità; ma non è necessario sapere per capire. Ho capito che era il momento di andarmene, né più né meno. Questo voleva dire il pacchetto: vieni dentro o vattene. È stato come se il mio amico Thomas mi avesse preso sottobraccio e invitato a un tango; e avevo imparato con la Santarellina a riconoscere un passo fuori misura prima di trovarmelo sui piedi. Il senso della giusta misura.

Non ho neppure avuto bisogno di aprirlo quel pacchetto. Ci sono stati anni, ho cercato di spiegarle, in cui era impossibile cavarsela senza aver capito, o avendo capito male. C'erano posti in quegli anni, da dove, se non eri svelto a capire, non c'era modo di uscirne. È stato così in tutto il mondo, più o meno, ma nel Regno Unito prima e più che altrove. Il tempo della grande rivolta, come si è detto poi; ma allora quello che sentivi era, più di ogni altra cosa, una smania insopportabile. Ti saresti arruolato nell'esercito repubblicano pur di tenerla buona, ti saresti drogato a morte per placarla, avresti rapinato una banca per la stessa ragione. E così è successo; ed è anche successo che inventavi qualunque cosa da immaginare, pur di non morire di paura per lo sgomento che ti sentivi dentro. Nei college e nei pub, sugli scalini delle case abbandonate e nelle sale da concerto, era tutto un immaginare;

e se non mi fossi fatto un culo così a studiare chimica e fisica, avrei pensato anch'io quello che dicevano tutti quelli che venivano a sbronzarsi al club: che quel fantasticare era un ragionare. Un ragionamento universale.

A Newcastle, in quel club, per le strade intorno e tra le fabbriche dei famosi cannoni Armstrong, ai moli del porto, sui pianerottoli della casa popolare dove andavo a dormire, non avevo fatto fatica a capire. Ogni tanto saltava in aria qualche cosa, ma in realtà ogni giorno sembrava quello buono perché saltasse in aria tutto quanto; tutto quanto l'universo, possibilmente. Lo sembrava fin verso le due, tre del mattino, poi il giorno si spegneva con la sua miccia che sfrigolava infradiciata di birra. Io non ero fatto per questo, non per quel tetro fantasticare; ero stato fatto per metà da una maestra di montagna e per l'altra metà da un orfano amazzonico: avevo troppa vita addosso per la disperazione del vuoto spazio delle attese. Io ero fatto semplicemente per il mio mestiere. E allora ancora non sapevo quale sarebbe stato.

Il pacchetto l'ho portato via con me, lì dov'era non ci stava bene ad aspettare da solo qualcuno che lo venisse a ritirare. L'ho messo assieme ai libri che non ero riuscito a vendere e l'ho aperto alla stazione Victoria prima di salire sul treno: c'era un mazzo di franchi svizzeri in pezzi da cento. Immagino, ho rassicurato la 'Nita, che sarebbero potuti diventare il mio primo stipendio; soldi puliti e sinceri per le prestazioni qualificate di un chimico nel settore dei pesticidi, o degli esplosivi, o in quello della droga, o della farmaceutica. In quegli anni la chimica andava fortissimo. Li ho tenuti: avevano l'aspetto di un bel ricordo. Ipocritamente, anche se solo per un attimo, alla stazione ho pensato che mi sarebbero potuti servire, nel caso fossi mai stato indotto un giorno a risalire i miei vecchi passi, e tornare a cercare quel brav'uomo di Thomas. Visto come si sono messe le cose, constatata l'abbondanza che regna nella casa e le buone notizie che giungono dal circondario, domani mattina li seppellirò con la loro scatola nel letto della pietra angolare. E sarà stabilito una volta per tutte, nello stile pagano dei nostri padri tuttora in vigore, che è su ciò che non è stato speso che si reggono le sue fondamenta.

Anch'io sono arrivato vergine fin qui, in un certo senso; una verginità mascolina, nodosa di dinieghi e di rifiuti, con poco mistero e povera di bellezza, ma pur sempre votata all'attesa di ciò che sarebbe venuto. Anch'io, come questa 'Nita che mi ascolta placida e mi sorride con serena determinazione, quasi che le avessi appena elencato i miei antichi orecchioni e scarlattine e varicelle e tossi canine, anch'io sono qui per accogliere un mistero. Sono tornato perché diventassi questo, ho lasciato che lei restasse perché infine lo sono diventato: dedito a restare, con mani buone per trattenere, e orecchie fini per ascoltare quello che sta per venire. Un padre di famiglia con il mestiere dell'artificiere; e siccome è l'unico mestiere che ho saputo imparare, ho ragione di pensare che lo sia diventato per vocazione.

L'ho vista questa mia vocazione quando mi sono fermato a fare i conti di quello che avevo portato dal Regno Unito. E ho trovato questo: adeguata scienza per dare una misura alla tristezza, e abbastanza dolore per spianare le montagne. E il tango, il tango con cui ero partito, la mia disciplina.

In una vecchia casa di Fabbriche conserviamo l'antico stemma del distretto. È inciso nella chiave di volta del portale, ed è uno scudo con una bomba svampante in tre fiamme; le fiamme lambiscono la data 1523. Quell'impresa araldica è timbrata sui documenti del tempo degli Este, ricamata sulla bandiera del Mutuo Soccorso Operaio, laccata sulla medaglia che mi hanno regalato i tecchiaioli, e non so dove altro. Siamo familiari alla polvere da sparo e derivati da cinque secoli, nei depositi legali di questo distretto c'è abbastanza dinamite e trinitrina per affrontare con serena determinazione il suicidio generale; senza contare quella che nel corso delle generazioni è stata messa via qua e là dalla gente delle cave per un non si sa mai.

Ma siamo uomini dal furore garbato, artisti nel calcolo dei pesi e delle misure, demolitori di montagne a fine statuario. Non costruiamo disordine e dolore, ma passaggi sicuri ai viaggiatori e corsi ben modellati alle acque. L'autorità sa che non siamo imbelli, e giustamente ci teme. Ci teme fin da quando Alfonso d'Este scoprì che le sue amate bombarde erano stupidi giocattoli senza il genio dei cannonieri del distretto granducale di montagna, e si sentì obbligato a patentarci, cullandosi nella singolare fantasia che, messi a salario, gli saremmo stati servi riconoscenti. Sappiamo che l'autorità trova un suo nascosto piacere nel vedersi temebonda: il timore è ciò di cui dispone per calcolare la quantità di inimicizia e rancore che è capace di generare il suo potere, e dunque per valutare la sua stessa efficienza.

Di questo non ce ne curiamo; noi abbiamo imparato già al tempo che la nostra principessa dolente ha pianto lacrime da farne una montagna, che non c'è vampa che redima quel pianto, se non quella che sradicherà la Terra dal suo asse e la schianterà nel niente, nel cielo degli dèi inconcludenti. Per allora abbiamo le scorte necessarie, e l'ostinazione a non dimenticare il nostro mestiere. Al momento, io sono solo uno di noi, uno dei figli partiti e poi tornati di questo ombroso popolo di cannonieri patentati; da qualche anno il più esperto. Il migliore tra i ballerini. Godo il privilegio di questo mio stato con la riservatezza che mi è richiesta dal grande debito che ne deriva. Sono debitore del favore che ormai da lungo tempo mi accordano queste montagne e le loro acque, che non mi hanno mai opposto la loro grandezza e virulenza, e con magnanimità si sono piegate al mio mestiere. Sono debitore di questa mia gente, per la considerazione che ha di quello che so fare, e continua a riservarmi la confidenza che ha accordato solo ai suoi grandi artificieri e ai suoi preti più guerreschi. Al pari dei preti ho nelle mani la vita di molti di loro, e nel modo crudo e definitivo che nessuna autorità può vantare.

Per questa ragione vengono a parlare con me di tanto in tanto, e non solo gli uomini delle cave; con il tono di voce non diverso dall'intimità riottosa di una confessione, mi fanno domande. Pensano che chi sa usare il trinitrato di glicerina senza aver mai fatto morti o sciancati, sa trattare con pari riguardo anche tutto il resto della vita. Perché è questo che loro vogliono, e voglio anch'io: sapere qualcosa della vita che c'è quando hai appena finito di guadagnartela. Quella vita che rimane nel mistero appena un po' più in là della baracca sull'orlo del cantiere dove vanno a mangiare il pane del mezzogiorno e a lavarsi la faccia prima di tornare a casa. Quella che intuiscono due passi più in là della loro casa, e persino dentro la casa stessa dove hanno famiglie che amano devotamente. Perlopiù non vogliono un lavoro migliore di quello che hanno, solo una vita più grande, e sono curiosi di sapere come trovarla e come prendersela, perché sentono di volerle bene e gliene vogliono sempre di più.

Anch'io. E così non rispondo, faccio altre domande, anche se ai loro orecchi sembrano già risposte. Ecco, questo privilegio di intimità mi sono convinto che sia un debito d'amore. Nonostante le facce che abbiamo, nonostante il cattivo carattere generale, in questo distretto abbiamo finito per amarci. Nel modo che sappiamo farlo. E la 'Nita, che mi è venuta a cercare sapendo chi ero, che è voluta restare a corrodere i miei dinieghi, ha ben ragione a non temere dell'amore del suo uomo.

Come avrei potuto dirle tutto questo, se non nell'attimo della belùa, in questi giorni di nuova vigilia, di luce duratura e meli appena sfioriti?

13.

LA SACRA INTENZIONE DI UN PATTO

Hanno scelto di partire subito dopo San Giovanni, a notte, con le braci dei falò ancora rosse in tutta la vallata. Il Bresci si è presentato agghindato in un completo di flanella grigia, pesante e ristretto; era il vestito che avrebbe potuto indossare un distinto, pietoso assassino del trapassato secolo morente. La flanella era già segnata dal sudore, e, se si ignoravano i calori dell'Omo Nudo, non c'era da aver dubbi che fosse lui, e non l'amico di suo nonno, a essersi preparato per andare a sparare al re Umberto. Seduto eretto e strabordante nell'angusto sedile della Karmann caffellatte, si teneva tra le gambe una valigia di cuoio grigio e raggrinzito come il suo vestito; aspettava che fossero terminati i preliminari della partenza con lo sguardo fissato nelle ombre oltre il parabrezza, come se fosse già tra le meraviglie della terra straniera. Non c'era un granché da salutare, era stato fatto tutto per bene la sera prima.

Per i commiati ho portato la 'Nita al falò di Vitoio, che è tra i più grandi e sfarzosi; l'ho accompagnata a ballarci intorno, delicatamente per quanto si poteva, l'ho fatta bere con il vino prelibato dell'Ulisse, l'ho fatta ingozzare con i presciutti dell'Elianto e il pane portato a piedi dal forno di Metello. È stata riconosciuta e salutata, e abbracciata e complimentata nel modo impeccabile della nostra usanza augurale. La Malvina se n'è arrivata in bicicletta da Careggine per consegnarle, raccolto in un fazzoletto di delicata stoffa rossa, un pugnetto delle ceneri del suo falò. Perché con quelle, come vuole la tradizione, potesse lavare le prime fasce cacate della figliola a venire. Avrebbe potuto conservarle per il giorno preciso della nascita, e la cosa sarebbe rimasta saldamente nel solco della tradizione, ma la Malvina ha ricordato alla gravida che magari avrebbe partorito nel viaggio, che così era già accaduto altre volte nelle storie delle donne che fanno viaggi avventurosi.

Infine, dalle salde benne delle sue mani, ha avuto in dono un biroldo dei famosi maiali dell'Ermidio; per non patire la fame e sostenersi nel caldo e nel freddo del viaggio; visto che lì, tra la gente ignorante del falò di Vitoio, non si sapeva che cosa avrebbe incontrato, oltre alla gloria dell'automobilismo mondiale. Oh, lei sì, ha accettato il biroldo, si è sperticata di riconoscenza, ma poi si è sistemata la grassa pagnottella avvolta nella carta oleata nell'angolo più remoto della borsa, stando ben attenta a non contaminare le sue cose, pari pari le avessero offerto un coniglio morto. Ci ho fatto caso, ma forse solo io. So quanto la schifa il biroldo; la 'Nita è arrivata fin qui con encomiabile spirito di adattamento e genuina curiosità, ma non è nata qui da noi, non è stata svezzata con la pappa di formentone, non è stata accompagnata con il vestito della prima comunione alla fiera di San Remigio a scegliere con la carezza della sua manina la giovane scrofa che darà immortale progenie al porcilaio della famiglia. Non porta inscritta nel sangue la pronta, eccitata risposta all'inconfondibile fragranza del biroldo; è qui con noi, ma il suo genoma è stato compilato altrove. In luoghi di stanca contemporaneità dove il gusto della sapida materia non è neanche più una nostalgia.

Fosse poi il biroldo un feticcio ordalico, un retaggio di disgustosi appetiti ferini; è solo un insaccato, una pagnottella di pezzetti di testina e cervella, impastati con il sangue tiepido, addolciti con il garofano e lo zucchero, disinfettati con l'aglio e il pepe, e ben pressati dentro un lembo di stomaco. È buono, è profumato, è nutriente; così nutriente che non c'è di meglio da portarsi in viaggio, tagliarne un pezzetto ogni tanto, masticarlo strada facendo. Con un biroldo ben fatto nella borsa puoi andare dove vuoi senza dover chiedere niente a nessuno; la gente del distretto è arrivata sana e salva in Scozia, in Sudafrica, in Patagonia e persino in Australia, con un biroldo in saccoccia. Fa venire sete; ma di acqua ce n'è ancora abbastanza sulle strade del mondo, e, in ogni caso, chiedere acqua nei luoghi stranieri è molto più facile che chiedere cibo. E più onorevole.

E ci dispiace che piaccia solo a noi, ci dà fastidio che i nostri ospiti digrignino i denti quando cercano di portarsene un pezzo alla bocca nel tentativo di stare al passo con la nostra gentilezza; neanche fossimo animali da dover tenere buoni. Ci rattrista constatare che quello che in coscienza ci sembra la cosa migliore che sappiamo fare dei nostri maiali, non ci dia alcuna gratificazione al di là dei nostri ristretti domini. Pensare che i nostri macellai si mettono a spaccare il capello in quattro perché la ricetta dei loro biroldi raggiunga la vetta dell'assoluta perfezione e lì resti fissa e immutabile come un sole. Ma con tutta la sua curiosità, i suoi denti robusti, il suo palato accomodante, neppure la 'Nita ha imparato a cibarsene per quello che merita; ed è un destino di estraneità che nessuna volontà, umana o divina, riuscirà a colmare. Siamo diversi; gratta gratta, da qualche parte non smettiamo di esserlo.

L'Ermidio le ha parlato dei suoi biroldi e dei maiali da cui sono stati generati, le ha spiegato proprietà e natura degli animali e di ciò che sono diventati grazie al mestiere delle sue mani. Lei li ha persino conosciuti, perché glieli ho fatti incontrare io stesso: sono il massimo monumento di Vitoio. Maiali felici, cresciuti in un porcilaio pulito e confortevole, ombreggiato d'estate e tiepido d'inverno; hanno avuto acqua corrente a sazietà, pastone ricco e, al tempo maturo, montagne di melette rosse; già un mese prima di diventare coppe e biroldi, avevano secchi di castagne dolci da sgranocchiare per far passare il tempo. Hanno avuto una palla di gomma per giocare e un copertone di camion appeso a una trave per dondolarsi; un quadretto di sant'Antonio sopra il trogolo per proteggersi dalle malattie. Loro e le generazioni che li hanno preceduti nell'allegro porcilaio dell'Ermidio. A nessun membro di quell'antica e prospera dinastia suina è stata mai imposta l'occasione di addentare il frutto dell'albero del giudizio, ognuno di loro è vissuto benedetto da un'assoluta noncuranza riguardo a come sarebbero andate a finire le faccende della loro vita. Hanno goduto di una vita senza turbamenti e inutili fatiche, fatta di semplici pensieri gioiosi e di una sfilza lunga diciotto mesi di giornate sazie e giocose. Il cervello che l'Ermidio ha tritato nei suoi biroldi, è un cervello limpido, morbido, sereno; la carne è tenera, dolce, florida. Le ha detto questo, e l'ha pregata di tenersene da conto per un viaggio pieno di incertezze corporali e spirituali.

Se lo mangerà il Bresci il magnifico biroldo dell'Ermidio, questo è certo. Ma se il viaggio sarà abbastanza stravagante e intenso come si ripromette, ho la fondata speranza che la 'Nita si trovi a un certo punto così lontana e affamata, da essere tentata a prendersene un pezzetto e finalmente ficcarselo in bocca contenta di avercelo. E là dove sarà, nelle Fiandre grasse e piovose o nell'arsura zuccherina di una pigra ansa del Reno, saprà che è ormai pronta per tornare, ancor meno forestiera di quando è partita. È così che succede.

Comunque se ne sono andati, contenti come pasque, il pietoso regicida grondante sudore e vanità, la quasi puerpera intrepidamente protesa sul volante, pettoruta e panciuta oltre ogni dire. Si sono lasciati dietro al coupé nella notte una scia fosforescente di volatile allegria; e quell'allegria la potevi sentire pizzicarti la faccia mentre turbinava sulla strada, come i coriandoli del carnevale. Non hanno mandato cartoline, e questo è naturale.

E intanto qui si è fatto luglio, e poi luglio pieno, e la calura ha preso a salire dalle piane lucchesi lenta e meticolosa, antipatica come una malattia della pelle. Dai crinali di levante, non più tenuta a freno dalle correnti settentrionali, arriva con le foschie della sera l'aria del mare. E la gente comincia a smaniare, a svagarsi e indisporsi, a mal soffrire anche l'ombra dei necci. In questi giorni si lasciano da parte le opere dei campi e si rimanda persino di mietere; ma ognuno, per suo conto, come se non gli fosse lecito, si mette in pena per la voglia che gli prende di quel mare di là.

In questi giorni, nel paio di settimane che vanno a consumarsi nelle prime acquate di agosto, ci prende una nostalgia di onde alte e spuma fresca e ricciuta, una rabbia di non esserci nel mezzo per affogare e risorgere, e affogare ancora e poi ancora galleggiare nudi e padroni nella lontananza, che si comincia a chiacchierare di un tempo lontano che il mare è stato nostro, e dell'ingiustizia che ce lo ha portato via. Allora andiamo tutti a cercarlo; con un'avidità, una libidine, da animali che fiutano l'estro, come, al primo germogliare, le biche si mettono in fila per divorarsi le chiome novelle dei pini. Ci sono riti, usanze, abitudini anche in questo.

Le ragazze prendono treni e corriere, motorette e Panda, e filano via alla Versilia. A farsi rosso fuoco del sole che a casa loro le tedia, a guazzare nel torbido del bagnasciuga, appagate come regine nel bagno di spuma di latte; a trescare alle spalle della loro fiera virtù con bande di rivieraschi sedicenti bagnini. Da loro vogliono imparare a nuotare verso il largo, e sembrano, agli occhi incauti, disposte a tutto. Quelli le aspettano al varco come, se glielo avessero insegnato i loro padri, aspetterebbero un passo di tonni, fidandosi della fola che si son passati di mano di una speciale, arrendevole lascivia. Loro, le nostre famose ragazze, se li mangiano crudi tutt'interi come sono; e la sera, prima ancora di prendere la strada per tornare, li hanno già sputati, appiccicati come gomme da masticare sulle obliteratrici dei posteggi a pagamento, sotto gli sgabelli delle gelaterie, ai pali delle fermate degli autobus.

I ragazzi, che sanno ancor meno delle loro sorelle galleggiare nel largo, partono in formazioni motociclistiche serrate, terrorizzanti, e si spingono fin verso la Liguria in viaggi interminabili; si stoppano a ogni passo, spiazzo e baretto, per bere, mangiare, fumare, e farsi coraggio tra loro. Arrivano in tempo per ingombrare con gli asciugamani presi a casaccio in casa e i loro goffi schiamazzi, le scogliere e le scarne spiagge di quei posti. E si buttano a mare per poi starsene, timidi e sussiegosi come trampolieri nella palude, a schizzarsi tra loro per un'ora, al massimo due; perché poi si annoiano del sole, delle bambinate e del poco spazio. Le tedesche se li mangiano con gli occhi, e loro nemmeno si azzardano a sfiorarle con una pallonata; sono lì, precari sul viscidume, a provare a giocare con il mare e a fantasticare di donne ruvide come sono ruvidi loro, ma con cui saprebbero ingegnarsi a scambiare almeno due parole. Fanno in tempo a darsi un'asciugatina e sono già a motoreggiare sulla strada, con ancora il salmastro addosso e il gemizio del costume bagnato che gli cola sulle selle.

E poi ci siamo noi, quelli che hanno già imparato a nuotare e già disimparato; noi andiamo a cercarci il mare solo per scorgerlo e odorarlo. I pastori, con la scusa delle ultime erbe, salgono fin sopra i roccioni al Passo della Pecora, al Passo delle Bisce, alla vetta dell'Altissimo, rischiano l'osso del collo e il gregge per tenersi poggiati alla roccetta più alta e vedere tutta l'immensità del mare di là, imbevuti del precipizio turchino dell'orizzonte, estasiati di vedersi testimoni del calare del sole nella liquidità purpurea della fine del mondo. E il vento caldo che sale dal mare gli diventa intorno una nebbia densa come il caglio; e le pecore si accosciano belanti di disappunto tra i sassi, con le zampe sanguinanti per gli inciampi, e la sete che le rode, e il seccume che le grava nello stomaco senza farsi digerire. E si fanno anche delle feste in questi giorni, al valico del Vestito e del Cipollaio, sulla cima tonda del Sumbra, da dove di giorno si vedono persino la Liguria e le acque chete del Golfo di Spezia. Si scomodano congreghe e partiti solo per prendersi un piatto e un bicchiere e accoccolarsi in tre o quattro, come scimmie, a guardare nella notte i lumi in mezzo al mare. E si vede che il nero laggiù è mare, solo per quei lumi che navigano piano nella loro scia. E pensiamo alle petroliere, e alle lampare, e alle portaerei. Pensiamo ai naviganti e a quello che del mare loro vedono che da qui noi non vediamo, a quello che devono patire in mezzo alle onde che noi non patiamo. E restiamo indecisi se alla fine sia andata bene così, che siamo rimasti senza il mare, senza la sua frescura nei calori di luglio, e senza il suo sterminato esilio.

Anch'io sono andato a vederlo in quei giorni di smania, per conto mio, da essere in alto già al primo chiarore e non farmi cuocere sui ghiaioni; su alla cresta della Pania, da dove si vede il mare azzurro della Grecia.

Fa caldo anche là, ma mio padre, cresciuto nel bollore dell'Amazzonia, non doveva farci caso. Se è lì che veniva anche lui a vedere il mare che tanto agognava, se è da lì che si è tuffato per andarselo a prendere. Sono stato alla Pania tante di quelle volte, che quest'ultima mi sono chiesto se valeva la pena di tornare ancora a fare tanta fatica. Mi provassi a tornarci ancora mille volte, non mi accadrà mai di trovarci il vecchio Chico. Lì, seduto dove sto seduto io, a guardare l'azzurro mare, ad aspettare che io gli chieda qualcosa per rispondermi. No, non succederà, ed è bene che a questo punto io non torni: ci sono molte altre bellissime vette nel distretto, ci sono molti altri mari, e molte altre cose da fare. Ci sarà, ad esempio, ancora qualche anno buono, non molti, perché io abbia forza sufficiente per prendermi questa figlia nascitura e caricarmela sulle spalle, e portarla a vedere il mondo. A guardare e conoscere. Varrebbe la pena già da adesso che mi preparassi degli itinerari; tra non molto sarà già pronta per venire, e sarebbe opportuno che scegliessi, discriminando l'urgente da ciò che può attendere, quello che spetta a me nel breve tempo che ho, e quello che andrà a cercarsi da sola.

E penso che non la porterò sulla cresta della Pania, ammesso che potessi ancora farcela, e non la farò sedere accanto a me a rimirare l'azzurro mare di Grecia, a rivangare nella vecchia storia di suo nonno. Se lo andrà a cercare lei il suo mare, se avrà voglia di mare, ci penseranno sua madre e il distretto al completo a dettagliarla sulla leggenda del padre di suo padre, orfano della foresta equatoriale, amico del grande Orson Welles, liberatore d'Italia, pazzo fedifrago. E lì, in quella leggenda, ci sarà, voglio sperare, posto anche per me. Tutte cose che spettano ad altri. Io, per me, dovessi fare in questo momento una scelta, credo che, per prima cosa, la porterò a veder lavorare suo padre. La farò assistere a un'esplosione magnifica, a un lavoro d'artificio fatto a regola d'arte. Perché me ne possa andare anch'io per la mia strada sapendo che almeno questo è stato fatto: ha visto ciò di cui non deve aver paura. A ciò che dovrà temere ci penserà poi la 'Nita.

Calore o non calore, intanto la stanza nuova è andata avanti, e il muratore moldavo Vlad ha messo per iscritto che metteremo le coppe sulle travi del tetto prima del freddo. Scritta in quella sua lingua inquietante, mezza latina e mezza slava, in fondo a una bolla di consegna, incisa con una biro come se quel pezzo di carta fosse stato pietra, la dichiarazione fa una notevole impressione.

Siamo alle carte perché Vlad vuol fare le cose per bene, e

lui dice che per vedere se le cose sono davvero fatte per bene ci vuole qualcosa di scritto. Soprattutto se c'è di mezzo una promessa d'onore, come l'impegno a coprire un tetto prima che nevichi dentro la casa. Nipote delle imponenti burocrazie sovietiche, figlio della disgrazia di un regime di balordi impostori, Vlad ha un rispetto per la voce della carta che io non conosco. A Newcastle il mio professore voleva che io gli svolgessi una formula di un processo chimico di qualunque complessità a mente; solo dopo, se avessi saputo farlo, avrei potuto scriverla per aggiudicarmi il voto di fine semestre. La prova scritta era la regola della scuola, ma non il suo insegnamento. Capivo quello che voleva da me, ed ero d'accordo, anche se la fatica era immensamente più grande.

Scrivere aiuta lì per lì, perché è il miglior testimone e la guida più sicura del pensiero. È come essere portati per mano quando non stai bene in piedi, o non ti fidi di quello che sai della strada. Scrivere è una comodità. Ma alla lunga la carta se ne va, e l'unica cosa che davvero rimane è il pensiero che hai avuto bisogno di metterci sopra. Ciò che sai. Conosco ancora tutte le formule che mi sono state chieste, non ricordo più nemmeno uno dei voti che ho preso, tranne il fatto che erano buoni voti, per quel che valgono ancora. E cioè, niente.

Sono un lettore di libri, vivo con una lettrice compulsiva, e non è a questo che penso; non alla carta che canta le storie, ma a quella che declama le promesse e perpetua i giuramenti. Quante speranze gli uomini hanno affidato alla carta. Tutte le loro migliori. Quanta ira è stata placata, quanto dolore lenito. Quanta brava gente come Vlad il moldavo è stata tenuta buona con un pezzo di carta. Quante battaglie hanno pensato di vincere gli assetati di giustizia imponendo agli ingiusti un solenne patto scritto. Quanta pena si sono dati i misericordiosi per trovare le parole più alte, i più nobili accenti, da sottoporre alla firma di uomini senza cuore. Quanta lubrica sete di potere, quanta smania vendicativa ha tenuto salda la mano dei controfirmatari. A Castiglione, nei solai della fortezza, il distretto conserva gelosamente un paio di quintali di carte raccolte nel corso dei secoli; sono tutti attestati di patenti, privilegi, concessioni, potestà, vincoli e costituzioni. Giuramenti infranti, cassati, obnubilati. È così in tutti i solai del mondo; se andassi a frugare tra le travi del sottotetto, ne troverei qualcuno anche a casa mia.

Il punto è che un patto, una promessa, già a metterli nero su bianco si lasciano dietro la parte del nocciolo, il giuggiolone, direbbe la 'Nita nella sua fiorita lingua: l'intenzione. La carta è troppo povera per contenerla; la carta ha poco prezzo e chiunque se la può prendere per due lire. Un'intenzione non si dà via neanche volendo. L'intenzione del giusto non sarà mai del fedifrago, l'intenzione di un libero non sarà mai di un tiranno. Se abbiamo ancora le nostre selve comuni, se continuiamo a confermare una generazione via l'altra i nostri vecchi usi civici, e nessuno, nemmeno il re d'Italia, nemmeno il cavalier Benito Mussolini, sono riusciti a metterci le mani sopra, non è per la carta che l'Ariodante dei Borgioni firmò in piazza, davanti al popolo che aveva appena piantato la sua quercia della Libertà. Con quella carta ci si sono puliti il culo il re Vittorio, il cavaliere Mussolini, e i loro discendenti, generazione dopo generazione. Non è per quella, ma è per ciò che è stato giurato quel giorno testa per testa, cuore per cuore; per l'intenzione di ciascun uomo che era lì, così sincera da rimanere buona per i loro figli, buona ancora oggi. Un patto scritto può diventare carta straccia, una promessa del cuore no. A meno che non si stracci il cuore.

Vlad è un uomo retto, ma è un uomo scorato; per questa ragione chiede scusa di sé, del suo cuore svuotato, e mette le sue promesse per iscritto. Io vorrei non farlo mai.

Ho cercato di spiegare queste cose a don Gigliante, che è tornato a parlarmi di matrimonio. Nel mezzo della calura con la sua tonaca da caccia, il fucile, e un sacco di farina appena macinata; il fucile per i conigli selvatici, la farina per la nascitura. Per la nascitura, buon pane di buona farina e il radioso riflesso di un sacramento. E anche un po' di legalità, con i tempi che corrono.

Per lui è difficile capire, lo so bene. Per lui un sacramento messo giù sulla carta è una sana questione di buonsenso. Cosa ci rimane se perdiamo anche il buonsenso?

Una promessa accorata, la sacra intenzione di un patto, gli ho risposto, una cosa che si può fare anche senza buonsenso.

Mi ha ricordato che torna sull'argomento solo perché ci vuole bene. Gliene voglio anch'io. Anche se alla fine di luglio è già in giro a sparare ai conigli selvatici; non dovrebbe farlo, lo sa.

Siccome di conigli non se ne trovava, quel giorno stava salendo a Careggine per cominciare a pulire un po' la chiesa e mettersi avanti con l'Assunta. Sono andato con lui per fargli vedere la pietra dove è stampata la fotografia del mio matrimonio. L'avrà già vista mille volte, ma non credo che si sia mai chiesto cosa sia davvero.

Non è una fotografia vera e propria, ma ci siamo quasi: è un bassorilievo inciso su una pietra. Nei tempi antichi era murato all'ingresso della chiesa, ma poi un predecessore di don Gigliante l'ha fatto portare via perché dava troppo scandalo. Comunque non ha fatto molta strada, perché ora è tre passi più in là, murato nel campanile. Quella pietra si vede bene dalla casa dell'Aristo e di sua nipote Malvina; basta affacciarsi da una delle finestre che danno sulla corte, ed è lì, dieci passi in diagonale oltre il portone di casa. Si disse anche a suo tempo, che quella casa si era fatta malvolente perché era guardata di storto dai due inchiavardati nel campanile. Il bassorilievo infatti raffigura due esseri umani, un uomo e una donna.

Vedi, prete bracconiere, questo è tutto quello che possiamo fare io e la 'Nita per sacramentare quello che siamo diventati.

Lui ha lasciato perdere e se n'è andato per le sue faccende: non ha nessuna compassione per le stranezze.

La pietra è grande più o meno come un manifesto di sagra paesana, ed è molto antica. Non si sa di preciso, ma l'autorità dei beni artistici attesta che è cosa pagana in tempo cristiano. L'uomo e la donna danzano; si tengono mano nella mano, sollevano le braccia e fanno un passo divaricando fieramente le gambe. Guardano davanti a sé, e gli occhi sono due tagli in una faccia tonda. Hanno ai piedi scarpe pesanti, i calzari di feltro dei padri dei nostri padri, e indossano rozze casacche. Nella mano libera l'uomo impugna una lancia, la donna un pugnale. Si sa che sono un uomo e una donna perché dalle casacche spuntano enormi sessi: un pene e una vagina. E non si sa altro. Dicono che sia una danza di guerra, dicono che sia una danza di caccia; ma non si sa di nessun'altra parte del mondo dove maschi e femmine abbiano mai guerreggiato e cacciato assieme; e poi ballato, stretti mano nella mano, armi in pugno. Mai, nemmeno nelle mitologie più scatenate. Certe cose, se mai sono successe, non è bene metterle nero su bianco, lasciarle a svergognarsi su una pietra per millenni. E qui invece è successo: è lì, appiccicato al campanile.

Io me li rimiro quei due, Lui e Lei, ogni volta che mi capita di passare da Careggine, e non manco mai di dargli una sbirciata nelle lunghe, molli pause durante il pasto degli ossetti. Ci penso spesso a Lui e Lei. Che musica li sta incitando a ballare? Quali strumenti si stanno suonando al margine della loro danza? E chi li sta suonando? Dove sono? In quale villaggio, in quale selva, in quale campo di battaglia? In quale anno di quale epoca? Forse non ci sono suonatori e non ci sono strumenti. Forse la musica se la stanno suonando dentro di loro, forse stanno ballando al seguito del loro cuore in tumulto per un'inaudita eccitazione. Se sono guerrieri hanno appena ucciso. Sono lì che si fanno coraggio perché stanno per farlo. Non uccideranno mai, invece, e quello che sta succedendo è un rito di giubilo alla vita, messo su per allontanare l'evenienza di perderla o di toglierla. Se invece sono cacciatori, cosa hanno appena portato a casa? Quali prede si possono uccidere con un pugnale e una lancia? Quale fiera può essere avvicinata al punto da ferirla con quella roba? Quanta forza e quanta arte sono necessarie per poterlo fare? Quanto coraggio, quanta pazzia? Se cacciano così da vicino, quel maschio e quella femmina hanno lo stesso odore delle bestie di cui si nutrono, e si vestono, e da cui si devono difendere. Hanno l'odore dolciastro e muschioso dell'orso. Quello aspro e caldo del cervo. Insopportabili. E nessuno sa chi sono, e nemmeno io, ma ci sono e restano lì, appiccicati al muro.

Lui e Lei. Finché dura la pietra, ed è pietra ben dura, granito dell'Appennino. E finché durano il granito e gli occhi di chi li guarda, dura l'ignoto patto tra di loro. L'alleanza. La promessa. Il giuramento. Che si son fatti per trovarsi lì, contro ogni aspettativa antropologica, e ogni storia.

Questo è un signor matrimonio, prete mio, fucilatore di coniglietti. Questo è il mio matrimonio, se saprò celebrarlo a modo.

Ma don Gigliante è a trafficare nel fresco della sua chiesa, e so che sta pregando per me, e prega per noi, che ci sia resa veniale la nostra imprevidenza.

MECCANICA CELESTE

E sono tornati. La prima domenica di agosto, con il caldo del pomeriggio, e si capiva che erano loro già alla Pieve, per l'inconfondibile scappamento con ritorno di fiamma di quel vecchio coupé, per il fatto che in tutto il distretto non c'era per le strade un'anima viva in movimento. Ero in cucina, a leggere appoggiato al fresco del muro di settentrione; leggevo e dormivo assieme, come capita solo in certi momenti di grazia pomeridiana, e mi ha telefonato la Santarellina. Li aveva appena visti passare dal Ponte. La sensitiva visione della Santarellina.

È da prima del calore che non esce quasi più di casa, non lo ha fatto nemmeno per salutare la partenza. A un certo punto della primavera si era sentita un po' vecchia e bisognosa di compagnia casalinga; così si è fatta portare al centro commerciale sull'autostrada e si è comperata un televisore grande come un cinema. E ha preso a pagare per un canale di football: tanto la cassa e la lapide e il prete me li son già bell'e prenotati e pagati. E questo per inciso si sapeva; perché ci fu il fatto, l'anno passato, del laboratorio di Camaiore, quello dove ci vanno i grandi artisti del mondo a farsi lavorare le loro sculture. La Santarellina ci andò in segretezza a farsi scalpellare la tomba, e il maestro scalpellatore le preparò una bella lapide monumentale, con il suo nome e la data di nascita e di morte incise in lettere miniate. Ci fu un fraintendimento, un'emozione dello scalpellino, e così dalla lapide risulta che la Santarellina è morta il giorno che le hanno rilasciato la ricevuta dell'anticipo. A lei non gliene importò nulla, se non di pagarla la metà del dovuto, ma si prodigò a rendere pubblico l'evento e si è proclamata la prima morta vivente del Ponte. Per un po' se n'è andata in giro a raccontare di come si stava meglio da zombi del cinema che da vivi.

Ma questa è acqua passata, di quando ancora non si sentiva così stanca; adesso se ne sta a guardare partite di calcio tutto il giorno, forse anche tutta la notte; calcio di tutto il mondo conosciuto. E si è messa a impararlo a memoria con la frenesia di un ragazzino con l'album delle figurine; squadre, calciatori e risultati. E spiattella nomi asiatici e africani, norvegesi e gallesi, come se fosse una posseduta, invasata da una lingua che neanche il mister della squadra di Gallicano, che è andato a studiare il football a Coverciano, è capace di comprendere. Si è buttata su questa pazzia calcistica come se fosse il suo nuovo lavoro a cottimo; come se avesse scoperto che la sua stanchezza le veniva dal non avere più niente da faticare, e siccome non c'è nessuno che le offre più di friggere i suoi quintali quotidiani di patate e pesciolini, o di caricarsi sulla schiena le corbe di castagne da portare al metato, si è inventata lei qualcosa di nuovo. Qualcosa che le sfinisca la sua immortale vecchiaia. E penso che parli ai calciatori della Costa d'Avorio, come un tempo parlava ai castagni delle selve: gli racconta le sue fole per tenersi compagnia e non farsi prendere dalla paura. Perché a questo punto credo che alla Santarellina le faccia un po' di spavento questo fatto che non morirà mai.

Eppure, anche sprofondata nell'imbuto del suo televisorone, li ha sentiti arrivare. Ha visto il riflesso del coupé sfrecciare sullo schermo, le è entrato nell'altoparlante il gratto di un cambio di marcia nel silenzio di una rimessa dal fondo. Ma gli vuole tanto bene a quei due; nella sua nuova stanchezza continua a voler così bene ai viventi, dentro e fuori i campi di calcio, che li conosce tutti quanti a memoria. Visionaria sensitiva come è tipico di coloro che non sanno adattarsi alla propria lapide, di ognuno vede e sente ogni cosa, e sa di quando parte e quando arriva. Mi ha telefonato, dicevo, annunciando il trionfale passaggio dal Ponte, e mi è bastato uscire di casa, adattarmi un attimo all'aria della calura, che dà al silenzio un timbro basso di vespaio nascosto nei travi, e ho preso a sentirli anch'io. E tra un grattare di marcia e l'altro, capivo persino il leggero smuovere d'aria di quelli che uscivano a vederli passare. Li ho aspettati sotto il noce, passando il tempo a giocherellare con i frutti ancora un po' acerbi, macchiandomi di nero le dita con il veleno del mallo, succhiandolo via e sputando intorno, stupidamente preoccupato di non avvelenare la 'Nita toccandola. Quando l'avrei toccata. E mentre mi succhiavo i diti, non riuscivo a immaginarmi il posto dove l'avrei potuta toccare senza farle male, senza avvelenarla. Come se non l'avessi mai toccata prima, come se non ci fossimo già scambiati tutti i veleni che gli uomini e le piante ci hanno messo nelle mani.

Sono arrivati trafelati, appiccicosi, riservati; loro sì, sembravano due sposi alla fine di un faticoso viaggio di nozze. Il Bresci sempre naufragato nel suo completo di flanella, la valigia tra le ginocchia, e lo sguardo tuttora rivolto ad altri paesaggi. La 'Nita che ansimava lievemente e faceva fatica a districarsi dal sedile: il suo ventre era così tondo e basso, il suo ciao così morbido e compreso, che ho pensato avesse già le doglie. Le ho toccato per prima cosa gli occhi, per levarle dalle ciglia la polvere del viaggio, poi le ho toccato le labbra, per vedere se si aprivano, se c'era qualche parola tra il bianco dei denti che bisognava togliere di lì; e poi, quasi senza volerlo, le ho sfiorato le poppe, e sotto la maglietta erano vaste e dure e silenziose, e sotto le mie dita la maglietta era umida e grassa.

Sembrava tutto a posto, così l'ho presa per la mano e l'ho portata in casa a sgravarsi. L'Omo Nudo intanto si era spogliato della grisaglia e cercava di ficcare tutto quanto nella valigia aperta sotto il noce; la valigia spandeva odore di biroldo fin dentro casa.

Dicono tutti e due che è andato tutto come doveva andare, anche meglio, e che poi racconteranno quando saranno in comodo, che adesso ognuno per suo conto ha da fare dell'altro. L'Omo Nudo, tanto per cominciare, ha da riprendersi i suoi maiali sotto la sua paternità, e ricostituirli dalla magrezza in cui si sono ridotti nella sua assenza. La 'Nita deve ancora partorire; del resto aveva detto che sarebbe successo per l'Assunta, e non sarà un'ora prima.

La domenica del ritorno è stata anche l'ultimo giorno del gran calore; già il pomeriggio sulle panie si è cominciato a sentir tuonare, e nella notte s'è andata a disfare la patina biancastra d'arsura intorno alla luna. S'è smorzata la polta di afa che dal piano teneva lontane le arie fresche di settentrione, e così siamo tornati a uscire la sera a farci alzare il pelo dalla corrente d'Appennino. In queste sere Venere monta sulla Pania subito dopo il tramonto e verso mezzanotte si accosta alla luna piena al perpendicolo della Roccandagia, e i due lumi assieme sono così vividi e presenti che ci prende voglia di salire sui poggi a goderci questa nostra patria vallata che riposa dalla sua stagione feconda mollemente marezzata dei loro chiarori e delle molli oscurità che ci si sfrangiano attorno. Quasi come in un sogno, essere lì nel cuore della notte e dire: io sono qui e sono di questo.

E ci prende nostalgia di quello che siamo, tenerezza per la nostra fragile consistenza di proscritti, furore per la grazia che il mondo di là dai passi non ci ha mai voluto accordare. Quei passi che in queste ore di tenera luce siderale ci appaiono così vicini, così facili da valicare. E ci accostiamo a parlare sottovoce tra di noi di quello che vorremmo fosse tutto questo; e congegniamo futuri, progettiamo arditezze che ci scompigliano il cuore. E sono confessioni che si dissolvono tra noi nella notte come il sussurro di una fola raccontata a dei bambini già mezzi addormentati; già altrove nel loro sognare, e ancora qui, a sbirciare dalle palpebre socchiuse il paese che gli streghi non hanno mai avuto in preda, se non per un attimo. L'attimo che non vorremmo mai ricordare, ma che queste notti sentiamo distintamente venirci ancora una volta incontro tra i lampi lontani nel mare, dalle tempeste laggiù nel Golfo del Leone, che ribadiscono come il tempo vada rompendosi nel finire dell'estate.

L'altra notte la 'Nita è voluta venire con me alle Verrucole; salendo aveva un po' di affanno, e spandeva latte dalla camicetta, e odorava di vigilia, lo stesso intimo odore di muco e trifoglio delle manze quando si accosciano e si preparano per tempo a sgravare. Ce ne siamo stati quasi tutta notte affacciati alla balaustra merlata, quella che il governatore Ariosto si era fatto edificare alla sommità della fortezza per rimirarsi l'intero territorio del suo governatorato. Quel grand'uomo mandava a dire al suo padrone estense che non gli bastava nemmeno quella poderosa fortificazione a farlo sentire al sicuro da quel che vedeva da lassù; adombrava assassini, palesava complotti, diagnosticava rivolte, perorava un trasferimento ad altra e più confortevole sede. E tutto perché qua da noi non trovava pace per i suoi poemi. Perché non gli piaceva la polenta di neccio, non digeriva gli ossetti, detestava discendere le gole e risalire le montagne, e attraversare le selve gli metteva terrore.

Per l'appunto, la 'Nita si è portata con sé il libro del governatore; con tutto che pesa un bel po', perché è quello che abbiamo ereditato dalla Duse. L'*Orlando* in quarto di foglio, edizioni Sonzogno per il Popolo, anno 1894; il libro che si sono passati di mano le tre generazioni dei suoi scolari, quello che ha letto a me nei sabato sera nel cuore degli inverni della mia infanzia. Le è sembrato confacente leggerne un poco sotto la luna; leggerlo a voce alta per me, per la nascitura, per il nostro paese. Così ha declamato il famoso episodio della follia del paladino. E ci siamo ricordati per l'ennesima volta che noi siamo quelli lì, gli infidi montanari che prosperano in un travaglioso albergo e crudo, empio soggiorno. E la parte migliore a cui io e lei potremo mai aspirare, è quella di Angelica la cinesina e del fantaccino Medoro: i fornicatori senza ritegno, gli innamorati della svagatezza che hanno fatto impazzire il migliore tra tutti quegli altri, il più grande tra gli eroi. Il più bello e il più stupido. E ne siamo rimasti ancora una volta contenti. Non ci garba così tanto Orlando, non ci piacciono gli sbruffoni e gli insicuri, i giovanotti che danno la rovina al mondo perché il mondo non si piega alle loro frivolezze. Ma Angelica ha fatto qualcosa di buono: si è presa cura del Medoro ferito a morte e lo ha salvato. E Medoro si è comportato da uomo: non si è accanito nell'inconcludente duellare parigino, ma se l'è portata via di là la sua donna, lontano dalle false promesse di Roncisvalle, a far l'amore per boschi e riviere, a generare piacere e progenie, lavoro e bellezza.

E così ci sentiamo di concludere che il destino di lacrime e morte della nostra antica principessa Apua e del suo Pisanino, non è l'unico che ci è stato assegnato. E questo è il solo gesto di riconoscenza che il governatore ha lasciato, perché fosse ricordato dalla gente che lo ha beneficiato, tenendoselo sul groppone per anni e anni senza torcergli un capello.

L'altra notte, alla fine della sua lettura, mentre si passava un fazzoletto sull'inarrestabile gemizio latteo, e intanto sbirciava la luna, ancora tonda e liscia come un formaggio, tramontare dietro la cuspide del Pisanino, la 'Nita mi ha invitato a considerare se non fosse il caso che per un po', di libri basta. La flebile ombra dell'eclissi si stava allungando con tenera dolcezza giù, tra le pieghe del fiume, che si andava lentamente spegnendo proprio sul finire della notte. E ho concordato con lei. Quella lettura così plateale e intima, così rinfrancante, poteva essere l'adeguato commiato da un'attività che ci ha dato molte soddisfazioni, ma che ora come ora sarebbe fuori luogo. Questo è il tempo di metterci a raccontare noi, e diventare i nostri autori preferiti, almeno per il tempo del nostro racconto. Se mai ci è stata data un'opportunità di essere una storia che val la pena di essere interpretata, questo è il momento. Ora. Ora che siamo benedetti dalla fortuna di essere vivi, e ogni uomo e cosa intorno a noi, ogni traccia e impronta, ci appaiono vividi di vita sempiterna. Ora che abbiamo imparato così tanto di quello che c'è da vedere e sentire e toccare di questa vita, che altro dovremmo essere, se non il miglior romanzo in circolazione? O tra i migliori; perché ogni volta che mi guardo intorno, ogni volta che entro in una casa di questo distretto, o anche, semplicemente, mi appoggio a un suo muro, ogni volta che mi fermo ad ascoltare, non dico un discorso, ma anche solo il rumore che vivendo fa la mia gente, io non vedo, non tocco e non sento che romanzi e poemi. Presenti e passati, tutti allo stesso modo in plastico svolgimento, e nessuno che possa essere sminuito da quelli che sono stati scritti e recitati dagli altri per noi. Nessuno, mi pare, indegno di quello che i nostri padri ci hanno lasciato. E qui da noi, oltretutto, è più bello che a Roncisvalle.

È stata una decisione saggia, quella che abbiamo preso di sospendere per un po' la lettura; un saggio gesto della maturità, della mia tardiva e ultima maturità, di quella prima e promettente della 'Nita. Questo ci risparmia, in un momento così delicato, dal mettere mano al lascito dell'Omo Nudo; il libro della verità nascosta, il prezioso dono di conoscenza che il grande scrittore Oscar Wilde consegnò a suo nonno Amanteo, il caffettiere che a Chelsea accudiva l'intima solitudine del grand'uomo, e intanto teneva d'occhio il futile declinare nell'agonia del turpe albionico Impero. Come promesso, nel medesimo giorno del ritorno il Bresci ha solennemente consegnato nelle mani della 'Nita il destino dell'umanità. Teneva quel libro nella valigia del viaggio, come se mantenere la promessa fosse un'urgenza al pari del cambio delle mutande. Il libro adesso è nella stanza grande, sul tavolo di castagno tenuto sgombro per l'estate; è lì ben in vista perché non ci sfugga la grande opportunità che ci è stata data, ma non è stato ancora aperto, e a questo punto è bene che resti chiuso lì ancora per un pezzo. Ho visto cos'è, e diversamente dalla 'Nita, ho già letto quel libro.

In effetti è solo un romanzo, e se ha in sé qualcosa di prezioso è perché lo scrittore socialista si è privato di una prima edizione firmata dall'autore. Conosco quel libro, dicevo, e credo di capire cosa intendesse Oscar Wilde quando metteva a parte il suo amico caffettiere della verità nascosta che lo aveva illuminato. È una storia terribile, e probabilmente profetica, scritta dal re dell'isola caraibica di Redonda; il re scriveva nella lingua inglese, e il romanzo che io ho letto al tempo del college è intitolato *The Purple Cloud*. Parla della fine dell'umanità per opera di un potente veleno sparso sulla Terra da una nube purpurea; parla di un uomo che immeritatamente le sopravvive e prende a vagare per il mondo fatto deserto di vita. Parla di come quell'uomo prenda coscienza nel suo vagare della cattiveria del genere umano e della sua giusta fine, di come egli stesso intenda perire e, nell'attesa della sua fine, di come infierisca sulle vestigia dell'umanità, facendo esplodere sotto una montagna di tritolo tutte le più grandi e più belle città del mondo. Parla infine di come incontri una giovane donna, anche lei eccezionalmente sopravvissuta, e di come, nonostante intenda resisterle, alla fine ceda alla sua anima immacolata, e si avvii con lei, nuovo Adamo, nuova Eva, a edificare una nuova umanità. Un'umanità redenta dalle malvagità che hanno portato alla distruzione la presente.

È un bene che si sia deciso di non leggerlo. È una storia troppo vera e troppo definitiva, che non può darci nessun aiuto. Nella sua verità non c'è nulla di segreto o nascosto. Poteva sembrare così a uomini che ancora vivevano nell'incertezza del disastro, ancora carichi di troppo orgoglio, smaniosi di vendicarsi di se stessi e certi di poter sopravvivere alla propria vendetta. Segretamente, coltivavano assieme all'attesa della distruzione del mondo, l'ambizione della sua redenzione. Ora, noi sappiamo che la nube purpurea è già passata da un pezzo, che tutto quello che poteva essere fatto deserto è stato già raso al suolo. E non per esercizio di orgoglio, ma per pratica di umiltà, abbiamo la chiara coscienza che l'unica cosa di buono che i sopravvissuti possono fare per ravvivare ciò che è rimasto della Terra, è confidare nell'innocenza dei figli che sapranno generare. Non c'è nulla di eroico in questo, e nessuna segreta cabala; niente di romanzesco che non si sappia già scrivere per conto nostro. Abbiamo solo bisogno di farlo, e nel farlo avremo bisogno che ci siano lasciati lo stupore e la sorpresa che un romanzo prenderebbe per sé. Per una volta, che ci lascino noi a provare a scrivere il Gran Finale.

Domani è l'Assunta, e la 'Nita partorirà. Lei e la nascitura si sono messe d'accordo nei dettagli: andrà all'ospedale di Piazza e sarà accompagnata dalla Malvina. Partiranno con la Karmann e guiderà la Malvina; sono sicure che nel viaggio, o in sala travaglio, o comunque lì intorno, avranno modo di trovare il nome adatto a questa mia figlia che nascerà. Non ho capito bene se la Malvina sappia guidare e in particolare se sappia come si guida quella automobile, ma vedo che la 'Nita ha una cieca fiducia in quella ragazza. Ne ho anch'io. Era qui fino a poco fa; è venuta con un mazzetto di acquerelli del Nazzareno. Sono foglie di acanto, ognuna avvolta nel suo sipario di tenera ombra e dolcissima luce, ognuna presa nel suo inesplicabile mistero vegetale. Acanto per la nascitura, perché, manda a dire il Nazzareno, prenda confidenza per prima cosa con la pianta più cara ai poeti. Poeti?

Io aspetterò, non c'è altro posto per me domani. È una cosa semplice che non va complicata, dice la 'Nita. Semplice, matematica e prevedibile come il cielo di questa notte, ha precisato la Malvina, come se nella sua breve vita non avesse fatto altro che partorire. Solo un piccolissimo ingranaggio in più nella volta celeste, ha pontificato, una complicazione appena calcolabile nel movimento generale dell'universo, lo spazio di un grano quantico sottratto all'immensità del vuoto siderale.

Ex voto

È bello e confortante che la vita e le vicende degli uomini siano così grandi e sorprendenti da aver bisogno solo di essere ricordate. Perché gli spiriti degli uomini restino, sempre, e nulla e nessuno sia accaduto invano. Almeno è così che la pensa l'autore, che in questo trova l'unica buona ragione del suo romanzare. Dunque, tutto di questa storia è vero. Lo è nel modo che aveva il grande attore e regista Orson Welles di pensare la verità. *It's all true*, proprio così. Allo stesso modo di Orson Welles, l'autore non si è messo per strada a cercare la verità, ma gli uomini, e ciò che la vita degli uomini porta con sé di verità. E ciò che fa che la verità della vita sia romanzo.

Ho vissuto nel distretto e tornerò a viverci, se Dio vorrà; finché vivranno, continuerò a incontrare molti degli uomini e delle donne che in questa storia sono personaggi. Non so se saranno contenti di rivedermi. Non so neppure se saranno contenti di vedermi passare le selve e le panie, il fiume e le gole. A pochi di loro ho chiesto il permesso di farne la mia storia, di fare della loro verità la mia. Di tutti quanti loro sono debitore per sempre. Di un intero popolo, di un intero paese. Fare i nomi in questo caso non serve, ci sono già tutti; e se non sono proprio quelli depositati negli uffici di anagrafe, tanto meglio: noi sappiamo.

E poi ci sono tutti gli altri, quelli che sono venuti in viaggio con me, quelli che ho incontrato per strada, e quelli che mi hanno aspettato ai crocicchi. Quelli "senza i quali non...". Eccoli, e me ne sono sicuramente dimenticato qualcuno: la Luciana, prima di tutti, che del distretto è prodiga custode e immacolata vestale; e poi Elio e l'Alessandra, la Francesca, Pico, Remo C., Donald, Roberto A., la Roberta, l'Adriana, Alberto e la Giovanna, Cesare M., Enri, naturalmente, e Giovanni D.R., Stefania R., Mario C., la Giulia; e Andrea Giannasi e Oscar Guidi, gli storici i cui lavori mi hanno fornito notizie inedite sulla Força Expedicionária Brasileira in Italia e sulla guerra di resistenza al fascismo nel "distretto". E la Faenza; sì, la Faenza, lei.

PS Molti altri libri hanno per titolo *Meccanica celeste*, e non c'è studente di astronomia o di fisica che non ne abbia almeno uno a disposizione per i suoi primi esami. Ma c'è anche un romanzo che ha questo titolo, e il sottoscritto se n'è accorto quando il "suo" titolo viveva ormai da troppo tempo con lui e con la sua storia per poter prendere in considerazione l'evenienza di disfarsene. L'autore, l'autrice, dell'"altra" *Meccanica celeste* si chiama Maro Duka, ed è una scrittrice greca ingiustamente poco nota in questo paese e in questa lingua.

INDICE

13 Personaggi

17 *1. Un fatto fatto*

36 *2. Com'è tornato l'Omo Nudo*

60 *3. I cento nomi delle città d'Italia*

86 *4. Il tango del perduto amore*

107 *5. Sono nata vedova*

128 *6. Orto di Donna*

155 *7. Wintergewitter*

176 *8. Tutto questo è vero*

198 *9. Questa mia patria vallata*

221 *10. La malvolente*

252 *11. Di quelli che sono saltati in aria*

272 *12. L'attimo della belùa*

288 *13. La sacra intenzione di un patto*

301 *Meccanica celeste*

311 Ex voto